LLAFUR CARIAD

Gareth Miles

Hughes

Argraffiad cyntaf: Awst 2001

ⓗ Gareth Miles/Hughes 2001

Cyhoeddwyd gan Hughes a'i Fab,
Parc Tŷ Glas, Llanisien,
Caerdydd CF14 5DU.

ISBN 0 85284 311 9

Dymuna'r cyhoeddwyr gydnabod cymorth
Adrannau Cyngor Llyfrau Cymru.

Cysodwyd ac argraffwyd gan
Wasg Dinefwr, Heol Rawlings,
Llandybïe, Sir Gaerfyrddin.

Daw'r dyfyniad ar dudalen 8 o *The Human Stain* gan Philip Roth,
a gyhoeddwyd gan Jonathan Cape.
Ailargraffwyd trwy ganiatâd The Random House Group Ltd.

i Osian Llŷr

Diolchiadau

Dymuna'r awdur ddiolch i S4C am gomisiynu'r
ddrama gyfres *Llafur Cariad* a'r nofel hon; i
Angharad Jones, Comisiynydd Drama S4C a
Bethan Eames, Cynhyrchydd, Cwmni Teliesyn,
am eu hanogaeth a'u cefnogaeth; ac i Luned
Whelan o Hughes a'i Fab am ei gofal a'i
hamynedd.

Cynnwys

. . . how easily life can be one thing rather than another and how accidentally a destiny is made . . . on the other hand, how accidental fate may seem when things can never turn out other than they do.

Philip Roth *The Human Stain*

ABER

Y mae Etifeddeg, Magwraeth a Hap. A'r mwyaf ei ddylanwad o'r rhai hyn yw Hap.

Y prynhawn dydd Mercher glawog hwnnw ym mis Tachwedd 1981, buasai'n well gan Gwyn Howells fod yn rhywle arall yn gwneud rhywbeth mwy addysgiadol na chynrychioli tîm yr Adran Gemeg yn erbyn tîm Adran y Gyfraith ar un o gaeau pêl-droed lleidiog y coleg, gerllaw Heol Llanbadarn. Edifarhâi iddo ildio i weniaith ei gapten – "Those toffee-nosed twats will put five over us, Howells, unless we got you at the back" – yn hytrach na mynnu dychwelyd i'r labordy i gofnodi canlyniadau ei arbrawf.

Melltithiai ei hun am ildio mor rhwydd i sebon. Melltithiai'r gwynt a'r glaw a'r oerfel. Melltithiai'n fileinach na neb na dim ei brif wrthwynebydd o blith y Cyfreithwyr, llanc pryd tywyll, ysgafn o gorff; pêl-droediwr symol ond yn meddu ar ddigon o anian milgi i allu rhoi cic a chwrs i'r bêl heibio i Gwyn ac i lawr yr asgell, bob hyn a hyn. Aneffeithiol fu ymdrechion y gwibiwr i groesi'r bêl tua gôl y Cemegwyr ac eithrio un tro pan gwympodd honno o fewn llathen i un o flaenwyr y Cyfreithwyr, a'i rhwydodd.

"Pathetic, Howells!" bloeddiodd Capten y Cemegwyr. "I know you don't want to be here, but make a teeny-weeny effort to stop him next time!"

Hynny a fu. Y tro nesaf y ceisiodd y bachgen main chwarae'r un cast, anwybyddodd Gwyn y bêl gan sglefrio at fferau'r llall a'i fwrw, gyda boddhad cyntefig, i'r llaid. Wrth godi i ddilyn y chwarae i gyffiniau cornel chwith yr amddiffynwyr, sylwodd Gwyn fod y llanc a loriwyd ganddo yn dal ar ei din ac yn griddfan a rhwbio'i ffêr.

"*Sorry, byt*," ebe Gwyn yn ddidwyll.

"Dos i ffwcio dy nain, y bastad budur, brwnt!" arthiodd y llall.

"Rwy'n fachan budur. Ond so i'n frwnt," chwarddodd Gwyn gan gynnig cynorthwy ei law i'r llanc. Cydiodd hwnnw ynddi a rhoi plwc i'w pherchennog ar ei wyneb i'r baw, dan glochdar: "Mi wyt ti rŵan!"

Ymaflodd y ddau yn ei gilydd dan rwygo a rhegi nes i'r gwylwyr prin dynnu sylw'r Reff at y gwffas. Chwythodd hwnnw ei bib awdurdodol a thuthio tua'r fan a'r chwaraewyr eraill wrth ei gwt.

Gyda chymorth y ddau gapten, llwyddodd y dyfarnwr i wahanu'r ymladdwyr. Ceryddodd hwy am ddod ag anfri ar y gêm a bygwth eu hel o'r maes pe tramgwyddent eto. Ategwyd ei eiriau gan Gapten y Cyfreithwyr – sy'n farnwr go-iawn, erbyn heddiw – a symudodd ei asgellwr dde i wasanaethu ar yr aswy. Roedd hwnnw bryd hynny'n slotiwr ac yn smociwr trwm a gredai fod "cadw'n heini" yn arwydd o feddylfryd bwrgeisaidd ac anghymreig ac yn falch o gael esgus i bwdu. O hynny tan ddiwedd y gêm gellid tybio iddo fagu alergedd at ledr synthetig.

Yn y Pafiliwn, wedi'r drin, croesodd Gwyn Howells trwy ager y baddondy at yr asgellwr tenau, pryd tywyll a eisteddai yn ei drôns ar fainc-newid gan fyseddu'r sgriffiadau coch ar ei ffêr chwith.

"Wyt ti'n meddwl bydd rhaid 'i chael hi off?" cellweiriodd Gwyn.

Cododd y cyfreithiwr clwyfedig ei ben i syllu ar y

gwryw ifanc cyhyrog a safai o'i flaen, ei liain fel cilt llaes am ei lwynau, gwrid y gawod ar ei gnawd a'i wallt brown, cyrliog fel mwng Samsonaidd. "Na fydd," atebodd yn biwis. "Ond dim diolch i chdi."

"Ma'n flin 'da fi am y dacl 'na," ymddiheurodd Gwyn. "Odd hi'n fochedd."

"Meddwl bod ni'n chwara rygbi oedda chdi?" ebe'r llall yn goeglyd. "Honno ydi'ch gêm chi'r Hwntws 'tê?"

"Ma' mwy ohonon ni'n whare ffwtbol, fel ma'n digwdd."

"Trio."

"Gwyn Howells yw'n enw i," meddai'r cefnwr cemegol gan estyn ei law.

"Arwel ap Rheinallt," meddwn innau wrth gymodi.

A dyna sut y cyfarfu Gwyn Howells a minnau ein gilydd. Newidiodd yr achlysur gwrs ein bywydau.

"Ffwtbol yw gêm dosbarth gweithiol South Wales, Arwel," eglurodd Gwyn ac eistedd wrth f'ymyl. "Y dosbarth cenol – ficers, cyfrithwyr, *public schoolboys* ac yn y blaen ddaeth â rygbi 'co. Nhw sy'n dala i'w rhedeg hi. 'Na pam ma'r WRU yn ddiawled mor *reactionary* a shwt ffrindie â *South Africa*."

"Diddorol iawn, Gwyn. Mi wt ti'n dipyn o sosialydd?"

"A tithe?"

"Dim ond ar y cae cicio fydda i ar yr asgell dde."

"So'r Parti'n neud yn rhy dda sha North Wales dyddie hyn, yw e?"

"Pa 'Barti'?"

"*Labour.*"

"Dwi'm yn y Blaid Lafur 'sdi."

"Trot o ryw fath ife?"

"Dim un blaid ar y funud. Ma' Plaid Cymru mor wan. A nytars efengylaidd sy'n arwain Cymdeithas yr Iaith."

Ni ddeallais y wên slei ar wyneb Gwyn wrth iddo

ddweud: "Dylet ti gwrdd â'n wejen i, Arwel. Ma' hi'n yffach o *left-winger* . . ."

Disgwyliai Sylvia amdano ger mynedfa'r Pafiliwn. Adwaenwn yr wyneb hirgrwn, "gwyn a gwridog", y dalcen lydan a'r gwallt du wedi ei gribo'n ôl dros y clustiau del. Gwisgai gôt ddyffl wyrdd-tywyll, gyda sgarff goch am ei gwddf, a botasau lledr duon a gyrhaeddai at fol y goes.

"Sylvia . . . Arwel *ap Rheinallt*. Arwel . . . Sylvia Griffiths," meddai Gwyn.

Gwenodd Sylvia a minnau ar ein gilydd.

"Ŷch chi wedi cwrdd?" holodd Gwyn.

"Wedi gweld 'yn gilydd boutu'r lle," atebodd Sylvia. "Bwmpon ni miwn i'n gilydd bore 'ma, on'd do fe, Arwel? Ar ddiwedd darlithodd y bore?"

"Do," meddwn. "A dwi 'di gweld d'enw di ar bosteri'r undab Seusnag."

"Ma' Arwel yn sosialydd mowr, Sylvia," ebe Gwyn yn hollol ddiniwed i'm clust i. "A ma' fe'n *Welsh Nationalist*."

"*National-Socialist* ife?" meddai Sylvia gyda gwên deg ond ymosodol. "Nazi?"

"Naci siŵr Dduw!"

"'Na beth yw bachan sy'n *Nationalist* a'n *Socialist* 'run pryd."

"James Connolly, er enghraifft?"

"Odd e'n gwd boi nes daeth e dan ddylanwad Patrick Pearse, y *crypto-fascist* ag odd e!"

"Rêl Blaid Lafur! *Brit* i fêr d'esgyrn!"

"*Internationalist*, gw'boi."

"Gin bellad â'r *White Cliffs of Dover*!"

Sylwais fod Gwyn yn cael modd i fyw. "Newydd gwrdda ŷch chi, bois. Pidwch cwmpo mas," meddai dan chwerthin.

"'Na beth o't ti'n moyn yntefe?" ebe Sylvia'n siort, ac

ychwanegu wrthyf fod Gwyn yn "joio'n weindo i lan. Rwy inne wastod ddigon dwl i adel iddo fe neud 'ny."

"Ma'r car 'da fi man hyn, Arwel," meddai Gwyn a'i fraich am ysgwyddau Sylvia. "Allwn ni roi lifft i ti i rywle? Neu dere 'da ni am ddished o goffi. Rwy'n dala i deimlo'n ddiflas boutu'r dacl 'na."

Erbyn i ni gyrraedd y caffi yn Heol y Wig gwyddwn fod Gwyn ar ei drydedd flwyddyn a Sylvia ar ei hail, fel fi, ac yn astudio Gwleidyddiaeth a Hanes, ar y cyd. Enwyd Sylvia ar ôl Sylvia Pankhurst a'i brawd Paul ar ôl Paul Robeson. Roedd Gwyn a Sylvia wedi bod yn canlyn ers tair blynedd, er pan ymunodd Sylvia â chweched dos-barth Ysgol Gyfun Trelwchwr a phenderfynu mai dim ond yr *Head Boy* poblogaidd oedd yn ddigon da i fod yn sboner iddi. Roedd Gwyn wedi prynu'r Morris Minor du a thalu amdano trwy weithio yng ngwaith dur Port Talbot yn ystod ei wyliau haf, er mwyn medru dychwelyd i Drelwchwr bob penwythnos i weld Sylvia yn ystod ei flwyddyn gyntaf ef yn Aber, a galw yno'r un mor rheol-aidd y flwyddyn ganlynol, pan fyddai wedi graddio ac yn gweithio'n llawn-amser ym Mhort Talbot a hithau'n dal yn y coleg. Wedi i Sylvia raddio, byddai'r ddau'n symud i Lundain, ef i swydd gyda'r Gorfforaeth Ddur neu'r undeb, yr ISTC, a hithau i ennill ei thamaid fel ymchwilydd Seneddol a/neu newyddiadurwraig. Ymhen tair neu bedair blynedd byddent yn dychwelyd i dde Cymru, i swyddi cyffelyb, a byddai Sylvia'n dechrau chwilio o ddifrif am sedd seneddol saff. Pan glywais fod ei thad yn asiant i Owen Daniels, AS Llwchwr, a fu'n Weinidog yn y Trysorlys yn Llywodraeth James Callaghan, credais fod posibilrwydd nad oedd, fel cynifer o fyfyrwyr uchelgeis-iol, yn siarad ar ei chyfer.

Parciodd Gwyn ar y prom, ac wrth i ni gerdded at y caffi yn Heol y Wig diddanodd Sylvia ni gyda disgrifiad o sgarmes wleidyddol rhyngddi hi ac Iwan Harries, Cadeirydd Ceidwadwyr y coleg, mewn seminar y bore hwnnw:

"Wedodd Harries rywbeth fel: 'Whilst we may justifiably characterize Jefferson's enthusiasm for the French Revolution as naive and short-sighted, or even blindly anti-British, his drafting of the Declaration of Independence establishes him as one of the founding fathers of American Democracy and Western values based on . . .'

"'Racism, imperialism, genocide and hypocrisy!' medde fi. 'Thomas Jefferson wrote philosophical treatises attacking slavery – and was himself a slave-owner. He professed sympathy for the American native peoples – yet instructed his Indian agents to give them alcohol, so that they might be more easily defeated and robbed of their lands. Jefferson was a worthy forerunner of contemporary mass-murderers like Nixon and Kissinger . . .'

"Daeth y darlithydd â'r seminar i ben man 'na, cyn i ni ddechre pwno'n gilydd, ond wedodd Harries: 'That's rich coming from a Stalinist'. 'Excuse me,' medde fi. 'A member of the British Labour Party.' 'Same thing,' medde fe. 'Cer i grafu'r diawl dwl,' medde fi. 'Ti'n dishgwl mor bert pan ti'n grac, Sylvia,' medde fe. 'Ffyc off, Harries,' medde fi a sathru un o'i Hush Puppies e, fel bod e'n sgrechen fel y mochyn ag yw e!"

Wrth i Sylvia dynnu ei chôt cyn eistedd wrth un o fyrddau melamine coch y caffi stemllyd, gorfodais fy hun i beidio â rhythu ar lawnder llyfn ei bronnau dan y siwmper emrallt a'i chluniau dan y sgert ddu, gwta a meinder ei gwasg.

Perffeithrwydd, meddyliais, mor wrthrychol â dyn tlawd, mirain ei chwaeth yn edmygu darlun cain na all fyth ei feddiannu.

Faint elwach fyddwn o flysio? Roedd Gwyn gymaint

aeddfetach a mwy hyderus na fi, a pherthynas y ddau yn uniad mor gyflawn, mor gymharus. Roedd y syniad o fennu arni'n rhyfyg cableddus.

"'Na ddigon o glebran amdanon ni," ebe Sylvia wedi i ni eistedd o amgylch un o fyrddau'r caffi stemiog gyda'n paneidiau. "Beth amdanot ti, Arwel? Beth wyt ti am 'neud 'da dy fywyd?"

"Mynd yn dwrna, ma'n debyg."

"So ti'n siŵr?"

"Gweld y Gyfraith yn bwnc sych ar y naw ydw i, a deud y gwir. A'r darlithwyr a'r myfyrwyr yn snobs ceidwadol, sych."

"Pam dewisest ti 'i neud e?" holodd Gwyn.

"Ma' brawd Mam, hen foi clên iawn, chwara teg, wedi gaddo job i mi efo'i ffyrm o'n Nolgella."

"Wyt ti'n meddwl leci di 'na?" gofynnodd Sylvia a thinc yn ei llais yn awgrymu y dirmygai ateb cadarnhaol.

"Ma' Yncl Dafydd wrth 'i fodd."

"Fyddi di?"

"Bydda i'n fwy annibynnol na taswn i'n mynd i ddysgu, neu i'r cyfrynga."

"A bydd 'da ti golff ar *week-ends*, *Rotary* bob nos Fercher a'r *Masons* unweth y mish!" gwatwarodd Sylvia gan chwerthin am ben dinodedd fy uchelgais.

"Fydd y Chwyldro Cymreig wedi sgubo'r rheini i ebargofiant 'mhen deg mlynadd."

"Paid siarad shwt ddwli plentynnedd!"

Cododd Refferendwm '79 ei ben a phoethodd y taeru ddegau o raddau Fahrenheit.

"Dwi'm yn dallt sut medar Cymry Cymraeg fod yn erbyn hunan-lywodraeth i'w gwlad 'u hunin!" meddwn gan frathu 'nhafod rhag eu galw'n fradwyr.

"So dosbarth gweithiol de Cymru'n gweld 'na'n bwysig, Arwel," esboniodd Gwyn yn nawddoglyd. "Ma' mwy yn gyffredin 'da coliers a gwithwrs dur Trelwchwr a choliers a gwithwrs dur Yorkshire na s'da nhw â . . ."

Wrth i Gwyn betruso, cwblhaodd Sylvia'r frawddeg â malais:

"Bugail Aberdyfi!"

"Tydi gweithwyr amaethyddol Meirionnydd a chwarel-wyr Arfon ddim yn aeloda o'ch 'dosbarth gweithiol' chi?"

"Wrth gwrs bod nhw," meddai Sylvia. "A 'na pam ma'u *interests* nhw'n gwmws fel rhai dynon Trelwchwr. Nage achos bod nhw'n Gymry."

"Sut ydach chi mor wrth-Gymreig?" gofynnais.

Sylwodd Gwyn fod mwy o dristwch nag o gerydd yn fy llais: "So ni yn, Arwel. Ni'n browd o fod yn Gymry. Ond nagyn ni'n *Nationalists.*'"

"Fedra i mo'ch dallt chi," meddwn.

"Ddylen ni fynd ag Arwel gatre 'da ni rywbryd, Sylv?" ebe Gwyn gan droi ati. Cydsyniodd hithau gan orchymyn, megis:

"Bydde'n agoriad llygaid i ti."

Cododd Gwyn a chyhoeddi ei fod yn "gorffod 'i baglu hi", gan ychwanegu pan achwynodd Sylvia: "Ti'n cofio bod arholiade gradd 'da fi miwn cwpwl o fisoedd?" Ychwanegodd, a 'nghynnwys i yn y cyhuddiad, "So Gwyddonwyr yn gallu ishte boutu'r lle'n tsiopsan drw'r dydd, fel chi fois yr *Arts.*"

"On'd yw e'n hunangyfiawn, Arwel?" ebe Sylvia gan droi ataf.

"Alwa i hibo nes 'mlaen," addawodd Gwyn wrth droi ati i ffarwelio.

"Cofia," siarsiodd hithau.

"Reit."

"Cofia!" meddai Sylvia'n daerach fyth a'i gusanu'n angerddol.

Teimlwn fel dyn yn cerdded heibio i ffenestr llofft oleuedig ac yn cael cip ar ŵr a gwraig yn anwylo'i gilydd. Trois i syllu ar ffenestr loywddu, ddiferol y caffi.

Ymadawodd Gwyn ac aeth Sylvia i brynu paned arall o goffi iddi hi a fi.

"Mi wyt ti a Gwyn yn lwcus," meddwn, pan eisteddodd hi gyferbyn â fi. "Gynnoch chi berthynas mor dda."

"Rŷn ni 'da'n gilydd ers tair blynedd," ebe Sylvia, am yr eildro. "Odd e â'i lyged arno i lot cyn 'ny, cofia. Gwmws fel Elvis a Priscilla. Oes wejen 'da ti, Arwel?"

"Ddim ar y funud."

Sipiais fy nghoffi a dychwelodd Sylvia at bwnc roedd ganddi ddiddordeb gwirioneddol ynddo.

"Shwt alli di fod yn sosialydd Cymreig, neu'n genedlaetholwr Cymreig, hyd yn oed, heb wbod dim yw dim am drwch y boblogeth?'" gofynnodd. "Yn y Sowth ma'r rhan fwya o'r Cymry'n byw. Nhw sy'n mynd i benderfynu beth fydd dyfodol Cymru. Dim ond nhw sy â'r hawl i neud 'ny, gan taw nhw yw'r mwyafrif."

"Ia, mae'n debyg," cydsyniais yn llugoer, gan synhwyro nad doeth fyddai awgrymu mai Gwynedd oedd preswylfa Enaid y Genedl. Lwc i mi beidio. Gwnaeth Sylvia gynnig na allwn i mo'i wrthod:

"Bydd Gwyn a fi'n mynd i rali yn Nhrelwchwr ymhen pythewnos. Protest yn erbyn y ffordd ma'r Toris yn desimeto'r diwydiant dur. Licet ti ddod 'da ni?"

"Leciwn," atebais, gan ychwanegu'n frwd pan welais ei bod eisoes yn dechrau edifarhau. "'Neith fyd o les i mi. Wn i'r nesa peth at ddim am y Sowth.'"

"OK, OK," ebe Sylvia fel petai'n chwilio am esgus ac yna chwarddodd: "Gewn ni wared â'r *rural idiocy* sy'n neud i ti weud pethach mor ddwl!"

Pan ofynnais i Sylvia, rhyw ddeunaw mis yn ddiwedd-arach, pam y gwahoddodd fi i fynd gyda Gwyn i Dre-lwchwr, ei hateb oedd: 'O't ti mor *exotic.*' "

Rhyfeddais: "Fi? Yn 'egsotig'?!"

"'Ddar rwy'n groten fach, rwy wedi arfer cwrdd â phobol ddiddorol o bob rhan o'r byd. Bydde Paul a fi'n mynd 'da Dad a Mam ar brotestiade CND ac *anti-apartheid* ac o blaid pobol Irac ac Iran. A phan fydde'r NUM neu'r T&G, neu Wncwl Owen, yn dod ag undeb-wyr o Colombia, gwed, neu Hong Kong, boutu'r lle i siarad miwn cyfarfodydd, fydden nhw wastod yn dod i tŷ ni am ddished, neu bryd o fwyd. Er bod ti wedi d'eni llai na chan milltir lan yr hewl, a'n siarad 'run iaith â fi – fwy neu lai! – o't ti o fyd arall, hollol wahanol i'r byd o'n i'n gyfarwdd ag e. Odd e fel *science fiction. Parallel universe.* O't ti'n dod o blaned lle'r odd dynon a menywod gwmws fel ni'n byw, ond â *values-system* hollol wahanol. Ond falle bod e ddim ond . . .' "

"Be?"

"Bo fi wedi cwmpo miwn cariad â ti ond heb syl-weddoli 'ny."

"Bydda bywyd yn haws tasan ni'n dallt petha felly'n syth bin . . ."

"Fydde fe ddim mor ddiddorol.'"

Flwyddyn a hanner yn ddiweddarach y llefarwyd y geiriau hyn.

NA DROS GYMRU!

Fe'm ganed yn y Rhyl, Mai 5ed, 1961, yn fab i'r Parch. Rheinallt Williams, BA, BD, a'i wraig Ceinwen. A minnau'n bedair oed, derbyniodd fy nhad alwad i ofalaeth Bethel (MC), Glan-y-Nant, Ardudwy a phum eglwys arall yn yr ardal. Stribyn hir o bentref o boptu'r A463 yw Glan-y-Nant. Saif dros bum can troedfedd uwchlaw Bae (anweledig) Ceredigion ac o'i amgylch cwyd llethrau gwyrddlas hyd at fil a hanner o droedfeddi. Yn 'Goleufan', tŷ gweinidog Bethel, yr ymgartrefais nes mynd i Goleg y Brifysgol, Aberystwyth, ym mis Medi 1979.

Brodor o Ddyffryn Nantlle yw fy nhad, mab i chwarelwr. Mae fy mam yn hanu o Ddolgellau, lle bu ei thad, ei thaid a'i brawd yn gyfreithwyr. Naw ar hugain oedd Nhad pan briodasant a Mam bum mlynedd yn iau. Daethant i adnabod ei gilydd ym Mangor, yn y 'Coleg ar y Bryn', fel y'i gelwid yn y pumdegau. Graddiodd Nhad gydag anrhydedd yn y Gymraeg a Diwinyddiaeth, Mam yn y Gymraeg a'r Saesneg, ar y cyd.

Gellir crisialu nodweddion cymeriad gwrthgyferbyniol fy rhieni trwy gyfeirio at eu hoff lenorion: Robert Williams-Parry a'i ddyneiddiaeth gymrodeddus a'i hiwmor i Nhad; miniogrwydd, unplygrwydd, gonestrwydd ac annoddefgarwch Saunders Lewis i Mam.

Credaf i mi dderbyn holl fanteision unig blentyn heb ddioddef yn ormodol o'r sgil-effeithiau negyddol. Lle prysur oedd fy nghartref. Prin yr âi awr o'r dydd na'r min nos heibio heb i gymydog, swyddog eglwys, swyddog prawf, plismon, ynad heddwch, cynghorwr, aelod eglwysig neu ardalwr digrefydd, diymgeledd a di-glem alw yn 'Goleufan'. Fel arfer, cyfarwyddyd ynglŷn â llenwi ffurflen neu gymorth i ysgrifennu llythyr a ysgogai ymweliadau'r ddau gategori olaf; neu gais am gyngor mewn perthynas ag ymholiadau swyddogion prawf, plismyn, cynghorwyr *et al.* Gan fod y tŷ yn un helaeth, gyda gardd braf yn y cefn, a'm rhieni'n ffeind a chroesawgar, ni fu hi'n anodd i mi ddenu bechgyn eraill i chwarae acw. Rhyw ben bob gwyliau ac weithiau fwrw Sul, treuliwn noson neu ddwy neu dair gyda chefndryd a chyfnitherod ym Mhen-y-Groes, Caernarfon neu Ddol-gellau, a deuent hwythau yr un mor rheolaidd atom ni, i Glan-y-Nant.

Yn ystod fy mhlentyndod, pan ymgynullai'r Gyngres Geltaidd yn Iwerddon, yr Alban, Llydaw neu Gymru, yno y treuliem ni ein gwyliau haf. Nis mynychem yng Nghernyw nac Ynys Manaw. Ofnai Mam "weld dyfodol Cymru yno". Dyna pam yr aethom i "Fro Wordsworth a Coleridge" yn Ardal y Llynnoedd, un haf, ac i "Wessex" ar drywydd Tess a Jude, haf arall. Daliai fy rhieni fod hynny'n profi nad oeddynt yn wrth-Seisnig.

"A Minister of Religion! Presbyterian Church of Wales! Wow! It must be great to have a dad you can really rebel against!" meddai cyd-fyfyriwr o Sais a alwai ei hun yn anarchydd. Gwrthodai gredu mai rhyddfrydig-rwydd a goddefgarwch diderfyn oedd y diffygion a edliwiwn i fy nhad. Cyhuddodd y Sais fi o wyngalchu Rheinallt er mwyn esgusodi fy llywaethdra fy hun. "What did he say when you told him you didn't believe in God?" gofynnodd. Cyfieithiais: "Mi wyt ti yn dy ffor dy hun, 'ngwas i."

Er fy mod yn mynd o flaen fy stori, efallai mai dyma'r fan i gofnodi ateb enwog Nhad, flynyddoedd yn ddiweddarach, i gwestiwn Sylvia – un na feiddiais i erioed ei ofyn – yn ystod trafodaeth ddadleuol, frwd ar Ddiwinyddiaeth Rhyddhad: "Odych chi'n credu yn Nuw, Rheinallt?" "Ydw, mechan i, ond nid fel rydach chi'n meddwl amdano Fo."

Ac eithrio ambell bwl anochel o sterics plentynnaidd ar fy rhan i, rwy'n meddwl mai dim ond un anghydwelediad o bwys a fu rhwng Mam a fi yn ystod ugain mlynedd cyntaf fy modolaeth. Etifeddais ganddi hi a Nhad hoffter o ddarllen, sgrifennu a sgwrsio; o drafod syniadau ac egwyddorion a dadlau o'u plaid ac yn eu herbyn, ond Mam aeth ati i feithrin y cyneddfau hynny ynof. Arolygodd f'addysg gynradd ac uwchradd gan ychwanegu at fy niddordeb yn hytrach na'm diflasu – yn wahanol i lawer o rieni dosbarth-canol sy'n gwthio'u hepil y tu hwnt i'w galluoedd, neu i gyfeiriadau sy'n groes i'w hanian.

Mae'n wir, serch hynny, na fuaswn wedi mynd yn dwrnai oni bai am awydd Mam i mi barhau'r traddodiad teuluol ac ennill, ar yr un pryd, gymwysterau a fyddai'n sail i yrfa wleidyddol ddisglair. Gwingais yn ffyrnig yn erbyn y symbylau gyrfaol sawl gwaith, ond bellach rwy'n ddiolchgar iddi am y procio, gan na allaf feddwl am broffesiwn arall a fuasai wedi rhoi bywyd mwy diddorol a defnyddiol i mi.

Cydredodd fy maboed a'm llencyndod ag ymchwydd "chwyldroadol" cenedlaetholdeb Cymru'r chwedegau a'r saithdegau: protestiadau Cymdeithas yr Iaith, bomiau MAC, y ralïau gwrth-Arwisgo yng Nghaernarfon a Chilmeri, llwyddiannau etholiadol Plaid Cymru yn 1974.

Gwynfyd oedd byw'n y wawr (ffuantus) honno; paradwys (ffŵl) oedd bod yn ifanc – hyd nes i nodwydd ddur Refferendwm 1979 ollwng y gwynt o'r swigan genedlaethol.

Fy nghariad cyntaf, Ann Thomas, 'Bryngwyn', a fi oedd Ymgyrch "Ie Dros Gymru" ein hardal ni. Deuai Mam a dau neu dri Phleidiwr hynafol gyda ni, ambell noswaith, i ddosbarthu taflenni a difetha'n hwyl, sef: sesiynau smygu *Gitanes*, slotian rymanblac neu fodcanorenj, a charu yng nghefn Rover mawr du Machreth Thomas Ysw., YH. Meiriolai'r pleserau hynny effeithiau canfasio mewn amgylchiadau arctig a'n hanestheteiddio rhag difrawder gwerin Ardudwy.

Digwyddiad mwyaf cynhyrfus ac uchafbwynt ein hymgyrch oedd cael ein restio gan ddau sbidcop am baentio "Ie Dros Gymru" ar Bont Nantddu, ar gwr y pentref, un noson rynllyd o Ionawr. Ymfalchïaf mai fel troseddwr yr ymwnes yn swyddogol â'r gyfraith am y tro cyntaf.

Aed â ni ar wib ar hyd ffyrdd barugog i rinws Dolgellau lle y'n hebryngwyd i stafell gyf-weld glasurol foel a oleuid gan fylb noeth, diorchudd a hongiai'n gam o'r nenfwd pỳg. Gadawyd ni yno am chwarter awr i sibrwd a phiffian chwerthin. Yna daeth Arolygydd arianwallt, urddasol ei osgo, i syllu arnom. Arolygydd Ysgol Sul pe anwybyddid y dyrnau mawr, blewog a'r sêl-fodrwy fygythiol ar fys canol ei ddwrn dde. Edrychodd yn gyhuddgar ar Ann a minnau am o leiaf ddau funud, heb yngan gair. Yna llefarodd fel dyn a glwyfid i'r byw gan yr hyn a welai.

"Achos tristwch mawr i mi, tristwch mawr iawn, ydi gorfod rhoid dau o bobol ifanc o deuluoedd mor barchus dan glo. A dŵad â chi, bora fory, gerbron y Fainc, i wynebu cyhuddiad o achosi fandaliaeth difrifol. Trosedd fydd ar 'ych record chi'ch dau weddill ych oes. Ma'ch rhieni chi wedi cymryd arnyn yn arw, Arwel. Gewch chitha glŵad cyn bo hir, Ann, be fydd gin 'ych tad i ddeud.

"Feddylioch chi am funud, Arwel, cyn mynd allan heno i anharddu'r bont 'na, be fydda'r canlyniada i'ch tad, tasach chi'n cael 'ych dal? A fynta'n Weinidog yr Efengyl? Ac i'ch tad chitha, Ann? Ynad Heddwch a Chynghorydd Sir! Dau o arweinwyr cymdeithas. Pwy wrandawith arnyn nhw o hyn ymlaen, a nhwtha'n methu cadw gwahardd ar 'u plant 'u hunin? Ma' arna i ofn na fydd gin y Fainc ddim dewis ond rhoid dirwy drom i chi, fel esiampl. Drom iawn hefyd."

Aeth allan dan ochneidio a'n gadael ni i alarnadu a rhincian dannedd. Yn lle hynny cawsom snog mor ffyrnig a blysiog nes i mi obeithio y darfyddai morwyndod Ann a mi a ninnau'n garcharorion gwleidyddol. Gobaith cyw caneri yn nyth y gath.

Dychwelodd yr Arolygydd maes o law gyda Machreth Bencawr ei hun. Gwisgai tad Ann lifrai statudol y pwysigyn gwledig: côt *Barbour*, liw bresych, siwt frethyn gringoch, tei milwrol ac esgidiau lledr, brown, solat. Sgidia da i sathru ar bobol, meddyliais, gan ryfeddu, nid am y tro cyntaf, fod diawl o dad wedi cenhedlu merch mor angylaidd. Ni ellid amau nad ef oedd ei thad, gwaetha'r modd. Tystiai ei llywethau euraid hi, a'r gwrych tywyllach a guddiai ei benglog ef, i hynny. Tybed a oedd Ann wedi etifeddu gan ei thad nodweddion seicolegol a fyddai, maes o law, yn diddymu'r hiwmor, y chwaeth gain a'r caredigrwydd a gafodd gan ei mam, Olwen? Ai oherwydd fod Ann mor benderfynol â'i thad o gael ei ffordd ei hun y gwrthryfelai yn ei erbyn?

Pan faddeuodd prifathrawes yr ysgol breswyl ym Mae Colwyn iddi am feddwi ac ysmygu'n gyhoeddus sicrhaodd Ann ei diarddeliad – er mwyn cael mynychu Ysgol Gyfun y Dyffryn – trwy fynd i'r sinema gyda gŵr priod, doctor croen tywyll, pryd y gwyddai y byddai aelodau o staff yr ysgol yno. Mynnai fod lliw croen Rajan wedi cythruddo'i thad yn fwy na'r ffaith ei fod yn 37 ac yn briod gyda thri o blant. Ai dim ond er mwyn gwylltio ei thad yr oedd hi'n cyboli efo fi?

Llwyddodd y noson honno.

"Rydw i'n siomedig iawn ynach chi'ch dau!" datganodd Machreth Thomas yn y llais a rybuddiai cwsmeriaid rheolaidd Llys Ynadon Ardudwy y caent, toc, wyliau ar draul y Wladwriaeth. "Ma' Inspector Pugh, yn garedig iawn, wedi cytuno i'ch rhyddhau chi heb ddŵad ag achos yn 'ych erbyn chi. Ar ddau amod. 'Mod i'n gyrru rhywun i lanhau'ch llanast chi, ar fy nghost fy hun, ben bora fory. A'ch bod chitha'n rhoid 'ych gair i ni rŵan mai dyma'r tro ola y byddwch chi'n euog o weithred mor blentynnaidd ac anghymdeithasol. Arwel?"

Tra rhythai'r Ustus i fyw fy llygaid, wrth fy ochr, stumiai ei ferch ei hwyneb i'm hannog i'w herio. *No contest.*

"Iawn."

"Dowch!"

Agorodd yr Arolygydd y drws ar amrantiad, a dilynasom batriarch 'Bryngwyn' ar hyd coridorau'r rhinws i'r maes parcio.

Di-ddweud fu'r siwrnai i Glan-y-Nant ac eithrio, tua hanner ffordd:

"Dw inna'n genedlaetholwr, wyddoch chi, Arwel. Cenedlaetholwr Cymraeg. Nid Cymreig. Dyna pam dwi yn erbyn yr Asembli 'ma. Sefydliad wedi'i ddominetio gin Saeson Sowth Wêls fydd o. Sosialwyr rhonc. *Communists* lawar ohonyn nhw. Heb affliw o gydymdeimlad efo ni, gwerin Gymraeg (*sic*) cefn gwlad."

Roedd naws feiblaidd i'w eiriau pan drosglwyddodd fi i ofal fy rhieni ar riniog 'Goleufan'.

"Dyma fo, Mr a Mrs Williams, y Mab Afradlon!" Trodd ataf ac ychwanegu'n ddilornus: "Tydw i ddim yn meddwl y bydd y Llo Pasgedig ar y meniw heno, ŵr ifanc!"

"Mi fasa braidd yn drwm ar stumog yr hogyn 'radag yma o'r nos, Mr Tomos," ebe Mam gyda gwên Gristnogol.

"Does gynnon ni ddim ond diolch o galon i chi am bob dim neuthoch chi dros Arwel," meddai Nhad yn ddiplomataidd.

Dychwelodd Machreth i'r car, ceryddu Ann am chwifio a chwerthin arnaf, a gyrru ymaith ar ffrwst.

"Rydan ni'n siomedig iawn, iawn ynat ti, Arwel," meddai Nhad yn bregethwrol, gynted ag y diflannodd golau coch y Rover.

"Sori."

"Siomedig dy fod ti wedi torri'r unfed-gorchymyn-ar-ddeg. 'Na'th ddalier'!"

"Dowch i mewn yn lle rhynnu," ebe Mam. "Does 'na ddim rhywfaint o sieri ar ôl y Dolig, Rheinallt? Be am ddiferyn bob un, i ddathlu rhyddhau'r hogyn 'ma o garchar dros 'i wlad!"

Os oedd Dydd Gŵyl Ddewi 1979 yn ddiwrnod trychinebus, aeth pethau o ddrwg i waeth drannoeth.

"Mi wyt ti'n edrach mor anhapus, Arwel," ebe Ann wrth i ni gerdded fraich ym mraich o'r ffordd fawr, lle y disgynasom o'r bws ysgol, i fyny'r lôn breifat a ddiweddai ym muarth 'Bryngwyn'.

"Sut wyt ti'n disgwyl i mi edrach?" atebais yn ddiamynedd.

"Wyt ti isio i mi alw acw heno?" gofynnodd Ann, gan anwybyddu fy surbychdra.

"Os leci di."

"Tyd yma," gorchmynnodd gan ddodi ei breichiau

amdanaf a sws wleb ar fy ngwefusau – er difyrrwch i'w chwaer Emma, 14, a'i brawd Rhys, 11, a loetrai ychydig gamau y tu ôl i ni, yn ôl eu harfer, yn y gobaith y caent sioe o'r fath.

"Ddo i â rwbath godith dy galon di," sibrydodd Ann yn fy nghlust. Syllais i'w llygaid gleision pryfoclyd a gwenu am y tro cyntaf ers deuddydd. I fonllefau'r plantos cusanais Ann yn angerddol a rhedeg am adref cyn llonned â phetai 99.9% o bobol Cymru wedi dweud "Ie".

Oeddwn i'n meddwl o ddifri calon fod Ann wedi nacáu'r "llawenydd mwyaf" hyd nes y byddai hwnnw'r unig beth fedrai godi 'nghalon ar awr dywylla 'mywyd?

Y min nos hwnnw, wrth wylio gyda fy rhieni gyfres o wleidyddion Cymru'n galarnadu neu'n clochdar ar y teledu, celais gyda surni a siniciaeth y cyffro a lenwai mron ac ambell ran arall o 'nghorff.

"Oes 'na genedl arall ar wynab daear fydda wedi gwrthod hunan-lywodraeth ar ddwrnod 'i nawddsant 'i hun?" holais. "Oes 'na wlad â chriw o wleidyddion mor ddi-ddim?"

"Ma' bradwriaeth Kinnock ac Abse'n anfaddeuol," cytunodd Mam. "Ond chwara teg i John Morris. Mi naeth 'i ora. Ma' gin i barch mawr ato fo a Chledwyn. Ma'r ddau gystal cenedlaetholwyr â Gwynfor."

"Digon tila ydi hwnnw," gwawdiais. "Mor ddiniwad, yn llyncu abwyd y Blaid Lafur. Fasa'n ffitiach tasa Plaid Cymru wedi ymgyrchu dros annibyniaeth a gadal i 'Lebyr' gwffio dros 'u polisïau'u hunin."

"Hollol anymarferol," daliai Nhad.

Apeliais at awdurdod fy athro hanes: "Dyna be ma' Gruff Richards yn 'i ddeud," meddwn.

"Ma' Mr Richards fel chwa o awyr iach yn yr ysgol 'cw," ebe Nhad, "a'i agwadd at hanes ac at Gymru dipyn iachach na'i ragflaenydd. Ond o be dwi'n ddallt am 'i ddaliada gwleidyddol o . . ."

Canodd cloch y drws ffrynt. Neidiais oddi ar y soffa a rhuthro o'r stafell a diweddglo beirniadol y frawddeg yn fy nilyn.

"Haia!"

Gwisgai Ann siaced fraith, wau y noson honno a chaethiwid ei gwallt lliw gwenith gan gap Rasta amryliw. Rhyfeddais at ei glendid, synnais at fy lwc, fel y gwnawn bob tro y galwai acw. Parodd hynny eiliad. Tynnais yr eneth i'r lobi, cau'r drws ar ei hôl, ei gwthio'n ei erbyn a'i chusanu'n lloerig nes i fy mam alw o'r stafell fyw:

"Ann sy 'na, Arwel?"

Caniatais funud neu ddau o holi ac ateb ynglŷn â theulu 'Bryngwyn' ac o alaru ynglŷn â'r refferendwm cyn mynegi awydd anorchfygol i gopïo'r nodiadau ar *The Pardoner's Tale* oedd yn y bag mawr cynfas a hongiai o ysgwydd fy nghyd-efrydydd. Cydiais yn llaw Ann a'i llusgo o'r stafell, i fyny'r grisiau ac i'm llofft.

"Hei, hei! Dal dy ddŵr!" gorchmynnodd Ann wrth i mi ei gwthio tua'r gwely. "'San't ti ddim isio gweld dy bresant?"

"Presant?"

Agorodd Ann y sgrepan a thynnu ohoni gartŵn, wedi ei fframio, ohonaf i'n marchogaeth ar Ddraig Goch gyda chledd yn fy llaw dde a baner yr FWA yn y llall gan erlid John Bull, Neil Kinnock a thaeogion dychrynedig eraill o faes y gad.

"Wel?"

"Grêt, Ann."

"Twt ti ddim i weld wedi dy blesio!"

"Ydw. 'Fe godwn ni eto.' Byw mewn gobaith, 'tê?" meddwn gan droi fy nghefn ati a dodi Edward H ar y *Dansette* i guddio fy siom.

"Be ma' dy dad yn feddwl o'r llun?" holais dros fy ysgwydd.

"Chafodd o mo'i weld o."

"Ydi o'n dal i edliw bod chdi'n mynd i goleg yn 'Y Sowth' i ganol 'coliars a chomiwnists'? Ddyla fo ddim, a rheini'n meddwl 'run fath yn union â fo."

"Ddim yn ddiweddar," meddai Ann yn ddi-hid wrth dynnu ei chap a'i chôt ac eistedd ar y gwely.

"Be sy?"

"Dim byd."

"Oes ma' 'na."

"Jest bod gin ti gin lleiad o feddwl o'r llun."

"Mae o'n grêt. Ddeudis i. Ffantastig."

Pigwyd yr artist gan glaerineb y diolch. "Waeth i mi ddeud wrtha chdi rŵan, ddim," meddai. "Tydw i ddim am fynd i Goleg Celf Casnewydd."

"Nagwyt?"

"Dwi 'di cael cynnig lle yn Chelsea."

"Yn gôl?"

"Chelsea College of Art."

"Tynnu 'nghoes wyt ti?"

"Naci."

"Blydi hel, Ann! Gytunon ni bo fi'n mynd i Gaerdydd a chditha i Gasnewydd i ni fod yn ymyl 'yn gilydd."

"Wn i. Ond ma' Chelsea'n well coleg a fan'no ma'r cwrs dwi isio'i neud."

Nid wyf yn meddwl y buasai f'ymateb mor chwerw a dilornus petai Ann wedi torri'r newydd wythnos yn gynt neu'n hwyrach:

"Ma' Cymru mewn uffar o stad, Ann. Ma'n ddyletswydd ar bawb sy'n 'i charu hi roid lles 'i wlad o flaen uchelgais bersonol."

"Ddim er mwyn 'dŵad yn 'y 'mlaen' dwi isio mynd yno."

"'*Art for Art's sake*'?"

"Be sy o'i le efo hynny?"

"'Neith dy lunia di achub yr iaith? Dileu diweithdra? Stopio *apartheid*? Cael gwarad o'r bom?"

"Ma' pobol isio sbio ar lunia, gweld dramâu, gwrando ar fiwsig, darllan nofela . . ."

"Er mwyn anghofio'r hen fyd mawr cas a'i broblema!"

Rhoddodd Ann y gorau i daeru. "Pam fod Cymru mor bwysig i chdi, Arwel?" gofynnodd.

"Am yr un rhesyma roedd hi'n bwysig i chditha, tan yn ddiweddar."

"Tydw i ddim isio bod yn Brif Weinidog Cymru."

"Na finna."

"Dyna ddeudist ti ar y ffor adra o'r ddawns werin honno'n y Bala.'"

"O'n i wedi'i dal hi.'"

"*In* cwrw, *veritas*."

Cododd Ann oddi ar y gwely, gwisgo'i chap a'i chôt amdani a chydio'n ei bag. "Wn i ddim be welis i rioed yn rhywun mor gul a hunangyfiawn," meddai gyda dirmyg.

Dilynais hi o'r stafell gan edifarhau: "Ann . . . Sori . . ."

Disgynnodd hithau'r grisiau'n gyflym ac aeth allan o'r tŷ heb edrych yn ôl unwaith.

Gwelai Ann a minnau ein gilydd bob dydd yn yr ysgol ond ni fu Cymraeg rhyngom tan Fai 4ydd, 1979 – drannoeth canlyniadau'r Etholiad Cyffredinol – pan gyrhaeddais yn hwyr ar ôl aros ar fy nhraed tan berfedd-ion yn gwylio'r canlyniadau.

"Hwyr eto, Arwel Williams!" cyhuddodd llais Gwffi, ein prifathrawes ddanheddog, wrth i mi dynnu llyfrau o fy locer yn Stafell y Chweched.

Trois dan grynu i wynebu'r bladres fwstashog, ganol oed a gweld "geneth oleubleth, lon" yn gwenu arnaf.

"Iesu, Ann! Jest i mi gael hartan . . ."

"Eitha gwaith i chdi."

"Am fod yn hwyr?"

"Am siarad mor gas efo fi, tro dwytha alwis i acw."

"Sori."

"Allwn inna fod wedi dewis amsar gwell.'"

"Dwi'n dy golli di."

Gwenodd Ann yn gydsyniol. "Ma'n reit hawdd mynd o Gaerdydd i Lundan ac o Lundan i Gaerdydd, Arwel," awgrymodd.

Rhwystrwyd cymodi pellach gan ruadau'r Gwffi go-iawn yn atseinio trwy goridorau'r ysgol. Aeth Ann i beintio a minnau i'r llyfrgell i astudio polisi tramor y Cardinal Wolsey.

Tua saith o'r gloch y noswaith honno, dywedais wrth fy rhieni fy mod "wedi 'laru ar swotio, ac yn mynd am dro, i gael tipyn o awyr iach". Cerddais o'r pentref gan ddilyn y lôn bost tua'r gogledd a throi i fyny am 'Bryn-gwyn'. Eiliadau'n ddiweddarach chwyrnellodd sbortscar coch, pwerus heibio. Cefais hanner-cip ar y sticer ffenest gefn: "Young Farmers do it . . ."

"Bestially?" ensyniais. "In haystacks? Conservatively?"

Trodd y sbortscar i mewn i'r buarth cymen, eang o flaen y plasty.

Cyrhaeddais innau fel y camai Ann a gyrrwr y car allan trwy'r drws ffrynt derw i'r buarth. Cuddiais y tu ôl i un o'r pyst cadarn a warchodai adwy'r buarth. Mentrais sbecio, a'i weld ef – gŵr ifanc, talgryf, oddeutu pump ar hugain, siaced *Harris tweed*, trowsus *cavalry twill*, darpar fab-yng-nghyfraith derbyniol iawn yng ngolwg Machreth Thomas, YH, heb os nac oni bai, yn ei chusanu hi, Ann, a'i freichiau'n dynn, dynn am ei chôt groen maharen.

Miss Ardudwy Young Farmers 1979! Bitsh!

Trois a rhedeg nerth fy nhraed am y lôn bost.

Ni fuasai'r bennod hon yn gyflawn heb i mi sôn rhywfaint am Gruff Richards, Pennaeth yr Adran Hanes yn Ysgol Gyfun y Dyffryn am fy nwy flynedd olaf i yno. Penodwyd 'Gruff Hist' yn syth o Brifysgol Abertawe oherwydd iddo raddio gydag anrhydedd yn y dosbarth cyntaf ac i diwtoriaid yr Adran Addysg adrodd yn ganmoliaethus am ei frwdfrydedd a'i ymroddiad fel athro. (Dyna dystiolaeth fy nhad, aelod o fwrdd llywodraethol yr ysgol ar y pryd. Ychwanegodd fod llwyddiant yr ymgeisydd gyda Chlwb Bocsio'r Coleg wedi ennill cefnogaeth iddo o du'r Llywodraethwyr a ffafriai athrawon a oedd yn "ddisgyblwyr cadarn".)

Yn Nyffryn Conwy y ganed ac y maged Gruff ond mynnai ei fod, ar ôl pedair blynedd yn y de, yn teimlo'n fwy cartrefol yno nag yn y gogledd. Er ei fod yn gydnerth, canolig ydoedd o ran corffolaeth a thaldra. Torrid ei wallt brown yn anffasiynol o gwta. Ar ei drwyn gwisgai sbectol ac iddi ffrâm denau, euraid; odditani, ffynnai mwstás trwchus. Tybiaf iddo dyfu trawswch er mwyn ymdebygu i'w arwr, James Connolly, ac i arbed cael ei gamgymryd am un o fechgyn y chweched dosbarth.

Yn fuan iawn, daeth yr athro hanes newydd yn boblogaidd ymhlith trwch y disgyblion a'r rhan fwyaf o'i gyd-athrawon. Gruff Richards oedd un o'r athrawon gorau a gefais erioed. Yn nyddiau ei ragflaenydd – capelwr selog, prin ei Gymraeg yn yr ysgol ac eithrio'r Staffrwm – *History* oedd y ffeithiau a'r dyddiadau a gofnodid rhwng cloriau cochion ei ddau nodlyfr, *English History* ac *European History*. Traethai Gruff ddysgeidiaeth wahanol a chynhyrfus, sef mai proses ddeinamig yw hanes; un a yrrir rhagddi gan y gwrthdaro anorfod rhwng dosbarthiadau a'i gilydd, a rhwng cenhedloedd gorthrymedig a'u gorthrymwyr imperialaidd.

Ar derfyn yr arholiad hanes olaf, disgwyliai ein hathro cydwybodol amdanom yng nghyntedd y neuadd, i holi sut hwyl a gafwyd ac i gysuro'r gwan-galon. Wrth i'r grŵp chwalu, galwodd fi ato gan ofyn,

"Be sy, Arwel? Nest ti ddim cystal â disgwylist ti?"

"Ffed-yp yn gyffredinol."

"Deimli di'n well pan ei di i'r coleg."

Buasai'r rhan fwyaf o'i gyd-athrawon wedi tynnu 'nghoes ynglŷn â diwedd fy ngharwriaeth i ac Ann.

"Dwi'n teimlo fel emigretio," meddwn.

"Tyd i fyny i'r stafall 'cw am bum munud, i mi gael trio dy berswadio di i beidio â'i throi hi am Batagonia, neu ble bynnag wyt ti'n meddwl dengid."

A ninnau'n eistedd o boptu i'w ddesg gyda mygeidiau o goffi dŵr a llefrith powdwr o'n blaen, dechreuodd Gruff Richards egluro wrthyf pam fod canlyniad y refferendwm yn anorfod ac wedi creu sefyllfa a fyddai'n fanteisiol i achos rhyddid cenedlaethol a chyfiawnder cymdeithasol yng Nghymru.

Pan holais ei farn ynglŷn ag argyhoeddiad fy nhad fod y refferendwm, ynghyd â llwyddiant y Torïaid yn yr Etholiad Cyffredinol, wedi rhoi'r ergyd farwol i ddau gan mlynedd o wleidyddiaeth radicalaidd, gynhenid Gymreig, atebodd Gruff Richards fel a ganlyn:

"Ma' dy dad yn iawn. Ma' 'na gyfnod pwysig yn hanas Cymru newydd ddarfod. I dy dad, fel i lawar o genedlaetholwyr, ma' hyn, yn llythrennol, yn ddiwadd y byd. Yn ddiwadd 'u byd nhw, a'u Cymru nhw. Dyna un ffor o edrach arni. Ffor arall ydi gweld cyflwr truenus 'yn gwlad ni fel prawf o fethdaliad arweinyddiaeth *petit-bourgeois* y Mudiad Cenedlaethol, ac arweinyddiaeth imperialaidd a Phrydeinig y Mudiad Llafur. Dwi'n gwrthod y syniad hiliol fod y Cymry'n genedl o daeogion. Ein harweinwyr ni sy'n llwfr. Mi oedd strategaeth Plaid Cymru yn ystod y deng mlynadd dwytha'n bownd o fethu. Wastraffon nhw'r don gref o genedlaetholdeb godod ddiwadd y chwedega a dechra'r saithdega. Meddwl medru ennill hunan-lywodraeth i Gymru o gam i gam, yn ara deg, dawal bach, heb droi'r drol Brydeinig, heb herio'r wladwriaeth na chyfalafiaeth. Arweinwyr gwleidyddol dosbarth bach, parchus sy wedi troi llwfdra'n ideoleg ac yn esgus dros beidio â gneud safiad yn erbyn Tryweryn, yr Arwisgo, achosion cynllwynio'n erbyn Cymdeithas yr Iaith, barbareiddiwch byddin Lloegar yng ngogladd Iwerddon ac ati."

Soniodd Gruff am "ddatblygiada cyffrous" ymhlith aelodau asgell-chwith Plaid Cymru yn y de: ymgyrch i gael gwared o'r arweinwyr a'n tywysodd i *débâcle* Dygwyl Dewi; a throi'r Blaid yn un weriniaethol, sosialaidd, wrth-Brydeinig. Os methai hynny, sefydlid mudiad newydd, digyfaddawd i herio a disodli "Plaid Gwynfor".

"Dwi'n hun yn meddwl mai i hynny daw hi. Er bod Gwynfor a'i griw mor llwath, mi ddalian 'u gafal fel gelod yn y mymryn bach o rym a phwysigrwydd sy gynnyn nhw. Sefydlu Mudiad Gweriniaethol Sosialaidd Cymreig ydi'r unig atab, Arwel. Pan ddigwyddith hynny, mi fydda i'n deud ta-ta wrth y sefydliad anrhydeddus yma!"

"Rhoid gora i ddysgu? Be newch chi?"

"Swydd lle bydda i'n baeddu 'nwylo. Gwerin weithiol Cymru fydd sylfaen gymdeithasol y Mudiad. Does gynno fo 'run gobaith, fel arall. Thâl hi ddim i'r arweinwyr fod yn ddarlithwyr ac athrawon – y math o bobol sy'n arwain Plaid Cymru – heb unrhyw brofiad o amoda byw a sefyllfa waith y dosbarth ma' nhw'n 'i gynrychioli."

Pan gyhoeddwyd canlyniadau fy arholiadau Lefel 'A', achoswyd argyfwng yn 'Goleufan' gan y sgwrs honno a rhai eraill cyffelyb a gefais gyda Gruff Richards yn ystod haf 1979. Roeddwn wedi gwneud yn ddigon da i allu dewis rhwng Aberystwyth a Chaerdydd, ond dywedais wrth fy rhieni nad awn i'r naill le na'r llall, gan adleisio geiriau fy athro hanes, heb gydnabod hynny.

"Arwel bach," chwarddodd fy mam. "Ma'r syniad o fynd i fyw i blith 'y werin' mor naïf a hen-ffasiwn â *Cysgod y Cryman*!"

"Tasach chi a'ch cenhedlaeth yn sosialwyr, fasa Plaid Cymru ddim mor pathetig a Chymru ddim ar ei thin!" atebais yn herfeiddiol.

"Wn i bod gin ti feddwl mawr o Mr Gruff Richards . . ." meddai Nhad.

Cythrais iddo: "Be sy gynno fo i neud efo hyn?"

"Gad i mi orffan a mi gei wbod," ebe Nhad yn addfwyn. "Mae gan Mr Richards syniada radicalaidd iawn. 'Eithafol', fydda amball un yn ddeud. Ond mae o'n fawr 'i barch yn yr ardal, fel athro ac fel person. Pam? Oherwydd fod 'i feirniaid o, hyd yn oed, yn gorfod cydnabod fod daliada Gruff wedi'u seilio ar ddysg ac ymroddiad. Chei di'r un gronyn o barch na gwrandawiad gan bobol yr ardal 'ma os ei di i'w plith nhw fel rhyw Ioan Fedyddiwr di-goleg. Mab i weinidog, wedi mynd odd'ar y rêls, fyddi di yng ngolwg pawb. Dyna 'marn onast i, Arwel. Ond gna di fel y mynni di. Mi gefnogith dy fam a finna chdi beth bynnag penderfyni di."

"Siŵr iawn," ategodd Mam yn siriol. "A chofia bod 'na bob croeso i ti fyw adra nes cei di rwla siwtith chdi'n well."

"Dwi isio byw adra, siŵr iawn," meddwn. "Dyna'r pwynt, Mam. Perswadio pobol ifanc i aros yn y Fro Gymraeg."

"Da iawn chdi. A mi wyt ti a dy ffrindia am fynnu byw fel aeloda o'r dosbarth gweithiol?"

"Ydan."

"Fydd yn golygu, ma'n debyg, gneud swyddi diflas, budur, peryglus neu undonog am gyflog bach?"

"Dyna sut ma' hi ar ran fwya o bobol ffor hyn."

"Meddwl oeddwn i gallat ti deimlo braidd yn euog ymhlith dy gyd-weithwyr, tasat ti'n mynd adra bob nos i gartra cysurus, dosbarth-canol. Nhwtha i dŷ cyngor, neu rwla llai breintiedig fyth. A chditha, o bosib, wedi cymryd swydd odd'ar ryw hogyn chafodd mo dy addysg di. Rhywun fydda wedi bod yn falch ohoni. Wel. Dyna finna wedi deud 'y neud a chlywi di 'run gair arall gin i ar y pwnc."

Amser te, drennydd, wedi deuddydd o bwdu, 'sigais dan faich annioddefol eu gwarineb a ffrwydro fel taran mewn ffurfafen ddigwmwl:

"OK! OK! Mi a' i i blydi coleg!"

Nid oeddwn erioed wedi rhegi yng ngŵydd fy rhieni o'r blaen, ond cyffrôdd Ceinwen a Rheinallt cyn lleied â phetasai'r fath araith i'w chlywed yn feunyddiol ar eu haelwyd.

Nid ymddangosai Gruff yn or-siomedig:

"Gan dy fod ti wedi penderfynu treulio tair neu bedair blynadd arall yng nghrombil y 'peiriant llofruddio', faswn i'n dy gynghori di i fynd i Aber, a studio'r Gyfraith. Fydd twrna'n fwy defnyddiol i'r Mudiad na thitshar arall. Cyfraith Lloegar ydi'r arf cryfa sy gin y wladwriaeth Brydeinig, ar ôl y fyddin a'r polîs. Fydd arnan ni angan cyfreithwyr cefnogol i'r achos pan ddechreuwn ni gael 'yn restio. Fel bydda Marx yn ddeud – Groucho, nid Karl – 'Find me a crooked lawyer'!

"Pan ei di i Aber, gweithia. Nid er mwyn Dad a Mam. Na 'dŵad yn dy flaen'. Er mwyn y Mudiad. Mwynha dy hun – ond paid â mynd yn feddwyn, neu yn y BBC neu HTV y gorffenni di. A phaid â gwrando ar flacmel moesol nytars efengylaidd Cymdeithas yr Iaith, a chymryd rhan mewn protestiada unigolyddol, plentynnaidd, di-fudd."

Pan feddyliwn, yn y Chweched Dosbarth, am "fynd i

Aber", darluniwn dair blynedd o seshis a phrotestiadau di-ri'n gymysg â hynny o ddarlithoedd a thraethodau a fyddai'n angenrheidiol i sicrhau fod y nefoedd fohem-aidd, wlatgarol yn parhau am dair blynedd. Roedd fy muchedd yn ystod fy mlwyddyn gyntaf fel myfyriwr yn wahanol iawn i hynny, yn rhannol gan i mi ddilyn cyngor Gruff Richards, ac yn rhannol oherwydd i mi ddechrau canlyn.

Mewn hop golegol, fy nhrydedd nos Sadwrn yn Aber-ystwyth, y cyfarfûm ag Angela Hanson, 25, nyrs yn Ysbyty Bronglais, ac yn enedigol o Warrington, Swydd Gaerhir-fryn; merch dal, athletaidd, lond ei lifrai las a gwyn, yn llawn hiwmor sinicaidd, ysgafala nyrsys. Wnes i ddim "darganfod rhyw" pan ddechreuais fynd efo Angela, ond dyna pryd y sylweddolais cyneddf mor ddwfn, pwerus a daionus ydyw.

Yn ôl y gân, *Dwi isio bod yn Sais* er mwyn cael ymuno â'r *Country Club* a theimlo'n gartrefol ymhlith y crachach. Dysgodd fy ngharwriaeth ag Angela fi y gall fod cymhellion mwy anrhydeddus. "Dianc rhag Hon", er enghraifft; ymwared â'n hobsesiwn patholegol gydag iaith, cenedligrwydd a hunaniaeth. Dihatru'r biwritaniaeth hunangyfiawn, foesolegol a anffurfiodd ein heneidiau ac a oerodd ein calonnau ers dwy ganrif a mwy. Holwn fy hun ai Anghydffurfiaeth sydd i'w beio fod Cymraesau'n fwy beirniadol o bobl eraill, yn ofni beirniadaeth pobl eraill yn fwy, ac yn fwy pigog gyda'u gwŷr nag yw eu chwiorydd Saesneg?

Enynnai fy ymweliadau â chartref Angela feddyliau o'r fath. Dotiwn at baganiaeth radlon y gymdeithas, yn enwedig yr oedfaon melys yng nghwmni tad Angela a'i brodyr a'u cyfeillion, fore Sul, yn y Dog and Dagger. Synnais – hwyrach na fyddai "dychrynais" yn air rhy gryf – y tro cyntaf i mi aros dan gronglwyd Jack a Madge, yng nghysgod y Manchester Ship Canal, a chael fod eu merch a minnau i rannu'r un llofft.

"Hon" a orfu yn y diwedd, o bosib. Daeth y berthynas i ben pan ymelwais ar hyfforddiant Angela gyda dwy Gymraes – ar wahanol adegau – yn ystod Eisteddfod Ryng-golegol 1980. Cyfaddefais hynny wrth Angela gan i ni gytuno na fyddai cyfrinachau rhyngom. Tybiwn y cawn gerydd a maddeuant. Ni chefais ffrae ond daeth ein carwriaeth i ben. Er i mi ddysgu fymryn am ryw, wyddwn i fawr ddim am galon merch.

"I'm going to burst out crying any minute now, Arwel," ebe Angela mewn llais gwastad a than wenu. "So would you mind leaving, love?"

Pan awgrymais ein bod yn mynd am beint i'r dafarn agosaf, gwylltiodd a fy hel o'i stafell. Gwrthododd Angela fy ngweld na siarad â mi ar y ffôn ac ni fu unrhyw gyfathrebu rhyngom nes i mi dderbyn nodyn yn dweud iddi gael swydd mewn ysbyty yn yr Amwythig ac yr hoffai i mi alw i'w gweld cyn iddi adael Aberystwyth.

Aethom i ben Constitution Hill a syllu dros y môr. Dechreuais grio. "Don't cry, you big Welsh baby!" ebe Angela gan ddodi ei breichiau amdanaf a gwasgu 'mhen ar ei mynwes, fel petai'n cysuro plentyn. "You hypocritical Welsh bastard!"

Dechreuais gymdeithasu eto gyda'r Cymry ac ymunais â Mudiad Gweriniaethol Sosialaidd Cymru pan sefydlwyd cangen yn Aberystwyth.

TRELWCHWR

Awyr las, haul caboledig, marwolaeth amryliw dail y coed o boptu'r ffordd, ias hydrefol yn cyffroi'r gwaed – bore ardderchog i gychwyn am Old Trafford i weld Man U yn chwarae Arsenal, neu i Neuadd y Gweithwyr, Trelwchwr, i ralïo yn erbyn bwriad y Torïaid i ddifrodi'r diwydiant dur yn ne Cymru.

Nid hwnnw oedd f'ymweliad cyntaf â'r Sowth. Treuliais dridiau yng Nghaerdydd gyda'm rhieni, pan gynhaliwyd y Gyngres Geltaidd yn y brifddinas, ac aros mewn gwesty preifat a gedwid gan Gymry Cymraeg, athrawon, rwy'n meddwl, yn Heol y Gadeirlan. Cafwyd gwibdaith i Sain Ffagan ac un arall o amgylch Bro Morgannwg.

Es i i Gaerdydd am yr eildro gyda thrip o'r ysgol i weld gêm rygbi ryngwladol rhwng Cymru ac Iwerddon; i Dreharris, yn gwmpeini i Nhad, pan gladdwyd cefnder iddo na chyfarfûm ag ef erioed; ac i Wersyll yr Urdd yn Llangrannog, a oedd yn Sowth i ni, ddwywaith. Yn ystod tymor haf fy mlwyddyn gyntaf yn Aberystwyth teithiais gyda chriw o "eithafwyr" eraill i glwb British Legion ar gyrion Abertawe lle cynhaliwyd un o gyfres o gyfarfodydd a ragarweiniodd sefydlu Mudiad Gweriniaethol Sosialaidd Cymru.

Ond hwn oedd f'ymweliad cyntaf â'r Sowth go-iawn ac roedd dau frodor yn fy hebrwng tua'u milltir sgwâr ddiwydiannol. Cynyddai f'eiddgarwch bob milltir a deithiem trwy harddwch Ceredigion a Sir Gâr yn Morris Minor gloywddu Gwyn Howells.

Wrth i'r car bach ddringo, orau gallai, y rhiw trwy bentref hir y tu draw i Lambed, gwibiodd Transit frown, siabi heibio gan seinio'i chorn. Plastrwyd cefn ac ochrau'r fan â phosteri'n sloganu "Victory to the Steelworkers! . . . Tories Out! . . . General Strike Now!"

"Pwy oedd rheina?" holais wrth i'r fan sbydu o'r golwg ger y Ram Inn.

"Keith Atkins a'i bytis. Trots," atebodd Gwyn. "*Parasites*. Ma' nhw wastod 'na pan fydd rali, *demo* neu brotest ond so nhw'n gallu trefnu dim 'u hunen. Fel arfer, ma'r diawled yn erbyn beth ma'r rhai drefnodd y cyfarfod yn sefyll drosto."

"Lice Dad whapo pob Trot ar 'i ben 'da mandrel!" chwarddodd Sylvia. "Ond rwy'n dod 'mlaen yn net 'da'r rhai call."

"Odi Keith Atkins yn gall?" holodd Gwyn.

"Ma'n olreit."

"Gwed ti."

Cafwyd hoe ar fin y ffordd ynghanol eangderau'r Mynydd Du, i bicnica ac i feddwi ar yr awel fain a'r olygfa.

"Byddwn ni wastod yn stopo man hyn wrth fynd tua thre," eglurodd Gwyn wrth i Sylvia rannu "sangwejes" caws a thomato a the fflasg rhyngom. "Man hyn oedd pen draw'r byd pan o'n ni'n gryts."

Cofiais siwrneiau hirfaith, diddiwedd, bore oes yn Allegro fy nhad; ef wrth y llyw, Mam wrth ei ochr a minnau'n gaeth yn y cefn. Ma' Gwyn a Sylvia fel tasan nhw wedi bod yn briod ers blynydda, meddyliais yn genfigennus.

Ymhell cyn yr egwyl honno ar lethrau'r Mynydd Du,

roeddwn yn hyddysg yn hanes Dyffryn Llwchwr a phrif deithi datblygiad economaidd, cymdeithasol a gwleidyddol yr ardal. Gwyddwn yn ogystal rywfaint o hanes brodorion y deuwn yn gyfarwydd iawn â hwy yn ystod yr ugain mlynedd nesaf: Havard a Mavis Griffiths, rhieni Sylvia, a'i brawd, Paul; 'Wncwl Owen' *aka* Owen Daniels, AS, a'i wraig *Lady* Non; Tal Howells, tad Gwyn.

"Cynigiodd Owen job i fi fel *researcher* sha Westminster," ebe Sylvia, "ond bydden i wedi gorffod mynd i'r LSE yn lle Aber. Dad a Mam odd tu ôl i'r sgêm, er bod nhw'n pallu cyfadde, achos bo fi'n strywo 'mywyd 'da'r rhacsyn hyn!" meddai, gyda phwniad penelin chwareus i asennau Gwyn a achosodd i'r Morris bach groesi llinell wen ddwbl ar dro peryglus. "O'n nhw'n iawn, wrth gwrs. Ond so i'n lico pobol yn gweud 'tho i beth i neud. Gas e Paul neud fel odd e'n moyn. Sbwylodd Mavis e. *Classic Welsh Mam.* 'Gyment llai o ffwdan 'da bechgyn. Ma' nhw'n lyfli!' 'Na beth ma' menywod ffor 'co'n weud. Wrth gwrs bod llai o ffwdan os yw Mami'n 'styried bod y crwt yn frenin bach a hithe'n forwn iddo fe. Odd Mave yn erfyn i fi fod yn forwn i Paul hefyd. *Fat chance!* Rwy'n dwlu ar 'y mrawd, cofia, Arwel. Ond galle fe neud lot gwell na *Lodge Sec* Pwll yr Onnen a *lead guitarist & vocalist* band dwy-a-dime. Ma' Paul mor dalentog. Lot mwy intelijent na fi. Sbwylodd Mam e. Odd Dad yn rhy fishi i sylwi beth odd yn mynd ymlaen a gas Paul stico 'da'i bytis a mynd lawr y Pwll. Weda i'r gwahanieth rhyngt Paul a fi. 'Narwr i yw Che Guevara. Django Rheinhart yw arwr Paul."

"Pwy?"

"So ti wedi clywed am Django Rheinhart? *French gypsy jazz guitarist.* Enillodd e'r *French National* Canu Penillion *Championships* yn 1945."

Cyfrannais i at yr adloniant gyda dau dâp – casét gan

Edward H a *demo-tape* y band ysgol y bûm i'n aelod ohono, Y Moch Aflan.

"Licen i fod mor dalentog, Arwel!" ebe Gwyn wrth lywio'r Morris rhwng siopwyr bore Sadwrn stryd fawr Llambed a'r ceir a barciwyd o boptu iddi.

"Tydw i ddim, siŵr Dduw," atebais yn wylaidd.

"Odd y tâp yn grêt. Wir i ti. Joies i e."

Ymchwyddais: "Diolch yn fawr, Gwyn."

"Rwyt ti wedi arfer perfformo ar staij, Arwel?"

"Yn steddfoda'r Urdd. Ac efo'r Moch Aflan. Ledled . . . Ardudwy."

"So canu o flaen cynulleidfa'n hala ofan arnot ti 'te?"

"Ddim erbyn hyn."

"Gwd. Achos ma' rheol yn y lle ewn ni heno, 'rôl y rali. Y 'Clwb Caib a Rhaw', ys gwedan nhw. *Labour Club*. Ma'r sawl sy'n yfed 'co am y tro cynta'n gorffod rhoi *turn*. Fydd 'na ddim problem i ti? Fydd e?"

"Uffar o broblem! Dim ffiars o beryg, mêt!"

"Bydd Street Cred, band 'mrawd 'co, fel *backing* i ti, Arwel," ebe Sylvia gan droi ataf gyda gwên deg iawn.

"Waeth gin i os bydd y Rolling Stones yno!" atebais yn stowt.

Pan gyrhaeddasom Drelwchwr mynnodd Gwyn fynd â mi am *guided tour* o amgylch y dref, er gwaethaf protestiadau Sylvia, oedd ar bigau dur i gyrraedd y rali.

"'Sdim ots," atebodd Gwyn. "Dim ond cwpwl o hen fois o'r undebe gollwn ni."

"Paid gweud gormod. Falle taw 'na fyddi di rhyw ddiwrnod!"

Roedd Stryd Fawr wyrgam, bonciog Trelwchwr yn llawn siopwyr a thraffig pnawn Sadwrn. Er bod adeiladau'r dref yn lannach heddiw a'r wlad o'i hamgylch yn lasach, bryd hynny roedd gwell graen ar y siopau, y tai a'r fforddolion, a gwell hwyliau ar bawb.

Cefais weld Ysgol Gynradd y Dolydd County Junior Primary School, adeilad yn dyddio o chwedegau'r bedwaredd ganrif ar bymtheg; Ysgol Gyfun Trelwchwr/ Loughorton Comprehensive School, yn dyddio o ugeiniau'r ugeinfed ganrif, a Thabernacl y Bedyddwyr, a godwyd tua'r un pryd â'r ysgol fach.

"Man 'na odd yr Ysgol Sul," ebe Gwyn.

Synnais: "Ydi'ch teuluoedd chi'n gapelwyr?"

"Nagyn," meddai Sylvia. "Er i Dad fynd yn syth o'r Ysgol Sul i'r *Young Communist League*, a bod e'n mynnu taw 'Iesu Grist odd y sosialydd cynta a 'na pam gas e'i groeshoelio'. Halon nhw Paul a fi i'r Ysgol Sul achos bod nhw wedi arfer mynd."

"Halodd 'yn rhieni fi a'n whiorydd 'co i fod mas o'r ffordd am gwpwl o orie ar fore Sul," sylwodd Gwyn.

Er nad yw Neuadd Les Trelwchwr – y *Welfare & Labour Hall* – yn annhebyg i Bethel (MC) Glan-y-Nant o ran pensaernïaeth, mae'n honglad o adeilad, deirgwaith gymaint â'r capel a'r festri gyda'i gilydd. Adeiladwyd Bethel o ithfaen llwyd a olchir gan gawodydd mynych ucheldir Ardudwy ac a sychir gan ei wyntoedd. Tywodfaen brown a bygwyd gan fwg diwydiant am ymron i ganrif yw deunydd y *Welfare Hall*.

Wedi i Gwyn lwyddo i facio'i gar i gilfach rhwng bws o Lanelli ac un arall o Gaerdydd yn y maes parcio yng nghefn yr adeilad, aethom at y brif fynedfa urddasol sy'n wynebu'r stryd. Yno safai haid o Drotsciaid o wahanol enwadau'n gwerthu papurau.

"Rwy bownd o weud shwmai wrth Keith," ebe Sylvia, gan amneidio i gyfeiriad myfyriwr tragwyddol â chap Lenin am ei ben a thopcot Field-Marshal Haig am ei gorff hirfain.

"Ti odd ddim am fod yn ddiweddar," achwynodd

Gwyn wrth i Sylvia gyfarch y tenau, tal. Dododd hwnnw ei freichiau amdani a chusanu ei dwyfoch.

"Diawlad ydi'r Trots, Gwyn," sylwais yn slei. "Gwatsha'r sglyfath."

Chwarddodd fy nghyfaill: "Ma' Atkins yn un ohonyn *nhw*, bachan," eglurodd gan fflapio'i law dde fel petai newydd dorri ei arddwrn.

"Tydi o ddim yn edrach felly," atebais.

"Ma'n anodd gweud dyddie hyn, Arwel."

"Anodd gweud beth?" holodd Sylvia wrth ailymuno â ni.

"Pwy sy'n bwff a phwy sy ddim," atebodd Gwyn gan amneidio'n ddilornus i gyfeiriad Keith Atkins.

"*Watch it*, Howells!" rhybuddiodd Sylvia cyn camu o'n blaenau i'r cyntedd marmor.

Rhethregai undebwr tanllyd, canol oed, ar y llwyfan pan ymunasom â thros bumcant o undebwyr a'u cefnog-wyr yn y *Main Hall*, a sefyll yn y cefn gyda'r hwyr-ddyfodiaid eraill.

"Dewch," gorchmynnodd Sylvia pan derfynodd y siar-adwr ar ôl darogan tranc buan y Llywodraeth Dorïaidd i fonllefau a chymeradwyaeth eirias. Dilynodd Gwyn a fi hi i lawr yr ale ganol nes dod o hyd i seddi gwag dair rhes oddi wrth y llwyfan.

Undebwr arall oedd y siaradwr nesaf, gŵr ifanc mewn siwt, crys a thei *Man at C&A*. Tra huddai hwnnw frwdfryd-edd y dorf dan gyfrolau o ystadegau, astudiais wynebau'r pwysigion a eisteddai'n rhes ar y llwyfan – gwrywod i gyd ond Non Daniels – gan graffu ar y rhai y sibrydai Sylvia eu henwau yn fy nghlust.

Havard Griffiths, tad Sylvia a Chadeirydd y cyfarfod: stwcyn solat, ei wallt brith fel brws bras treuliedig, ei wyneb wedi ei naddu o faen llwyd, caled, a rhes o feiros a sgrifbinnau fel anrhydeddau Sofietaidd ar ei frest.

Paul Griffiths, ei brawd: gŵr ifanc cyhyrog, goleuach o

ran pryd a gwedd na'i chwaer, a'i siaced ledr, crys polo a throwsus du'n cyferbynnu â siwtiau llwydion y pwysigion eraill.

Owen Daniels a *Lady* Non: gallasai toriad Eidalaidd eu dillad, trwsiad eu gwallt tonnog a'u boneddigrwydd diymdrech beri i ddieithryn dybio mai cantorion opera oedd yr Aelod Seneddol a'i wraig; bariton rhamantus a soprano ddramatig.

Wrth i dalpiau o araith Owen Daniels y prynhawn Sadwrn hwnnw, ugain mlynedd yn ôl, godi o seleri'r cof, caf fy hun yn amau fod hiraeth yn eu camliwio. A glywais i Aelod Seneddol Llafur, cyn-weinidog a obeithiai ddringo i uchelfannau'r Llywodraeth nesaf, yn llefaru'r geiriau canlynol?

"Ond nagyw hi'n ddigon, gyfeillion, gweud bod ni am gael gwared o'r lot hyn a dodi Llywodraeth Lafur yn 'u lle nhw. Ces i'r fraint o fod yn Weinidog yn y Llywodraeth Lafur ddiwethaf. Ond weda i wrthoch chi . . . Pob parch i Mr Callaghan. So i am fod yn aelod o Lywodraeth fel 'na 'to!

"The next Labour Government has to be a Labour Government of a new kind, friends and comrades. A government which will bring about an irreversible economic shift in favour of the working people of this country. A government which will promote the interests of our class with all the determination, and, yes, the ruthlessness with which this Tory Government is serving the interests of big business, the banks, the speculators, the stock-brokers – and all the other parasites and hangers-on that grow fat on the spoils of a corrupt and unjust system!"

Roeddwn i wedi disgwyl clywed huotledd arwynebol, rhagrithiol a chynulleidfa'n brefu cymeradwyaeth at fugail sinicaidd a ymhyfrydai yn ei allu cyfareddol i'w harwain i ble bynnag y mynnai. Yr hyn a glywais oedd gwleidydd sosialaidd yn lleisio dicter ei wrandawyr, yn rhoi mynegiant i'w dyheadau, yn mapio'r ffordd arw y byddai'n ofynnol iddynt ei throedio gyda'i gilydd er mwyn troi delfryd yn realiti; a hwythau'n datgan cefnogaeth ddeallus i'w weledigaeth.

"Dyma be dwi isio'i neud," ebe llais bychan, mewnol, gan frysio i ychwanegu, "fel Aelod Seneddol dros Blaid Weriniaethol Sosialaidd Cymru."

Yn y cyfarfod hwnnw y dechreuais feddwl fod sosialaeth yn wrywaidd a chenedlaetholdeb yn fenywaidd, er bod rheolau gramadeg yn dweud fel arall.

Daeth y rali i ben gyda datganiad unfrydol yn collfarnu'r Llywodraeth Dorïaidd, a dilynais Sylvia a Gwyn i'r *Banqueting Room*, stafell hir a chul, tebyg i festri. Yno darparwyd lluniaeth tebyg i de festri – heblaw am y *pasties* – ar gyfer y siaradwyr, swyddogion undeb, cynghorwyr ac aelodau o'r Blaid Lafur leol a'u teuluoedd.

Geiriau cyntaf Havard Griffiths wrthyf oedd: "Joiest ti'r rali, Arwel?"

"Do," atebais. "Siaradodd Mr Daniels yn wych!"

"Rŷn ni'n ffodus bod 'da ni MP mor ddisglair, Arwel. Bydd Owen yn y Cabinet, y tro nesa ewn ni miwn. Ma' shwt ben arno fe. Synnen i ddim 'i weld e'n 11 Downing Street, rhyw ddydd. Yn *Chancellor of the Exchequer*."

"Nele fe ddim jobyn gwaeth na Callaghan a Healy pan gethon nhw *go*!" sylwodd Sylvia.

"P'un sy well 'da chi, Arwel," holodd Mavis Griffiths. "Merched y North neu merched y Sowth?"

"Ma'n dibynnu lle'r ydw i ar y pryd, Mrs Griffiths."

"Licet ti gwrdd â'r MP?" gofynnodd Havard.

"Wrth gwrs lice fe!" atebodd Mavis drostaf ac ymlwybrodd Havard, Mavis, Sylvia, Gwyn a minnau trwy rengoedd meibion a merched Llafur yn gloddesta ar de a phice bach, i ganol y stafell, lle y llywyddai'r Aelod Seneddol a'i wraig dros gylch o'u deiliaid pwysicaf.

Pan gyflwynodd Havard fi i O.D. fel "ffrind i Sylvia a Gwyn, o'r *university*," ychwanegodd ei ferch gyda chipdrem ddrygionus ataf i: "Ma' Arwel yn sosialydd mowr, Owen. Ond pallu'n lân â joino'r Blaid Lafur."

"Nage fe yw'r unig un, gwaetha'r modd," meddai'r Aelod Seneddol gan wenu'n gyfeillgar arnaf. "Beth yw'r maen tramgwydd, Arwel?"

Roeddwn yn ymwybodol o'r chwilfrydedd yn llygaid aelodau'r cylch cyfrin wrth iddynt syllu ar y dieithryn yn eu plith.

"Wel . . ."

Dechreuais yn betrus nes sylwi ar wên bryfoclyd Sylvia.

"Ma' 'na bobol wrth-Gymreig iawn yn y Blaid Lafur yn y coleg 'cw," meddwn. "Rhei fydda wrth 'u bodd yn gweld yr iaith Gymraeg yn marw, a phob sôn am Gymru fel cenedl yn diflannu. Tydi pob aelod o'r Blaid Lafur ddim yn sosialydd chwaith."

"Rwy'n gorffod cytuno â ti, Arwel," meddai Owen Daniels, fel petai'n sgwrs bersonol rhyngddo ef a minnau, a neb arall ar ein cyfyl. "Ar y ddau gownt. Ond ma' traddodiad gwladgarol cryf i gael 'da ni. 'Co ti Keir Hardie a Jim Griffiths a Dai Grenfell, yn y de. A David Thomas a Huw T. Edwards yn y gogledd. 'Mlaen at Gwilym Prys Davies, Cledwyn Hughes a John Morris. So i'n becso'n ormodol, y dyddie hyn, boutu'n *right-wingers* ni. Gethon nhw 'u cyfle a fethon nhw'n druenus. A thra bo'r cysylltiad rhwng y Parti a'r undebe'n parhau'n gryf, *allwn* ni ddim troi'n cefne ar y dosbarth gwaith."

"Tydi Senedd i Gymru ddim yn uchal iawn ar agenda'r Blaid Lafur, dyddia hyn, nac 'dy?" awgrymais.

"Nac unrhyw blaid arall, gan gynnwys Plaid Cymru. Er gwell neu er gwaeth, Arwel," meddai'r Aelod Seneddol, a'i lygaid fel petaent yn treiddio i ddyfnderau fy mod, "y Blaid Lafur *yw* plaid pobol Cymru. Dim ond 'da Llafur ma'r gefnogaeth, a'r pŵer, i newid pethach er gwell yng Nghymru. A ma' datganoli'n bownd o ddod 'nôl ar yr agenda ac yn flaenoriaeth unwaith 'to."

Trodd yr Aelod Seneddol at ei asiant am gadarnhad gan wenu'n gellweirus: "On'd yw e, Havard?"

"Ddim am sbel, Owen," atebodd Havard yn ddigyffro a throi ataf i: "Weda i 'marn i ar y pwnc wrthot ti, Arwel. Rwy o blaid Senedd i Gymru. Rial Senedd â phwere fel Westminster. Ond dim ond wedi i ni gael Prydain Fawr sosialaidd. Os cewn ni Senedd Gymreig dan gyfalafiaeth, un Dorïedd fydd hi. Achos 'na beth yw'r *Nationalists. Green Tories*. A nhw bydde'n llywodraethu'r wlad."

"Dwi'n meddwl bod y rhan fwya o bobl Cymru ar y chwith, Mr Griffiths," atebais yn grynedig, "a basan nhw'n pleidleisio dros Lywodraeth sosialaidd yng Nghaerdydd."

"Fydde Gwynfor Evans ddim yn lico clywed 'na, Arwel," crechwenodd Havard. "Ond ma' cwpwl o ddynon yn parti ni sy'n meddwl fel 'na," ychwanegodd gan amneidio i gyfeiriad yr Aelod Seneddol. "Fyddet ti ddim ar dy ben dy hunan."

Roedd Gwyn wedi'n gadael yn ystod yr ymgom hon. Dychwelodd fel y daeth fy sgwrs ag Owen Daniels i ben gan fy hysbysu fod "Paul am gwrdd â ti, Arwel."

"Paul?" holais, a'm calon fel y plwm.

"Y mab 'co," eglurodd Mavis gyda balchder. "Brawd Sylvia."

"Mae e'n moyn gwbod beth gani di," eglurodd Sylvia. "Dere."

"Dere di 'da fi, gw'gel!" siarsiodd Mavis. "Ma' angen help tua'r gegin."

"Pam fi? Pam ddim Paul?" fflachiodd Sylvia.

"Paid siarad nonsens!" ebe'r fam. "Gwed wrthi, Harvard."

"Gad iddi fod," murmurodd Harvard, gan ddodi braich batriarchaidd am ysgwydd ei wraig.

"Ti'n *hopeless*, Harvard," achwynodd Mavis wrth i Sylvia gydio yn fy mraich a'm llusgo trwy glebar y dorf i gornel o'r *Banqueting Hall* lle'r eisteddai ei brawd a hanner dwsin o wŷr ifanc eraill mewn siacedi lledr duon, yn yfed cwrw ac yn chwerthin.

Ni roddwn lawer o goel i'r "rheol" fod gorfodaeth ar newydd-ddyfodiaid i'r Clwb Caib a Rhaw roi "twrn ar y staij", ond cymerais arnaf ildio i ffug-frwdfrydedd Paul, ("Glywes i fod llais ffantastig 'da ti."); apêl foesol Gwyn ("Er mwyn yr Iaith, Arwel! So rhain yn gwbod bod miwsig Cwmrâg wahaniaeth i Jac a Wil ac emyne!") a blacmel Sylvia ("Reit. Ewn ni 'nôl i Aber 'te.") gan addo canu pennill a chytgan o *Gee Ceffyl Bach* i gyfeiliant band Paul, Street Cred.

Rhai oriau a sawl peint yn ddiweddarach, cefais groeso brenhinol i'r llwyfan gan benbandit Street Cred – "'Ma fe! Yr holl ffordd o Tibet, sori, gogledd Cymru . . . Elvus ap Rhinestone!"; gwrandawiad teg a chymeradwyaeth eironig gan y gynulleidfa, a môr o gwrw gan fy "ffaniau" wedi i mi ddisgyn oddi ar y llwyfan.

"Diawlad drwg ydach chi!" edliwiais wrth Gwyn a Sylvia wedi i hanner y peint a brynodd Gwyn i mi fynd lawr y lôn goch ar un llwnc.

"Paid conan!" atebodd Gwyn. "Ti yw'r bachan mwya poblogedd 'ma heno!"

Ar y gair, i brofi fod Gwyn yn dweud y gwir, megis, cydiodd geneth a chanddi wyneb syfrdanol o bert a *décolletage* ysblennydd yn fy llaw. "Dere i ddanso 'da fi, Elvis!" meddai, a'm tywys i ganol y dawnswyr a fersiwn Street Cred o *Don't be Cruel*.

Cyflwynodd fy mhartner ei hun i mi fel "Bonnie . . . Bronwen yw'n enw iawn i. Ma' rhai'n gweud bod e'n siwto i'n well. Beth wyt ti'n feddwl, Arwel?"

"Ma' gynnyn nhw bwynt," atebais yn ffraeth.

"Ti'n un drwg!" ffug-geryddodd Bonnie a gwasgu fy wyneb ar hyfrydwch ei mynwes.

Pan godais fy mhen, sylwais fod gŵr ifanc, barfog yng nghyffiniau Gwyn a Sylvia'n sgyrnygu arnaf. Felly, ar ddiwedd y set, wedi i Bonnie ddiolch am y ddawns trwy sodro sws gegagored, wleb ar fy ngheg i, yn hytrach na dychwelyd at fy ffrindiau, es i i'r tŷ bach.

Edifarheis gynted ag yr agorais fy malog a gweld unig gwsmer arall y geudy, henwr penwyn, yn gwenu arnaf o'r bisfa nesaf ond un.

"Rwyt ti'n sefyll 'da fi heno, Arwel," meddai'r dieithryn wrth gwblhau ei fusnes.

Pallodd fy mhiso ohono'i hun.

"Be?" ebychais gyda braw.

"Anghofies i gyflwyno'n hunan," ffug-ymddiheurodd y llall a safai y tu ôl i mi erbyn hyn. "Tal odw i. Tad Gwyn."

Caeais fy malog a throi i wynebu Tal Howells. Yr oedd o leiaf ddeng mlynedd yn iau nag y tybiaswn ar yr olwg gyntaf.

"Sut 'dach chi?" holais yn ddrwgdybus.

"Ardderchog, fachgen. 'Naf i ddim shiglo llaw 'da ti, dan yr amgylchiade. Beth wyt ti'n yfed?"

Dychwelasom i firi'r gyfeddach a'r ddawns. Drachtiodd Tal y tri-chwarter peint a adawsai ar y bar ar un llwnc ac archebu dau beint arall. Edrychais o'm hamgylch gan amsugno'r egni a'r afiaith trwy fy llygaid, fy nhrwyn, fy nghlustiau a mandyllau fy nghroen chwyslyd – hyd nes i mi sylwi ar y gŵr eiddigeddus y bûm yn dawnsio gyda'i wraig yn ymdreiglo'n simsan tuag ataf.

Cyhuddiad, nid gosodiad oedd ei sylw cyntaf: "Rwyt ti'n dod o North Wêls!"

"Ydw."

"Wyddost ti beth fydde Nhad-cu'n arfer gweud? 'Nefer tryst e Northwelian'."

Gan fod yr eiddig yn feddw fawr, teimlwn yn hyderus y gallwn osgoi dyrnod pe cynigiai un i mi.

"Pam bydda fo'n deud hynny?"

"Achos bo chi Northwelians yn dod lawr man hyn i ddwgyd yn jobs a'n menywod ni!"

Trodd Tal at y meddwyn gyda ffyrnigrwydd a'm syfrdanodd:

"Cia dy ben, Andrew! Cer 'nôl at dy wraig, y diawl meddw! So i'n synnu bod hi'n danso 'da dynon erill, a tithe'n shwt racsyn. Gwed ti un gair cas arall wrth y gŵr ifanc hyn a byddi di o flaen y *Committee*. 'Naf i'n siŵr cei di dy fano sain dai."

"Ffyc off!" ebe Andrew dan ei anadl a symud i bwyso ar y bar ychydig droedfeddi oddi wrthym.

"Paid cymryd sylw o'r ionc 'na," ebe Tal, wedi bob o gegaid o gwrw. "Ma' meddwl mowr 'da fi o North Wêls, Arwel. Fydden i a'r wraig, Joyce, wastod yn mynd lan 'co'n yr haf, am wthnos neu bythefnos, dibynnu beth allen ni fforddo, pan odd y plant yn fach."

"I ble?"

"Pentre bach ar lan y môr. Aber . . . rhywbeth."

"Abarsoch?"

"Nage."

"Abardaron? Abargela?"

"Aberaeron. Lle pert ofnadw."

Trois fy mhen i guddio'r wên a ymledai dros fy wyneb. Ni pharodd honno'n hir. Malodd Andrew hi efo'i dalcen.

Heblaw am y sêr a welais a'r gwayw, annelwig yw

'nghof am yr hyn a ddigwyddodd wedyn. Yn ôl tystion dibynadwy, talodd Tal y pwyth ar amrantiad, gyda dwrn i wyneb Andrew. Neidiodd Street Cred oddi ar y llwyfan fel un dyn, yn ôl eu harfer pan geid helynt mewn gig, llusgo Andrew i'r maes parcio a'i leinio. O'r herwydd, collodd hwnnw ddau ddiwrnod o waith yr wythnos ganlynol. (Mynnai rhai mai diogi a chywilydd a'i cadwodd o Bwll yr Onnen.)

Aed â mi i Ysbyty Trelwchwr – y *General* – yng nghefn y Morris Minor. Eisteddai Tal yn y blaen gyda Gwyn, a Sylvia wrth f'ymyl i yn y cefn. Cydiai'n dynn yn fy llaw gydol y siwrnai.

Does yr un drwg sy'n ddrwg i gyd.

A minnau'n disgwyl fy nhro ymhlith dioddefwyr sgarmesoedd a damweiniau aelwyd a thafarn, daeth nyrs ifanc, dal atom a chyfarch Gwyn a Sylvia. Ofnais mai drychiolaeth Angela ydoedd nes i Sylvia egluro: "Odd Bethan yn yr ysgol 'da ni. Ma' hi am hwpo ti i flaen y gwt. Hollol anfoesol, ond paid gwrthod shwt gymwynas 'radeg hyn o'r nos."

Wrth i Sylvia fy mhowlio mewn cadair olwyn ar hyd coridorau'r ysbyty tua'r *Casualty Theatre* sibrydodd wrthyf fod "Bethan yn hen fflêm i Gwyn. Rial gast ond nele hi unrhyw beth iddo fe. So hi'n lico fi achos dwges i e odd'arni. On'd yw e'n fachan lwcus?"

Trosglwyddwyd fi i ofal doctor croen tywyll a'i dîm a wthiodd fy nhrwyn yn ôl i'w le, fwy neu lai. Cefais noson weddol o gwsg, dan gyffuriau, a'm rhyddhau, ganol dydd drannoeth, i ddychwelyd i Aberystwyth gyda Gwyn a Sylvia.

Ni fu llawer o ymgomio yn y Morris Minor ar y ffordd yn ôl. Ac eithrio ymholiadau o'r pen blaen ynglŷn â 'nghyflwr a f'atebion swrth ond cadarnhaol i, dyma'r unig bwt o sgwrs a gofiaf:

Fi: Cês ydi dy dad, Gwyn.

Gwyn: Ti'n meddwl 'ny?

Fi: Fedra i ddim dychmygu mynd allan am beint efo 'nhad i, a fynta'n rhoid cweir i ryw foi am 'mosod arna i.

Sylvia: Dylech chi swopo tade. Gallet ti, Arwel, fynd ar y pop 'da Tal a tithe, Gwyn, sefyll yn y tŷ i drafod y berthynas rhwng crefydd a gwyddoniaeth 'da'r Parch. Rheinallt Williams. Licet ti 'na.

Gwyn (yn swta): Gad hi.

"Gobeithio nagyt ti'n difaru, Arwel?" ebe Gwyn am y tro olaf y diwrnod hwnnw, wrth dynnu 'nghes o gist y car, o flaen Pantycelyn.

"Dwi'n ddiolchgar iawn i chi'ch dau. Wir," atebais. "Ddysgis i lot fawr. Cofiwch chitha am y cwarfod sonnis i amdano fo. Ella dysgwch chitha rwbath."

"Ddelen i fel *shot* pe bydden i ddim mor fishi," ebe Gwyn.

"'Sgin ti mo'r esgus yna, Sylvia!"

"Gaf i weld."

"Weda i ddim wrth dy dad, Sylvia," cellweiriodd Gwyn.

"So Dad mor gul â 'na. Wela i di, Arwel," ebe hithau'n siort a weindio'r ffenestr ynghau.

Pan gyrhaeddais fy stafell, llyncais dair aspirin a gorwedd ar fy ngwely cul i fyfyrio dros ddigwyddiadau'r penwythnos. Tybiais yr arhosai f'ymweliad â Threlwchwr yn fyw yn fy nghof am sbel go hir. Wyddwn i ddim iddo fod yn drobwynt yn fy mywyd.

GWERINIAETH GYMREIG NAWR!

Daeth Sylvia i mewn i sgubor tafarn y Skinners yng nghwmni Keith Atkins a dau Drot arall a fu'n sefyll y tu allan yn hwrjio eu llên, heb fawr o lwyddiant, i'r hanner cant o fyfyrwyr a wrandawai'n awr ar y Teirw Sgotsh, ateb Aberystwyth i'r Wolfetones, yn crochlefain *The Men Behind the Wire.*

Eisteddodd Sylvia a'r Trotsciaid yng nghefn y stafell, gyda dwy fainc wag rhyngddynt a thrwch y gynulleidfa. Nid nepell oddi yno eisteddai ymwelwyr mwy annisgwyl fyth, sef Iwan Harries, Cadeirydd Cymdeithas y Ceidwadwyr, a'i gariad ar y pryd. Er mwyn cythruddo'r gweriniaethwyr yn weledol yn ogystal ag yn syniadaethol, gwisgai Iwan siwt *pinstripe* lwytddu gyda giard aur ar draws ei wasgod, coler glaerwen, a thei'r Fyddin Diriogaethol, a'r ferch gôt ffwr dros *cocktail dress* sidan, las.

Daeth ein set i ben, i gymeradwyaeth fyddarol y gynulleidfa, a ddechreuodd siantio "IRA, superstar! How many Brits have you shot so far?" Gwenais ar Sylvia a chodi fy llaw, i ddangos 'mod i'n falch o'i gweld. Gwenodd hithau'n ôl. Efallai mai gwgu a wnaeth.

Synnwn i Sylvia ddod o gwbl. Pan drawem ar ein gilydd, ar hyd campws Penglais neu yn y dref, yn ystod y mis a aethai heibio er f'ymweliad â Threlwchwr, cefais hi'n bell ac yn oeraidd – ar ei ffordd i bwyllgor neu ddarlith, neu i gyfarfod â rhywun (mwy diddorol). Er bod Gwyn yn gleniach roedd yntau wastad "ar hast", neu'n "ddiawl-edig o fishi".

Wrth ddychwelyd o Drelwchwr yng nghefn y Morris Minor, teimlwn, er gwaethaf f'anghysur, lawenydd mawr, ar ddau gyfrif: darganfod Cymru egnïol, hwyliog, filwr-iaethus nad oeddwn wedi amgyffred ei bodolaeth o'r blaen; a gobaith y buasai'r ddeuddydd a dreuliaswn yng nghwmni Gwyn a Sylvia yn gychwyn cyfeillgarwch parhaol gyda dau berson hoffus a deallus, dau a edmygwn. Erbyn y cyfarfod hwnnw yn y Skinners, credwn iddynt fy ngwahodd i'w bro enedigol yn unswydd er mwyn cael hwyl am ben Nashi bach diniwed o'r Gogledd, a cholli pob diddordeb ynof wedyn.

Ceisiwn ddyfalu pam y daeth Sylvia i'r cyfarfod. A wnaethai fy nadleuon i argraff arni? Beth oedd arwydd-ocâd y crys-chwys gwrth-apartheid blêr a'r *dungarees* di-raen, a hithau mor drwsiadus fel arfer? Pam fod golwg flin, ddiamynedd ar ei hwyneb yn lle'r direidi arferol?

Gruff Richards oedd y prif siaradwr. Er na lwyddasai i gefnu ar "y peiriant llofruddio" a bod yn "chwyldroadwr llawn-amsar", camodd i'r cyfeiriad hwnnw'n ddiweddar pan y'i penodwyd yn Drefnydd Gwynedd, Mudiad Gwerin-iaethol Sosialaidd Cymru. Y noson honno, ac yntau'n annerch cynulleidfa ifanc, eiddgar, a'r Ddraig Goch, y Faner Goch a Thrilliw'r Weriniaeth Wyddelig yn gefnlen teilwng i'w berfformiad, roedd Gruff yn ei elfen.

Fflangellodd Thatcher a'r Torïaid gan eu cymharu â Hitler a'r Natsïaid. Siaradai fymryn bach yn garedicach am y Blaid Lafur:

"Mi fu Llafur, ar un adag, yn blaid y gweithwyr, yn blaid yr undeba, yn blaid sosialaidd efo cydwybod gym-deithasol a rhyngwladol. Erbyn heddiw, plaid dosbarth-canol cefnog, de-ddwyrain Lloegar ydi hi. Plaid y CBI, y bancia a'r *City of London*."

Gwawdiai'r siaradwr Blaid Cymru fel "Plaid barchus, *petit bourgeois*, o Anghydffurfwyr cydymffurfiol a heddychwyr plentynnaidd, llwfr. Ei nodweddion penna ydi parodrwydd i gyfaddawdu, anwadalwch bwriad a diffyg asgwrn cefn . . . Beth ydw i'n feddwl o Gwynfor Evans? Y daw o â chlod mawr i Gymru. Trwy gael ei enwi yn y *Guinness Book of Records* fel Ymprydiwr Tryma'r Byd. 'Iaith a Gwaith' ydi arwyddair y cenedlatholwyr dosbarthcanol am fod yr iaith yn rhoid gwaith iddyn nhw. Dim ond yr elît, crachach Gwynedd a Chaerdydd, fydd yn elwa o sefydlu Sianel Gymraeg."

Cymeradwyodd y rhan fwyaf o'i wrandawyr yn frwd a throi i hisian ar Sylvia pan waeddodd hi: "Rŷch chi'n clapo achos 'na beth ŷch chi. *Petit bourgeois nationalists.* Byddwch chi'n olreit!"

Cwestiwn Iwan Harries gododd yr helynt terfynol:

"Odi'r Mudiad Gweriniaethol Sosialaidd yn cefnogi'r rhai sy'n llosgi tai haf ac yn gosod bomie mewn adeilade cyhoeddus, gan beryglu bywyde ac eiddo eu cydwladwyr?"

Atebodd Gruff nad oedd y Mudiad "yn cefnogi nac yn condemnio chwaith".

Cododd Iwan ar ei draed gan bwyntio bys cyhuddgar at y siaradwr a bloeddio: "Achos bo chi'n cefnogi'r diawled. Achos taw *terrorists* ŷch chi!"

Cododd amryw o'u seddi i hel y Ceidwadwr o'r cyfarfod. Darbwyllodd Gruff hwy i adael iddo ef ddelio â'r hecliwr:

"Polisïau'r Llywodraeth Dorïaidd sy'n gyrru gwladgarwyr Cymreig i eithafion!" llefodd. "Trwy greu diweithdra ac anobaith yng nghymoedd y de a mewnlifiad o *white settlers* yng nghefn gwlad y gorllewin a'r gogledd. Yn yr un modd ag y mae wyth can mlynedd o ormes Gwladwriaeth a byddin Lloegr yn Iwerddon wedi gorfodi gwlatgarwyr yno i wrthryfela, ym mhob cenhedlaeth."

Neidiodd Sylvia ar ei thraed a'i llais yn torri drwy'r gymeradwyaeth fel llafn:

"Allwch chi ddim cymharu Cymru ag Iwerddon. So i'n cytuno â'r IRA." – storm o anghymeradwyaeth – "Rwy'n meddwl bod nhw'n dala Iwerddon unedig yn ôl. Ond ma' traddodiad canrifoedd o *armed struggle* yn Iwerddon. Ma' cefnogaeth sylweddol 'da'r *Provos* yn Belfast a Derry. 'Sdim traddodiad na chefnogaeth fel 'ny i drais chwyldroadol yng Nghymru. Dim ond yn 'ych penne bach chi!"

Dechreuodd un garfan weriniaethol siantio: "Mas! Mas! Mas!" ac un arall "Brits Out! Brits Out! Brits Out!" ac ymunodd y ddwy'n ffrynt unedig, gynddeiriog, i chwythu bygythion a chelanedd at y Prydeinwyr.

"Mae clywed y Blaid Lafur a'r Blaid Dorïaidd yn ymuno i ladd ar sosialwyr Cymru ac Iwerddon yn brawf o bydredd adweithiol plaid Keir Hardie erbyn heddiw!" taranodd Gruff Richards. "Cŵn bach Lloegr a bradwyr ydach chi i gyd!"

Dyna'i diwedd hi. Rhuthrodd y rhan fwyaf o'r gweriniaethwyr at Sylvia ac Iwan i'w hel o'r stafell. Safodd y Trotsciaid rhwng Sylvia a'i hymlidwyr ac aeth yn sgarmes. Cydiodd dau weriniaethwr ym mraich cariad Iwan. Rhoddodd Iwan bwniad i un, cafodd glewtan gan y llall a cheisiodd un o'n genod ni ei dagu â'i dei. Amgylchynwyd yr hereticiaid gan y dorf a'u sgrymio tua'r drws.

"Go back to England, you fucking queer!" rhuodd un o'r gweriniaethwyr i wep fain Keith Atkins.

"I may be a queer, but I'm a fucking hard queer!" bloeddiodd Keith yn ôl â chic i grimog y llall â blaen un o'i esgidiau-hoelion-mawr.

Dilynais yr haid anystywallt trwy fuarth sment y dafarn i'r sgwâr o'i blaen, gan loetran yno nes i'r llanw gweriniaethol droi tua'r stafell gefn. Euthum at Sylvia a'i ffrindiau a archwiliai'r difrod a wnaed i gnawd a dillad.

"Ddrwg gin i am hyn'na, Sylvia," ymddiheurais yn llywaeth.

Deifiwyd fi gan ei dirmyg: "A finne, Arwel!"

"Dwi'n beio'r lysh."

"Rwy'n beio'r nonsens ffasgedd glywes i man 'na! Ie. 'Na beth odd e. Fel gwedes i wrthot ti. *Socialism plus Nationalism = Fascism.*"

"Wyt ti'n 'y ngalw i'n Ffasgydd?"

"Rwy'n casáu pobol anoddefgar sy'n rhamanteiddio trais," atebodd Sylvia. Crynai ei llais, anadlai'n drwm, roedd ei llygaid yn llawn.

Synnais ei bod dan gymaint o deimlad. Fe'm syfrdanwyd gan ei geiriau nesaf:

"Feddylies i gallen ni fod yn ffrindiau. Ti a fi. A Gwyn. So fe'n bosib tra byddi di miwn 'da'r lot 'na."

"Is he giving you a hard time, Sylv?" holodd Atkins.

"Him? I should think not!" ebe Sylvia gyda gwên ddilornus. Trodd ar ei sawdl, dododd ei breichiau trwy freichiau Keith ac un o'i gymrodyr a'u tywys tua Heol y Wig a'r prom.

"What a bunch of wankers!" ebychodd un o'r Trots.

"Shortly to be deposited in the dustbin of history, comrades," dyfarnodd Keith Atkins.

Am ragor na blwyddyn wedi'r ffrae honno, ni fu na Chymraeg nac edrychiad, hyd yn oed, rhwng Sylvia a fi. Oni bai am Gethin Llewelyn, mae'n amheus gennyf a fuasem wedi torri gair â'n gilydd byth wedyn.

Y noson honno, mewn parti yn fflat tair o'r genod, y cyfarfyddais â Gethin am y tro cyntaf. Cyn iddo ein cyflwyno i'n gilydd, disgrifiodd Gruff Richards ei gyfaill fel "yr unig chwyldroadwr go-iawn ohonan ni. Ma' gynno fo gysylltiada yn Werddon, Llydaw, Gwlad y Basg – ym mhob man ma'r frwydr wrth-imperialaidd boetha. Ddysgi

57

di lot gynno fo, Arwel. *Nom de guerre* ydi 'Gethin Llewelyn'. Ma' gin bob chwyldroadwr go-iawn o leia un o'r rheini!"

Roedd Gethin oddeutu'r deg ar hugain, o daldra canolig, yn meddu ar wyneb sgwâr a gwallt golau cwta a giliai tua'i gorun. Gwisgai lifrai myfyrwyr y cyfnod – crys-T, jîns, a rhyw fath o anorac, ond rhai taclusach na'n criw ni.

Disgrifiai ei hun fel "a victim of Colonialism" oherwydd i'w dad, gŵr busnes cefnog o Gymro a "anghofiodd" ei Gymraeg, ei alltudio i ysgol fonedd yn Lloegr, i'w Seisnigo'n drylwyrach nag y gellid gartref. Bu effeithiau'r profiad hwnnw'n hollol groes i'r hyn a fwriadwyd. Trodd y mab yn erbyn ei dad bwrgeisaidd a'r gwerthoedd imperialaidd y ceisiodd yr ysgol eu pwyo i'w ben.

Siaradai Gethin Saesneg fflat, trwynol, diddosbarth. Ni fedrai Gymraeg ac ni fwriadai ei dysgu er mwyn i'r golled borthi ei ddicter cyfiawn yn erbyn Lloegr, meddai ef.

Yn ystod y pymtheg mis nesaf, treuliais oriau lawer, o bryd i'w gilydd, yng nghwmni Gethin. Ymddangosai'n annisgwyl yn ein plith am wythnos neu ddwy neu dair cyn diflannu'n ddisymwth. Âi wythnosau neu fisoedd heibio heb sôn amdano hyd nes y gwelid ef eto yn ei hoff sedd yn un o'i hoff dafarnau, neu ar stepen drws un o'r criw a'i sgrepan a'i sach gysgu ar ei gefn.

Gwir y dywedodd Gruff. Dysgais lawer gan Gethin Llewelyn. Anogodd fi i astudio hanes chwyldroadau gwrth-imperialaidd y Trydydd Byd a darllen awduron fel Franz Fanon, y seiciatrydd Caribeaidd-Algeraidd a glodforai rinweddau iachusol ac ymryddhaol trais "trueiniaid y ddaear" yn erbyn eu gorthrymwyr.

Aeth Gethin â mi a dau arall i Belfast a Derry, i Andersonstown a'r Creggan, lle cawsom groeso twymgalon gan deuluoedd gwerinol, gweriniaethol a ymgnawdolai frwydr oesol y Gwyddelod yn erbyn Lloegr. Meddwais ar Guinness a Jamesons a deugain ffag y dydd; ac ar wae a gorfoledd rhyfel, y cyffur cryfaf a'r mwyaf *addictive* a ddyfeisiwyd gan ddyn.

Bu Gethin gyda ni am lai na thri o'r pum niwrnod a dreuliasom yn y Chwe Sir. Nid eglurodd wrthym ymhle y bu ac adwaenem ef yn ddigon da erbyn hynny i beidio â'i holi.

Effaith fwyaf parhaol f'ymweliad â gogledd Iwerddon oedd dirnadaeth o natur y Wladwriaeth Brydeinig. Gadewais Gymru, lle mae'r wladwriaeth yn anweledig, gan deithio trwy diriogaeth Gweriniaeth Iwerddon, na pherthyn iddi, i'w chyrion eithaf, lle yr arddangosai, yn ddigywilydd, gyfrinach ei grym a'i hawdurdod, sef trais milwrol, statudol.

"You really impressed the Republican Leadership as well as rank-and-file members of the nationalist community we met," meddai Gethin wrthym dros beint ym mar y llong ar y ffordd yn ôl. "Let's look forward to the day we'll be comrades-in-arms, eh?"

"I'll drink to that!" ebe un o'r hogia a rhoisom glec i'n peintiau ac i hanner dwsin o rai eraill cyn diwedd y fordaith.

GOHIRIWYD Y CHWYLDRO

Rhyw bnawn Mercher ym mis Chwefror 1982, eisteddwn ar fainc ar y prom, tua'r de o'r Hen Goleg, yn gwrando ar Gethin Llewelyn yn sôn am yr ymweliadau â Chaerdydd a Belfast a arfaethai yn y dyfodol agos. Diwrnod llwyd-aidd, llonydd, di-awel ydoedd a Bae Ceredigion yn llepian fel llyn ar y draethell garegog.

Fel yr adroddai Gethin y gwirioneddau hallt y bwriadai eu traethu wrth y cymrodyr yn ne Cymru a gogledd Iwer-ddon, sylwais drwy gil fy llygaid ar dair merch, myfyr-wyr, yn cerdded heibio dan chwerthin ac yna'n sefyll rhyw hanner can troedfedd oddi wrthym, gan glebran a'u pwysau ar ganllaw'r prom a foliai'n fath o falcon uwch-law'r creigiau.

Tawodd Gethin ar ganol brawddeg, edrychodd i gyfeir-iad y genethod ac yna'n ôl ataf i. "Those girls are looking over here," murmurodd.

Teflais gip i'w cyfeiriad a mwmial: "No they're not."

"They were. I'm not taking any chances. This place is riddled with grasses. From the Principal to Cymdeithas yr Iaith."

Cododd Gethin gan droi ei gefn at y tair. "Give me two minutes," gorchmynnodd. "I'll be back Sunday or Mon-day to pick up the stuff. *Da bo ti, brawd.*"

Dyna'r geiriau olaf a lefarodd Gethin Llewelyn wrthyf. Cerddodd ymaith yn gyflym i gyfeiriad yr Hen Goleg gan droi oddi ar y prom i gyfeiriad y castell. Ni welais ef wedyn.

A minnau wedi fy heintio gan baranoia'r cymrawd, ymataliais rhag edrych i gyfeiriad y merched. Syllais ar yr Angel Hedd yn pirwetio'n llonydd ar bigyn y gofgolofn a neidio mewn braw pan eisteddodd un o'r genethod wrth f'ymyl a'm cyfarch:

"Shwmai 'slawer dydd, Arwel?"

"Iesu! Sylvia!"

"Jyst Sylvia. Shwt ŷt ti?"

Ceisiais – yn ofer, mae'n debyg – guddio fy llawenydd.

"Iawn. Grêt. Sut wyt ti?"

"Gwitho'n galed. Wel. Trial."

"A finna. Sut ma' hi'n mynd?"

"Gaf i weld ym mish Mehefin."

"Ia. Ym. Sut ma' Gwyn?"

"Gwyn?" Pylodd y wên am hanner eiliad. "Gwd! Mae e wedi cael swydd 'da'r ISTC. 'Sdim llawer o swyddi *management* yn mynd ar y funed, 'da'r holl doriade."

"Cofia fi ato fo."

"'Naf i. Lwc i fi daro arnot ti, Arwel. Halodd Gwyn lyfr ato i. I roi i ti. Pamffled ddaeth yr undeb mas boutu'r *industrial relations legislation* diweddara. Feddyliodd e bydde diddordeb 'da ti. Alli di gwrdd â fi fory? I fi 'i roi e i ti? Yr undeb? Un ar ddeg?"

Cydsyniais yn syn.

"Gwd. Wela i di, Arwel."

Cododd Sylvia a ffarwelio gyda gwên amwys y treuliais gyfran helaeth o'r pedair awr ar hugain nesaf yn ceisio ei dehongli.

Dilynodd Sylvia ei ffrindiau i gyfeiriad yr harbwr. Arhosais innau ar y fainc gan ddyfalu beth a gymhell-odd Gwyn i anfon ei bamffledyn ataf, a sut bod Sylvia mor glên. A oeddynt wedi troi'n Efengýls a phenderfynu "maddau" i mi? Ai rwtsh ofergoelus, afiach rhyw sect fyddai llên y llyfryn a drosglwyddai Sylvia i mi? Gwyddwn am fyfyrwyr deallus oedd wedi cael "tro". Gobeithiwn na chawn fy siomi felly gan Sylvia a Gwyn.

Fe'm siomwyd am reswm gwahanol. Cyrhaeddais yr undeb gorlawn am chwarter i un ar ddeg, a chael Sylvia yno'n barod yng nghwmni Keith Atkins. Ymddangosai'n nerfus, am unwaith, wrth fy nghyfarch a'm gwahodd i ymuno â hwy.

"Rwy'n gwybod s'da ti fowr o feddwl ohona i, Arwel . . ."

Tasat ti ond yn gwbod . . .

"Wedes i bethach cas wrthot ti pan gwerylon ni, sbel 'nôl. Ond tria feddwl amdano i fel ffrind nawr. Rhywun sy'n moyn helpu ti. Grinda beth s'da Keith i weud. Paid gwylltu. A phaid cerdded bant nes clywed popeth."

"Lle ma'r llyfr sonis di amdano fo?" holais.

"'Sdim shwt beth i gael, Arwel. Allen i ddim meddwl am ffordd arall o gael ti i gwrdd â fi."

Trodd Sylvia at Keith: "Tell Arwel what you know about his friend, Gethin Llewelyn.

"First, Arwel, his name isn't Gethin Llewelyn."

"I know. That's a *nom de guerre*."

Gwenodd y Sais yn nawddoglyd: "*Nom de guerre* of an *agent provocateur*."

"Bollocks!"

Difrifolodd Keith: "His real name – as far as we know – is John Hartley. Four years ago, he and five other anarchists were charged with causing explosions in public buildings in the Midlands. The four others got stiff prison sentences. Police dropped the charges against Hartley. Now he's turned up in Wales and Ireland calling himself Gethin Llewelyn."

Fferrodd fy ngwaed. Cododd fy stumog.

"Wyt ti'n iawn, Arwel?" holodd Sylvia'n bryderus. "Rwyt ti fel y galchen."

"Ydw. Dwi'n iawn," crygais.

Clywais Atkins yn dweud: "I'll leave you and Arwel to discuss the implications of what I've told him, Sylvia. It might be easier in *Cymraeg*."

Symudodd Keith at fwrdd arall a chwmni mwy hwyliog. Codais innau ar fy nhraed.

"Wela i chdi, Sylvia," meddwn.

Cododd hithau, cydio yn fy mraich a holi: "Ble ti'n mynd?"

Gadewais yr undeb heb ateb ei chwestiwn. Dilynodd Sylvia fi rhwng y byrddau ac allan o'r adeilad. "Rwy'n dod 'da ti!" mynnodd.

"Nagwyt."

"Odw. Rhag i ti neud rhywbeth dwl."

Wnes i ddim taeru. Dim ond brasgamu i gyfeiriad Pantycelyn a hithau wrth f'ochr heb i'r un ohonom yngan gair.

Fel y nesaem at yr hostel, cyflymai fy nghamre. Rhuthrais trwy'r brif fynedfa, i lawr y coridor ac i fyny'r grisiau i'm stafell ar yr ail lawr, a Sylvia ddau gam tu ôl i mi.

Stwffio'r allwedd i'r clo. Bustachu i mewn i'r stafell fechan. Agor drws y wardrob. Lluchio bag plastig gwyn â'i lond o ddillad budr i ganol y llawr. Cloddio fel daeargi o'i go dan bentwr o esgidiau lleidiog a dapiau drewllyd. Cydio mewn blwch carbord, rhyw ddeunaw modfedd sgwâr, ei osod ar y gwely a rhwygo'r selotep a'i caeai. Tu mewn i'r blwch allanol roedd blwch llai wedi ei gau yn yr un modd. O agor hwnnw, gweld, ar wely o wadin, chwe silindr metel, gloyw a gwifrau'n dod ohonynt.

Arswydais.

"Beth ŷn nhw?" sibrydodd Sylvia.

63

"*Dets*, dwi'n meddwl," sibrydais yn llesg. "*Detonators*."

"*Explosives*?"

Amneidiais.

"Llewelyn ofynnodd i ti'u carco nhw?" gofynnodd Sylvia yn ei llais synhwyrol, arferol.

Amneidiais ac egluro: "Ddeudodd o ma' partia *transistors* oeddan nhw. I gael 'u smyglo i mewn i'r Maze. I garcharorion yr IRA fedru cysylltu efo'u pobol tu allan."

Eisteddodd Sylvia ar y gwely gan syllu ar gynnwys y blychau. "Ddylet ti gael 'u gwared nhw," awgrymodd. "Glou."

Gwagiais grysau, tronsiau, sanau a hancesi o'r bag plastig i mewn i'r wardrob. Caeais y ddau flwch carbord a'u dodi'n y cwdyn.

"Gad e i fi," gorchmynnodd Sylvia.

"Be?"

"Gaf i wared ohono fe."

"Diolch i chdi, Sylvia," atebais, gyda hynny o ruddin ag a feddwn. "Ond 'mhotas i ydi hwn."

"Ishte," ebe Sylvia.

Ysgydwais fy mhen.

"Ishte!" gorchmynnodd a rhaid oedd ufuddhau.

"Rwy'n meddwl," meddai Sylvia, "fod Gethin Llewelyn, *alias* John Hartley, wedi dy seto di lan. Fel nath e i'r bois sha'r Midlands. Falle bod y bobis yn gwylio ti'n barod. 'Na pam ma'n well i fi fynd â'r rhain o 'ma."

"Be tasat ti'n cael copsan?" llefais yn ddi-asgwrn-cefn.

Cymerodd Sylvia'r cwdyn gwyn a'i gynnwys oddi ar y gwely.

"Byddwn ni'n dou'n y cach wedi 'ny," chwarddodd, a gadael y stafell.

Gorweddais ar y gwely wedi fy llethu gan ofn a hunandosturi, a'm cywilyddio gan haelioni Sylvia a'i gwroldeb. Yn y man, cododd ton o gyfog o eigion fy stumog. Cael a chael fu cyrraedd y sinc mewn pryd.

Drannoeth, ddiwedd y prynhawn, cefais nodyn di-enw yn fy nhwll llythyrau: "Mae'r trysor yng Nghantre'r Gwilod." *(sic)*

Drennydd, am chwech o'r gloch y bore, fe'm deffrwyd gan guro nerthol ar ddrws fy stafell. Agorais ef a llanwyd y stafell gan ringyll a thri aelod arall o'r *Special Branch* lleol. Gofynnodd y rhingyll i mi fynd gydag ef i'r stesion i gael fy holi, gan fygwth gwarant i'm restio pe gwrthodwn. Gwyliodd y pedwar fi'n gwisgo amdanaf. Wrth i mi ymadael gyda'r rhingyll a ditectif arall, dechreuodd y ddau a arhosodd durio yng ngwaelod y wardrob.

Gwibiodd car y plismyn rhwng Pantycelyn a phencadlys yr heddlu heb i ni weld yr un cerbyd symudol ar y stryd. Aed â mi i mewn i'r gaer trwy'r drws cefn at blismon glas a'm hamddifadodd o'm wats, fy melt a chareiau fy esgidiau. Gofynnais am gael mynd i'r tŷ bach a hebryngodd y plismon fi yno. Gwyliodd fi'n piso a'm tywys i gell a'i chloi.

Ymhen rhyw awr a hanner daeth plismon arall â brecwast o frechdanau marmalêd a mygaid o de i mi. Tua chanol y bore dychwelodd a'm gorchymyn i'w ddilyn i un o'r stafelloedd cyf-weld. Gadawyd fi yno am chwarter awr go lew. Yn y man, daeth y rhingyll ac un o'r ditectifs a fu'n archwilio fy stafell i mewn ac eistedd gyferbyn â mi.

Eglurodd y rhingyll, yn foneddigaidd, iddynt ofyn i mi ddod i'r stesion i ymateb i dystiolaeth a gyflwynwyd i heddlu Aberystwyth fy mod yn cymdeithasu â "phobol eithafol" a allai fod yn gyfrifol am losgi tai haf ac achosi ffrwydradau. Gwadais yr ensyniad. Holwyd fi ynglŷn â fy agwedd at y rhai oedd yn gyfrifol am losgi tai haf, gosod bomiau, ac ati. Gwrthodais eu condemnio na'u cymeradwyo, gan feio Llywodraeth Lloegr am eu gweith-redoedd, eithr yn llai ymosodol na Gruff Richards yn y Skinners.

Honnodd y ditectif i mi ymweld â gogledd Iwerddon yn ddiweddar, i gyfarfod ag aelodau o'r IRA gyda golwg ar drefnu ymgyrch fomio ar y cyd rhwng gweriniaethwyr Cymru ac Iwerddon. Cyffelybodd berthynas y Mudiad Gweriniaethol a'r Llosgwyr Tai Haf yng Nghymru â Sinn Fein a'r IRA yng ngogledd Iwerddon.

Gwadais hynny, rhoddais amlinelliad camarweiniol o'm daliadau gwleidyddol ac atebion cynnil ynglŷn ag aelodau eraill o Fudiad Gweriniaethol Sosialaidd Cymru.

Dywedodd y ditectif i heddlu Aberystwyth sylwi arnaf yng nghwmni Gethin Llewelyn pan ymwelai'r "gŵr bonheddig" hwnnw â'r dref. Rhybuddiodd fi fod gan Gethin Llewelyn "record" ac na ddylai gŵr ifanc fel fi, a gyrfa ddisglair ym myd y gyfraith o'i flaen, wneud dim ag ef. Byddai'n gwahodd Mr Llewelyn i alw i mewn am sgwrs y tro nesaf yr ymwelai ag Aberystwyth.

Tybiaf i'r ddau fy holi am oddeutu awr cyn codi'n ddisymwth a mynd allan. Yna, toc wedi hanner dydd, dychwelodd y rhingyll a dweud y cawn fynd. Dychwel-wyd fy eiddo i mi a cherddais allan trwy'r brif fynedfa i groeso swnllyd rhyw ugain o ffrindiau. Llamodd fy nghalon pan sylwais ar Sylvia yn sefyll ar gwr y dorf fechan yng nghwmni Keith Atkins.

Diolchais i'm cefnogwyr a chyn iddynt fy llusgo am sesh i'r Cambrian, diolchais i Sylvia a Keith am wneud hynny'n bosib. (Aethai Keith a hi â'r pecyn i Glarach yn y *Trotmobile* ac ef a lanwodd y cwdyn â cherrig a'i daflu oddi ar y clogwyn i'r môr.) Dywedodd Sylvia yr hoffai glywed beth fu fy hynt er pan welsom ein gilydd ddiwethaf ac addewais alw i'w gweld, ddiwedd y prynhawn.

Rai oriau'n ddiweddarach, eisteddwn ar *bean-bag* yn

bedsit Sylvia yn sipian coffi du, sobreiddiol dan lygaid arwrol Che Guevara a rhai llai beirniadol Nelson Mandela.

"Fasa hi wedi canu arna i am fod yn dwrna tasa'r slobs wedi ffendio rheina'n fy stafall i," meddwn wrth Sylvia, gan ychwanegu'n sarrug: "Ddim 'mod i'n torri 'mol i joinio ffyrm Yncl Dafydd."

"Bydd e'n well na jâl, sbo?" awgrymodd Sylvia.

"Dwn 'im. Carchar o fath gwahanol. Gas gin i feddwl am dreulio gweddill 'y mywyd yn y byd bach cul 'na. Fasa clinc wedi'n arbad i rhag hynny, o leia."

"Ieffach, Arwel! Rwyt ti'n hala i'n grac!" ffrwydrodd Sylvia. "Ma' digon 'da ti'n dy ben. Lot o dalent. A dim un syniad beth i neud 'da fe. Un bywyd s'da ni. A ma' dyletswdd ar bob un ohonon ni i neud yr iws gore bosib ohono fe."

"Derbynnir pob awgrym gyda diolch," atebais a chau fy llygaid mewn anobaith.

"Ma' syniad 'da fi. So i'n gwbod ddylen i weud wrthot ti. So i'n siŵr os wyt ti'n haeddu help. Rwy'n bownd o ddifaru. Ges i ti mas o'r twll o't ti ynddo fe achos nagon i am weld ti'n gwastraffu dy fywyd. A ti'n folon slipo 'nôl i dwll arall ddoi di fyth mas ohono fe."

Ymddiheurais: "Sori. Os oes gin ti syniad, deud wrtha i."

"Licet ti i fi ofyn i Dad i ofyn i Owen Daniels os galle fe ffindo jobyn i ti 'da'i ffyrm e? Gelet ti weithio dros yr undebe a'r dosbarth gwaith, nage ffermwyr a siopwyr a chrachach cefen gwlad. Nest ti argraff ffafriol ar Wncwl Owen pan gwrddoch chi."

"Be am dy dad?"

"Neiff Havard beth bynnag rwy am iddo fe. Alla i 'i droi e amboutu 'mys bach i."

Dair wythnos yn ddiweddarach, teithiais ar y Traws Crwban o Aberystwyth i Abertawe, ac ar fws lleol oddi yno i Dre-lwchwr, ac am ddau o'r gloch ar brynhawn Iau ym mis

Ebrill 1982, croesais riniog Davies, Greene & Daniels am y tro cyntaf.

Ymdebygai'r adeilad syber Fictoraidd, y tu mewn a'r tu allan, i swyddfa fy ewythr yn Nolgellau – ac eithrio'r posteri undebol wedi eu fframio, a'r ysgythriadau o olygfeydd diwydiannol ar barwydydd y coridorau ac yn swyddfa Owen Daniels ei hun.

Yno y cynhaliwyd y cyfweliad. Cymerodd hwnnw ffurf sgwrs rhwng O.D., Mr Davies a Mr Anthony, dau o'r partneriaid eraill, y naill ochr i'r ddesg fawr, dderw, a minnau yr ochr arall; ymgom wâr a frithwyd gan gwestiynau siarp ac annisgwyl y tri chyfreithiwr.

Ar ôl hanner awr o holi ac ateb a thrafod, gofynnwyd i mi ymneilltuo i swyddfa Mrs Hughes, y brif ysgrifen-yddes, a'm sicrhaodd gyda gwên famol y byddai popeth yn "olreit". Gwir y dywedodd. Ymhen chwarter awr, fe'm gwysiwyd at y partneriaid. Cododd y tri ar eu traed pan es i mewn i'r stafell ac estynnodd Owen Daniels ei law ataf, gan fy ngwahodd i ymuno â Davies, Greene & Daniels, ar yr amod fod canlyniadau fy arholiadau terfynol gystal â darogan yr Adran, a 'mod i'n cwblhau cwrs hyfforddiant proffesiynol yn foddhaol.

Wedi cymun o sieri sych a bisgedi sychach, ymadaw-odd Mr Davies a Mr Anthony. Arhosodd Owen Daniels i drafod rhai o oblygiadau ymarferol y penodiad, y berth-ynas rhyngof i a'r ffyrm hyd nes yr ymunwn yn ffurfiol â hi, a natur fy nyletswyddau dechreuol. Am chwarter i bedwar edrychodd yr Aelod Seneddol ar ei wats a dweud fod swyddog undebol lleol yn awyddus i gael gair â mi. Ffoniodd Mrs Hughes a gofyn iddi hebrwng "ffrind Mr Williams" aton ni.

Gwyn Howells oedd y cyfaill. Ymddangosai mor hyderus ag erioed ac mor falch o 'ngweld ag yr oeddwn innau o weld unrhyw wyneb cyfarwydd mewn lle dieithr. Llongyfarchodd Gwyn fi ac ategu sylw O.D. y byddwn yn gaffaeliad i'r undebau ac i'r Mudiad Llafur yn Llwchwr. Ni fagais ddigon o blwc i holi ai anfantais fyddai nad oeddwn yn perthyn i'r Blaid Lafur, rhag ofn i Owen Daniels newid ei feddwl.

Derbyniais gyda diolch gynnig Gwyn i fynd â mi yn ei gar – Cortina teirblwydd oed – cyn belled ag Abertawe. Cyn i ni deithio ymhell tua llawr gwlad, deallwn nad oedd y gymwynas yn hollol allgarol.

"Sylvia fficsodd y jobyn i ti, Arwel?" holodd Gwyn yn ddidaro fel yr aem heibio i'r arwydd LOUGHORTON/ TRELWCHWR ar gwr y dreflan.

"Wel," atebais yn bwyllog. "Ofynnodd hi i'w thad ofyn i Mr Daniels gawn i ddŵad am gyfweliad."

"'Fficso' ni'n galw 'na ffor hyn," chwarddodd Gwyn. Difrifolodd wrth ychwanegu: "Ma'n od, hefyd . . ."

"Be?"

"Nagot ti a Sylvia'n bytis mowr pan adawes i Aber. Nagodd dim 'da chi i gynnig i'ch gilydd, os wy'n cofio'n iawn?"

Sylweddolais i ba gyfeiriad yr oedd gyrrwr y Cortina'n llywio'r sgwrs a thynhaodd gewynnau fy stumog.

"Hap a damwain, Gwyn," meddwn gan ddogni'r gwir. "O'n i'n digwydd ista yn synfyfyrio ar y prom, rhyw fis yn ôl, pan ddaeth Sylvia heibio efo dwy o'i ffrindia. Ges i sioc ar 'y nhin, a deud y gwir wrthat ti, pan stopiodd hi i ddeud helô. Ddechreuon ni sgwrsio . . ."

"Ti a Sylvia?"

"Ia. Ddigwyddis i ddeud nad o'n i'n edrach ymlaen at fod yn dwrna yn Nolgella, byth bythoedd, amen, efo ffyrm 'yn ewyrth. Deudodd Sylvia 'mod i wedi gneud rhyw argraff ar Owen Daniels, pan es i efo chi i Drelwchwr, a gofyn leciwn i iddi ddeud gair drosta i . . ."

Dilynem res o gerbydau trwy brif stryd wyrgam, gul un o fân bentrefi'r dyffryn. Syllwn trwy'r winsgrin ar y geiriau GWD Services – Waste Disposal Experts ar y lori fawr, fudr o'n blaen.

Llefarodd Gwyn y geiriau nesaf fel petai dan artaith. Trwy gil fy llygaid gwelwn fod golwg felly ar ei wyneb:

"Gwed 'tho i'n onest, Arwel . . . Dyw hi ddim o 'musnes i nawr pwy ma' Sylvia'n weld na beth ma' hi'n neud . . . Ond jest i gael pethach yn glir rhyngot ti a fi . . . Wyt ti a Sylvia'n mynd mas 'da'ch gilydd?"

"Be?"

Ebychais at Gwyn gyda'r fath nerth nes peri iddo golli rheolaeth ar y car am eiliad. Gwyrodd y Cortina i ganol yr heol ac yna'n ôl i'w briod lwybr gan osgoi o drwch côt o baent y bws ysgol a ymdreiglai tuag atom.

"Iesu Grist, Gwyn!" gwaeddais.

"Sori," ymddiheurodd.

"Am drio'n lladd ni'n dau. Ac am be ddeudist ti, gobeithio."

Ychydig yn ddiweddarach, wedi i ni'n dau ymdawelu, gofynnodd:

"So chi'n gweld 'ych gilydd 'te?"

"Wyt ti'n meddwl baswn i'n y car 'ma efo chdi taswn i?"

"Wyddet ti bod Sylvia a fi wedi cwpla?"

"Na," atebais mewn llais mor niwtral ag y gallwn. "Wyddwn i ddim. Ers pryd?"

"Ma' blwyddyn. *Easter vac*, llynedd . . ."

"Be ddigwyddodd?"

"Dim. Dim *un* peth. 'Na rwy'n ffili ddiall. Jest bo fi'n *obsessed* 'da'r *finals*, ma'n debyg. O'n i'n ddiflas, rwy'n cyfadde. Ond odd Sylvia'n diall bo fi'n gorffod gwitho'n galed. So i'n *brilliant* fel hi. Ac odd rhaid i fi neud yn dda er mwyn 'yn rhieni. Er mwyn Mam. Bydde hi wedi bod mor blês. Odd Sylvia'n diall 'na. 'Mhen cwpwl o wthnose bydde'r cwbwl wedi bod drosodd."

Tawodd. Sylwais fod ei lygaid yn llawn.

"Ma'n ddrwg gin i, Gwyn," cydymdeimlais.

Nid oeddwn yn rhagrithio. Parchwn ei ddiffuantrwydd.

Nid nes y gadawodd y Crwban orsaf fysiau Abertawe y meiddiais lawenhau.

Cynigiais fynd â Sylvia allan am bryd o fwyd, i westy'r Belle Vue, neu rywle crandiach, hyd yn oed, pe mynnai. Gwell ganddi oedd paratoi pryd i ni yn y *bedsit* – ar yr amod 'mod i'n prynu'r gwin ac yn golchi'r llestri.

Prynais dusw o rosod cochion hefyd (nid oedd iddynt arwyddocâd gwleidyddol bryd hynny).

Spaghetti Bolognese a salad oedd y prif gwrs, a hufen iâ i bwdin. *Hirondelle* oedd y gwin a ddewisais. Roedd enw da iddo, y dyddiau hynny, ymhlith *connoisseurs* y coleg.

Wrth i mi olchi'r llestri a hithau'n eu sychu, gofynnodd Sylvia y cwestiwn tyngedfennol:

"Ble wyt ti'n bwriadu neud dy *articles*, Arwel?"

"I Gaer fydd llawar o Gymry pen acw'n mynd."

"So ti'n gwrthwynebu mynd i Loeger 'te?"

"Does 'na'm dewis."

"Allet ti'u gneud nhw yn Llunden . . ."

"Guildford. Digon agos."

"Wel?"

"Syniad da, Sylvia," meddwn a'i chusanu am y tro cyntaf.

*   *   *

Y pumed tro i ni gysgu gyda'n gilydd y digwyddodd y "ddaeargryn" a'n hargyhoeddodd fod rhaid i ni fod gyda'n gilydd am byth. Dyna ddechrau "dweud popeth" wrth ein gilydd: am ddigwyddiadau a phrofiadau pwysicaf ein dau orffennol a llu o rai dibwys; am ein syniadau, ein teimladau a'n dyheadau.

Soniais wrth Sylvia am fy ngharwriaeth ddiniwed gydag Ann a 'mherthynas ddim-mor-ddiniwed gydag Angela a thair merch arall. Soniodd hithau wrthyf am Gwyn:

"Odd pawb yn yr ysgol yn dwlu ar Gwyn – y prif-athro, yr athrawon, y plant, menywod y gegin. Odd e'n dal, golygus, serchus, yn dda yn y dosbarth ac ar y cae chware. Yr *Head Boy* mwya poblogaidd fuodd 'co erioed. Ond allen i weld fod e'n *vulnerable* hefyd. Yn enwedig pan gollodd e 'i fam.

"Odd e'n y *second year sixth* pan es i i'r chweched ac odd e'n mynd 'da Bethan, odd yn yr un flwyddyn ag e, ers tair blynedd. Gwrddest ti â hi. Y nyrs hwpodd ti i flaen y gwt yn y *General* pan bwnodd Andrew ti.

"Berswades i ffrind gore Gwyn, odd yn neud *A-level English*, i gael 'da Gwyn i ddod 'da ni i Stratford-on-Avon, i weld *A Midsummer Night's Dream*. Cynhyrchiad ffantastig. *Magic*. Odd 'da Bethan ddim siawns wedi 'ny. Llai fyth 'rôl i fi fynd ar y *pill*. O'n nhw'n sielffo ond yn iwso *contraception* ych-a-fi.

"Odd Mam mor grac â Bethan bo fi'n mynd mas 'da Gwyn. Nagodd e'n ddigon da i fi. Allen i neud lot gwell. ''I dad mas yn yfed bob nos,' medde Mavis. 'Dim mam 'da'r crwt i'w gadw fe ar y reils, a phan odd hi byw odd Joyce mas yn Bingo'n amlach nag yn y tŷ. Dou o'r gloch y bore daeth y groten miwn neithiwr, Havard. 'Sdim gobeth 'da hi fynd i Oxford nag unman arall deche!''

"Be ddeudodd dy dad?"

Gorweddem ar fy ngwely hostel a 'mraich i'n dal Sylvia rhag syrthio dros yr erchwyn.

"'Nawr grinda ar dy fam, Sylvia!'" Chwarddai Sylvia wrth ychwanegu: "Fel pob tad, nagodd e Havard am feddwl beth odd 'i ferch fach e'n neud 'da'i sboner! Gymrodd e sylw un amser te pan wedodd Mam, yn barchus iawn: 'Jest cofia hyn, Sylvia. Dorrith dy dad 'i galon os ei di i drwbwl, fel Sue Evans.'

"Roedd hi yn y Clwb Caib a Rhaw'r nosweth 'ny. 'Da'i gŵr, John. Sue Ford yw hi nawr. Ma' hi'r un oedran â fi ond gadawodd hi'r ysgol yn *sixteen*, achos bod hi'n dishgwl.

"''Ddigwyddith e ddim,' wedes i wrth Mavis. 'Yn ginta achos bod Sue'n erfyn babi a so i yn. Yn ail achos nagodd hi ar y *pill* a fe odw i!' 'Havard! Glywest ti 'na?' medde Mam. Redes i mas a slamo'r drws cyn allodd Dad agor 'i geg.

"Cwpwl o ddyddie'n ddiweddarach, pan odd Mam miwn cyfarfod o bwyllgor menywod y Parti, a Paul mas yn ifed, wedodd e: 'Clyw, cariad. Ma' Gwyn yn hen grwtyn ffein, ond gwrddi di â bechgyn erill, o bobman, pan ei di i Oxford.' 'So i'n mynd 'co.' 'Rhaid i ti!' 'Nagoes!' 'Ti wedi paso. Ma' nhw'n erfyn i ti fynd.' 'Rwy'n mynd i Aberystwyth i fod 'da Gwyn.'

"Wthnos yn ddiweddarach, cynigiodd Wncwl Owen y jobyn i fi. Ond bydde'n rhaid i fi fynd i'r LSE neu rywle fel 'ny yn Llunden, i fi allu'i neud e."

"Wrthodist ti am bo chdi'n caru Gwyn?"

"Ac am nagwy'n folon i neb drefnu 'mywyd i drosto i."

"Roedd Gwyn yn methu dallt pam orffennist ti efo fo."

Teimlais gorff Sylvia'n tynhau. Ochneidiodd. Oedodd yn hir cyn ateb:

"Cwples i 'da Gwyn achos . . . bo fi wedi newid. Nagon i'n barod i fod yn Mrs Gwyn Howells."

"Oedd o isio priodi?"

"Dyna fydde wedi digwydd pan elen ni 'nôl i rywle fel Trelwchwr wedi sbel yn Llundain. Nagon i'n barod i

setlo lawr. O'n i'n caru Gwyn. Ma' meddwl mowr 'da fi
ohono fe o hyd. A ma'n flin 'da fi bo fi wedi rhoi shwt
loes iddo fe. Ond odd e fwy fel brawd i fi na chariad.
Brawd callach na Paul."

"Be dw i?"

Trodd Sylvia i'm hwynebu, ac roedd yn gwenu:

"Rwy'n meddwl amdanot tithe fel brawd . . ."

"Does 'na ddim llawar o ddyfodol i mi, felly?"

"Oes. Gest ti dy gidnapo gan sipsiwn. Sori. Gweinidog
yr Efengyl a'i wraig. A gethon ni'n magu ar wahân. Ti yn
y North a fi yn y Sowth. Newydd ffindo bod ni'n frawd a
whaer ŷn ni. Rŷn ni'n gwbod bod *incest* yn rong, ond
ffaelu stopo. Ni'n lico fe gyment. Ma' fe mor neis."

"Llosgach."

"Shwt?"

"*Incest* yn Gymraeg."

"'Na air da. 'Llosgi' ac 'ach-a-fi'. Lyfli!"

*   *   *

Yn ôl Mam, "gwirioni ar Sylvia" drodd fi at y Blaid Lafur.
Gwelai fy nhad hynny fel cam rhesymol, pragmataidd,
yn deillio o 'mherthynas bersonol â Sylvia a f'un broff-
esiynol â 'nghyflogwyr, Davies, Greene & Daniels. Ym
marn y rhan fwyaf o genedlaetholwyr, rwy'n fradwr a
drodd ei gôt o uchelgais.

Mae llawer o wir yn namcaniaethau fy rhieni, ond nid
dyna'r gwir i gyd. Cyfrannodd ffactorau eraill at fy
mhenderfyniad i ymuno â phlaid wleidyddol a fu am
flynyddoedd cyn hynny'n wrthun i mi:

(a)   methdaliad cenedlaetholdeb Cymreig, fel y'i
      diriaethwyd gan ganlyniadau refferendwm ac
      Etholiad Cyffredinol 1979 a'r gors y bu ond y

dim i f'aelodaeth o'r Mudiad Gweriniaethol
Sosialaidd fy nhynnu i'w chanol. Newidiais o
fod yn genedlatholwr delfrydgar yn preswylio
mewn gwlad ysbrydol na wyddai'r rhan fwyaf
o 'nghydwladwyr am ei bodolaeth, i fod yn
wlatgarwr sy'n credu nad oes dyfodol o unrhyw
werth i Gymru oni bai fod ewyllys y mwyafrif
llethol o'i dinasyddion cig a gwaed o'i phlaid,
yn hytrach na bendith unrhyw "gwmwl tyst-
ion";

(b) cymdeithaseg Farcsaidd Gruff Richards a'i feirn-
iadaeth lem ar y "fân-fwrgeisiaeth Gymraeg",
fel y'i galwai;

(c) awydd dwfn i wneud rhywbeth buddiol â
'mywyd;

(ch) y flwyddyn (1982-83) a dreuliais yn Llundain,
yn cyd-fyw â Sylvia mewn fflat gyfyng yn
Tufnell Park. Blwyddyn o ddod i adnabod ein
gilydd trwy sgwrsio, dadlau, trafod, taeru a
charu; o fynychu cyfarfodydd a ralïau; o gefnogi
ymgyrchoedd dros ryddid a chyfiawnder yn ne
Affrica, Irac, Iran, Iwerddon ac America Ladin.
Dihatrais ragfarnau gwrth-Seisnig a gwrth-Sofiet-
aidd y cenedlaetholwr cul;

(d) yr ymgyrch a arweiniodd Tony Benn ar ddech-
rau'r wythdegau i ddemocrateiddio'r Blaid Lafur,
i'w chael i arddel ei hegwyddorion sylfaenol
unwaith eto a'i gwneud yn arf anorchfygol i
chwalu cyfalafiaeth a gosod sylfeini sosialaeth
ddemocrataidd ym Mhrydain. Teimlodd Sylvia a
minnau ddyletswydd i ymuno yn yr ymgyrch
honno am enaid y Blaid Lafur.

Disgwyliais lawer mwy o feirniadaeth gan fy rhieni,
yn enwedig Mam, ond fel y rhan fwyaf o genedlaethol-

wyr roeddynt yn ddigalon ac yn ddigyfeiriad ar ddech-rau'r wythdegau.

"Dim ond gobeithio y codi di a Mr Owen Daniels 'ych lleisia o blaid Cymru a'r Gymraeg os daw 'na Lywod-raeth Lafur eto," siarsiodd Mam pan dorrais y newydd.

"Bydd hynny'n o fuan yn ôl pob golwg," atebais yn dalog, "a'r Torïaid yn gneud gymaint o lanast."

Gwnâi fy rhieni bopeth i beri i Sylvia deimlo'n gar-trefol pan ddeuai gyda mi i Glan-y-Nant am benwythnos neu ychydig ddyddiau. Bu'r ymweliadau cynnar hynny'n ddidramgwydd. Perthynas gyfeillgar, gwrtais, braidd yn ffurfiol oedd gan Sylvia a Mam, ond daeth Nhad a hi'n wirioneddol hoff o'i gilydd, ac yn hy ar ei gilydd, yn fuan iawn.

Nhad gododd, yn gynnil dros ben, y posibilrwydd y byddai Sylvia a minnau'n priodi, rhyw noson wedi i Sylvia fynd i glwydo (yn y llofft sbâr, a minnau yn fy llofft fy hun, wrth gwrs):

"Wyt ti'n debyg o roid modrwy am 'i bys hi cyn bo hir, Arwel?"

"Peidiwch â bod mor hen-ffasiwn, Rheinallt!" ebe Mam tra oeddwn i'n ymbalfalu am ateb.

Tybiwn ar y pryd mai dyna ffordd Mam o guddio'i siom. Y gwir oedd ei bod yn falch nad oedd rhwymau cyfreithiol yn cynnal fy mherthynas i a Sylvia.

Y STREIC

Dihunais ymhell cyn toriad gwawr y bore Gwener hwnnw ym mis Tachwedd 1984.

Rhywun yn dŵad i mewn i'r tŷ. I 'nhŷ i. 7, Maes Hyfryd Terrace, Trelwchwr. Yn dringo'r grisiau. Arglwydd Mawr! Ma' bwrgleriaeth ar gynnydd yn yr ardal 'ma. Rhaid i mi godi i amddiffyn fy hun a'm heiddo.

Ymbalfalu am y cloc larwm, yr unig arf wrth law.

Y drws yn agor. Y stafell yn olau.

"Sylvia!"

Saif Sylvia ger y drws a'i llaw ar y swits. Cynhesir y stafell rynllyd gan y wên y dyheais amdani gyhyd. Gwisga f'anwylyd gôt law PVC borffor na welais i moni o'r blaen, a *sou'wester* o'r un lliw.

"'Co fi. O'r diwedd," ebe Sylvia.

"Hannar awr wedi dau ydi hi," meddaf dan ryfeddu. "Sut dest ti?"

"'Da'r trên laeth o Paddington."

"Lle ma' dy fagia di?"

"Adawes i nhw ar y platfform yn stesion Abertawe."

"Rhaid i ni 'u 'nôl nhw! Gân nhw'u dwyn!" ebychaf a chodi ar f'eistedd.

Ar amrantiad, mae Sylvia yn y gwely wrth f'ymyl, yn noethlymun groen, yn rhwygo 'mhajamas oddi amdana i.

"O, Sylvia. Dwi'n dy golli di'n ofnadwy," llefaf rhwng chwerthin a chrio. "Am faint raid i hyn bara?"

"Dim ond deg mlynedd."

"Deg mlynadd!" bloeddiaf.

"Sh, sh! Bydd e'n werth e," murmura Sylvia gan blannu fy nghala yn lleithder twym ei gwain. Cusanaf hi. Dodaf fy mreichiau amdani a'i gwasgu'n dynn, dynn. Dechreuwn garu fel dau loerig.

A minnau ar ddod – deffraf.

A chael fy hun ar fy mhen fy hun, yn siomedig a rhwystredig, yn fy ngwely gwag, di-Sylvia, yn fy llofft rynllyd, dywyll, yn fy nhŷ hen lanc.

Goleuais y lamp ar y bwrdd ger y gwely i weld faint o'r gloch oedd hi. Pum munud wedi chwech. A Sylvia a'i chriw newydd gychwyn o Lundain. Gobeithio.

Diffodd y golau, lapio'r *duvet* amdanaf a chogio na chefais fy neffro.

Yn ofer. Wrth gwrs. Ar adegau felly nid oes dianc rhag pryderon, gofalon ac obsesiynau'r dydd, yn enwedig y rhai a'n dihunodd.

Sylvia. Hiraeth. Byw ar wahân gydol yr wythnos. Yn hwy, weithiau, pan fyddai galwadau gwaith neu bolitics yn ei gorfodi hi i aros yn Walthamstow a minnau yn Nhrelwchwr. Gwnaeth y streic bethau'n well ac yn waeth. Yn well, oherwydd fod y cyffro a'r gwaith ychwanegol a ddeilliai o'r anghydfod i swyddfa Davies, Greene & Daniels yn torri ar undonedd bywyd diwair mewn treflan ddieithr. Yn waeth, oherwydd fod ymrwymiadau streic-gefnogol Sylvia yn Llundain a'm rhai innau yma yn ein cadw ar wahân am ysbeidiau annioddefol o faith.

Bu pawb yn y gwaith ac yn y cylch cymdeithasol y deuthum i'w adnabod trwy fy "nheulu-yng-nghyfraith" yn groesawgar ac yn gymwynasgar. Roedd y gwaith wrth fy modd. Diolch i ffawd, Sylvia Griffiths ac Owen Daniels, cefais swydd a deilwriwyd ar fy nghyfer. Dysgwn rywbeth newydd bob dydd am bobl a chymdeithas ac am y drefn sy'n llywio ein bywydau. Defnyddiwn fy sgiliau academaidd a'm hyder dosbarth-canol i wasanaethu'r werin weithiol a'r Mudiad Llafur. A Chymru.

Trefniant domestig dros dro oedd hwn i fod. Sylvia'n byw ar ei *wits* yn Llundain, fel ymchwilydd i aelodau seneddol Llafur a newyddiadurwraig lawrydd. (Ymddangosai adroddiadau ac erthyglau ganddi yn wythnosolyn y *T&G*, y *Tribune*, y *Morning Star* a chyhoeddiadau eraill o'r un gogwydd.) Minnau'n "sefydlu fy hun" yn Nhrelwchwr fel cyfreithiwr yn arbenigo mewn cyflogaeth a chysylltiadau diwydiannol. Yn "dod i nabod dynon pwysig yr undebe a'r Parti". Dychwelai Sylvia i dde Cymru "maes o law" a byddem ill dau'n mynd ati o ddifri i chwilio am seddi saff yn San Steffan.

Cyn y streic, ysgafnheid baich unigrwydd min nos gan gêmau sboncen neu bêl-droed pump bob ochr gyda gwŷr ifanc proffesiynol o'r un genhedlaeth, ambell i beint gyda Tal Howells a'i gronis yn y Loughor Arms neu'r *Welfare*, swper yng nghartref cydweithwyr priod, neu *dinner party chez* Daniels. Awn at Havard a Mavis am de unwaith yr wythnos ac am ginio bob Sul na fyddwn yn Llundain gyda Sylvia.

Dan hyfforddiant Havard, des yn hyddysg yn hanes y Mudiad Llafur yn ne Cymru a thu hwnt ac yn gyfarwydd â phob symudiad, si a sgandal Llafurol o bwys. Tywysodd 'ap Stalin' fi i mewn i'r deyrnas a sefydlwyd gan etifeddion Keir Hardie. O fewn blwyddyn, adwaenwn dywysogion, pendefigion a barwniaid ei phwyllgorau, ei hundebau, ei hetholaethau a'i chynghorau, a llu o'u deiliaid hwy. Ystyriai Harvard y glas-enw a roddais iddo'n gompliment.

Papur Pawb o fenyw yw Mavis. Chwarddodd Sylvia pan ddywedais hynny a chynnig gwelliant: "Beth yw *News of the Screws* yn Gymraeg?"

Dywed Havard a Mavis bethau doniol iawn o bryd i'w gilydd. Mae ansawdd eu hiwmor yn dra gwahanol:

Havard yn sych, dychanol a sinicaidd; cyfuniad Mavis o ddiniweidrwydd, ffug-ddiniweidrwydd a llithriadau anfwriadol-bwriadol yn dodwy perlau swrealaidd. Des yn hoff ohonynt yn fuan iawn, a hwythau, rwy'n meddwl, ohonaf innau. Tybiaf mai fy unig ddiffyg fel "mab-yng-nghyfraith" yn eu golwg hwy oedd nad oeddwn yn ddigon o ddyn i ddiosg y dyfynodau:

"Licen i weld ti'n neud menyw onest o'r ferch 'co, Arwel," oedd geiriau cyntaf pregeth a glywais fwy nag unwaith ar aelwyd Havard a Mavis. "Ma'n bownd o roi loes i dy dad, a fe'n Weinidog yr Efengyl, nagyt ti a Sylvia'n briod. Ma'n rhyw fath o *professional slight* arno fe, on'd yw e? Fel ti'n gwbod, ma' Havard a finne'n itha *broad-minded*. So ni am interffiro. Ond bydde priodas fach yn neis. So ti'n meddwl? Dim ffws. Dim byd rhy *grand*. Dim hyd yn oed yn y capel. Er allen i feddwl bydde Rheinallt a Ceinwen ddim yn *keen* ar *Registry Office job*. Na fi a Havard, a gweud y gwir. Ma' rhywbeth mor . . . 'ddi-urddas' boutu fe, ys gwedodd dy dad. Fel priodas miwn *railway station*. 'Sdim ots 'da ti i fi weud hyn wrthot ti, oes e, Arwel? Rwy'n gwbod bydde fe'n hala Sylvia'n grac."

"*You've made your point, Mavis.* Nawr gad hi man 'na," ebe Havard gan aildanio'i getyn. "So i'n lico'r ffor ma'r *electricians* yn mynd, Arwel. SDP y TUC yw'r lot 'na. 'Bradwyr' fel ŷch chi'n weud tua'r North."

Rihyrsiais fy araith, i'w thraddodi pan orweddai Sylvia wrth f'ochr ymhen – gobeithiwn – ychydig oriau.

"Ma'n iawn i chdi yn Llundan, tydi, Sylvia? Digon i neud. Heidia o ffrindia. Pwyllgora, clics a cabâls wrthi rownd y rîl, bob awr o'r dydd a'r nos, yn protestio ac yn cynllwynio, o blaid Benn, yn erbyn Healy. A dynion o dy gwmpas di lle bynnag ei di; Iracis, Irenians, Iddewon, Ostrelians, Gwyddelod, Chilenos, Saeson, Lefftis, Commis, Trots o bob lliw a llun o bedwar ban byd, i gyd yn blysu ac yn trachwantu amdana chdi. Be wn i be wyt ti'n neud? Sut faswn i'n gwbod tasat ti'n mynd efo un o'r diawlad? Pwy fasa'n deud wrtha i? Na, tydw i ddim yn dy gyhuddo di. Nagdw. Ond 'dan ni i gyd yn ffaeledig. Na, tydw i ddim isio mynd efo neb arall. Chdi dwi isio. Yn fan hyn. Bob nos. Bob bora, pan dwi'n deffro. Ma' Llundan mor fawr. Dyna'r gwahaniath. A Threlwchwr mor blydi fach. 'Sowth Wêls' mor fach. Sôn am *police state*. Naci. Rwbath mwy cyntefig. Dwi 'di joinio llwyth. Ma' 'na aeloda o dy deulu di neu rywun sy'n 'u nabod nhw bob man dwi'n blydi mynd. 'Ti yw sboner Sylvia Griffiths ife? Odd 'nghender i'n arfer gwitho dan ddiar 'da Havard, a briododd whar mam Mavis *nephew* merch 'yn hen-dacu odd yn arfer whare rygbi 'da wncwl Dai Grenfell.' Taswn i'n mynd efo dynas arall, fasa chdi wedi clŵad cyn i mi roid 'y nhrons yn ôl amdana . . ."

Am hanner awr wedi chwech, a minnau'n mwydro rhwng cwsg ac effro, canodd y ffôn wrth ymyl y gwely.

Sylvia! Tydi hi ddim yn dŵad! Ma' nhw wedi cael damwain!

Nage. Brawd Sylvia, Paul, oedd y pen arall. Tri wedi eu restio ger Pwll yr Onnen wrth i'r picedwyr geisio rhwystro'r *superscab* lleol rhag mynd i mewn.

Taro côt dros siwmper a jîns fyddai cyfreithwyr hŷn pan elwid arnyn nhw i fynd i swyddfa'r heddlu ar awr anghymdeithasol. Yn fy nillad gwaith parchus, arferol yr awn i yno er pan waeddodd un o'r glas wrth ei ringyll:

"Ma' crwt man hyn yn gweud bod e'n gyfrithwr!"

Fu fy niwyg syber, parchus o ddim help. Wedi hanner awr o ddisgwyl yng nghyntedd oer y stesion dywedwyd wrthyf nad oedd unrhyw droseddwr honedig dan glo ac na wyddid am unrhyw helynt ger Pwll yr Onnen y bore hwnnw.

Roedd Paul wedi awgrymu y dylwn roi caniad i'r bòs petai'r polîs yn stropi : "'Sdim ots pa mor gynnar yw hi, Arwel. Galle'r diawl neud lot mwy i'n helpu ni na ma' fe! Glywest ti e ar y teli pwy nosweth? Cefnogi'r NUM ond beirniadu beth alwodd e'n *picket-line violence*. Deled Wncwl Owen lan i Bwll yr Onnen rhyw fore. Wele fe *picket-line violence*. A phwy sy'n gyfrifol!"

Es i'm swyddfa a ffonio Owen Daniels. Er mawr syndod i mi, ef ei hun atebodd, o fewn dau dincl. Roedd ei lais yn floesg ac aneglur.

Effeithia neithiwr. Beryg fod o wedi syrthio i gysgu ar soffa ledar y stydi . . .

Gwrandawodd Owen ar fy nghais gydag ambell ebych-iad ac ochenaid ac addo ffonio swyddfa heddlu Tre-lwchwr gan fygwth "mynd â'r mater ymhellach" oni chawn siarad â 'nghleients. Ymesgusododd am beidio â dod gyda mi – cawsai ef a Non "noson y diawl 'da Rhodri a'i beswch". Trefnasom i gyfarfod yn y *Welfare* ganol dydd i gyd-groesawu confoi Llundain.

Pan ddychwelais i swyddfa'r heddlu, caniatawyd i mi weld y carcharorion heb ragor o oedi. Llwyddais i sicrhau eu rhyddhad ar fechnïaeth, ar yr amod nad aent ar gyfyl Pwll yr Onnen tra parhâi'r streic.

Adref. Cawod. Tamaid o frecwast. Yn ôl i'r swyddfa erbyn 10:00. Ceisio rhoi trefn ar apêl aelod ymddeoledig o'r GMB am iawndal oherwydd i feddygon ddarganfod asbestosis yn ei ysgyfaint ddeng mlynedd ar hugain wedi iddo anadlu'r ffeibrau melltigedig. Rhoi'r gorau iddi a drafftio llythyrau llai pwysig am fod cynyrfiadau'r bore a meddwl am Sylvia yn drech na 'mhroffesiynoldeb. Hanner dydd ar ei ben, dweud wrth Mrs Hughes 'mod i'n cych-wyn am y Neuadd Les i groesawu "pobol Llundan".

"A Sylvia?" gwenodd Mrs H.

"Ia. A Sylvia," atebais heb geisio celu fy llawenydd.

Neuadd Les Trelwchwr yn ystod y streic yw'r peth tebycaf i gwch gwenyn dynol a welais yn fy nydd. O fore gwyn tan berfeddion nos, byddai'r *Welfare* yn llawn o wŷr a gwragedd, hen, ifanc a chanol oed, yn derbyn, nithio, didol, dosrannu a dosbarthu tomenni o ddillad o bob lliw a llun, ar gyfer pob oedran, a thunelli o duniau, pacedi a sacheidiau o fwyd. Am y tro cyntaf, o bosib, er pan godwyd yr adeilad, defnyddid pob neuadd, stafell, cegin, pantri, cilfach, cwr a choridor ohoni – i bacio, storio, sortio, gwarchod plant, pwyllgora a chant a mil o swyddi eraill. Er bod y "gwenyn" yn gwau'n llafar trwy'i gilydd, fel petaent dan ddylanwad neithdar o nerth *poteen*, roedd trefn ryfeddol ar eu gweithgareddau a phob ymdrech unigol â'i rhan yn y cynllun cyfan.

Dyna sut oedd hi pan gyrhaeddais i'r neuadd, ddiwrnod y confoi. Pawb wrthi fel lladd bradwyr dan arweinydd-iaeth ysbrydoledig Sue Ford a Mavis Griffiths, Cadeirydd ac Ysgrifennydd Pwyllgor y Menywod. Iddynt hwy, fel i gannoedd o fenywod cymunedau glofaol y de oedd wedi bodloni ar fodoli, rhoes y Streic fodd i fyw. Yn Sue, datgelodd ddawn eithriadol i arwain, trefnu a chyf-athrebu. Yn Mavis dadebrodd sgiliau ysgrifenyddol na ddefnyddiwyd er pan gaeodd Co-op Trelwchwr ac yr ym-gymerodd hithau â dyletswyddau llai beichus gyda Glynne the High Street Opticians.

Er bod eiddgarwch y disgwyl am ein hymwelwyr a'r streicwyr a fu'n hel at yr achos hyd strydoedd Llundain, yn codi'n nes at y berw bob eiliad, ni fu pall ar ddiwyd-rwydd y "gwenyn".

"So chi'ch dou *gentleman* yn cael bod yn segur!" gorchmynnodd Mavis, gan bwyntio bys cyhuddgar at Owen a minnau, a safai yng nghanol y brif neuadd yn trafod helyntion y dydd gan wylio'n gymeradwyol brysurdeb pawb arall. "Ewch i helpu'r menywod 'co sy'n dodi ffrwythe miwn bagie Tesco."

"Ar unwaith, Madam Comisâr," ebe'r Aelod Seneddol gyda'i hynawsedd arferol a'r chwa alcoholaidd cyfarwydd. (Pan holais O.D., ychydig ynghynt, sut oedd Rhodri, atebodd fod ei fab yn "ffein", heb sôn am beswch nag unrhyw anhwylder arall.)

A ninnau wedi llenwi tri chwdyn plastig yr un ag orenau, afalau a bananas – o'u cymharu ag wyth y pacwyr prof- iadol – cyrhaeddodd lorïau a cheir y *London Gays and Lesbians Miners' Support Group*, yr un pryd yn union â chriw o bicedwyr, gan gynnwys tri a anafwyd mewn ffrwgwd ger Pwll yr Onnen y bore hwnnw, dan arweiniad Paul a Havard Griffiths.

Fel y llifai torf o broletariaid Cymreig a'u cefnogwyr Llundeinig i mewn i'r neuadd, rhuthrodd y pacwyr atynt i groesawu'r newydd-ddyfodiaid ac i gofleidio a chusanu gwŷr a chariadon.

Deuddwr gyfarfod. Nofiodd wyneb Sylvia i mewn ar frig y llanw. Ymwthiais ati trwy'r wasgfa. Gwelodd Sylvia fi ac ymlafnio tuag ataf. Fel y daethom at ein gilydd, tarodd rhywun *The Red Flag*. Wrth f'ymyl, safai Andrew, a'm peniodd yn yr union adeilad hwn ddwy flynedd ynghynt.

"The people's flag is deepest red . . ."

Cododd Andrew ei ddwrn fry, dwrn â gwaed wedi ceulo fel rhwd ar y bandej a lapiwyd amdano. Gwenodd ef a minnau ar ein gilydd. Cymrodedd.

"The most moving experience of my life, Arwel," ebe un o'r hoywon wrthyf yn y Sosial y noson honno. "Christ! It was like being in a crowd scene in *The Battleship Potemkin*. Or an old newsreel of the Liberation of Paris!"

Prin eiliadau wedi i seiniau anthem Llafur dewi, roedd gan bob un o'r Llundeinwyr a llawer o'r brodorion gwpanaid o de'n y naill law a phlataid o sangwejes, *pasties*, ciwbiau caws, nionod picl, creision a chnau yn y llall. Serch hynny, llwyddai pawb i glebran, chwerthin, bwyta ac yfed yr un pryd.

"Beth wyt ti'n feddwl ma' nhw'n neud, Havard?" holodd Mavis gan amneidio i gyfeiriad trwch yr ymwelwyr.

"Beth ma' pwy'n neud, Mavis?"

"Y *gays* hyn."

"Rhai'n *brain-surgeons*, rhai erill yn g'nau'r hewl. Ambell i gyfrithwr fel Arwel, siŵr o fod."

"Beth ma' nhw'n neud yn y gwely, rwy'n feddwl."

"Well 'da fi beidio meddwl am 'na."

"Beth pe bydden nhw'n dechre, ti'n gwbod, genol nos?"

"Hala i ti, Mavis, i gnoco ar ddrws y bedrwm a gwiddi: 'Stop whatever you're doin' now, you dirty buggers!'"

Darfu'r drafodaeth, am y tro o leiaf, pan hebryngodd Sylvia atom y ddau ŵr ifanc a fyddai'n bwrw'r Sul gyda'i rhieni. Gwnaeth cwrteisi Gary a Steve, a destlustrwydd eu hymddangosiad – gwallt cwta, siacedi denim, crysau-T NUM newydd sbon, jîns glanwaith, *docs* ffasiynol – argraff ffafriol ar Mavis.

"Alle dyn gredu bod nhw'n normal, Sylvia," rhyfeddodd Mavis wedi i'r bechgyn fynd gyda'u ffrindiau i ddadlwytho'r lorïau.

"*Ma'* nhw'n normal, Mam!" taniodd y ferch. "Esgusodwch fi. Alla i weld fod Sue'n whilo am John. Af i i weud bydd e'n dod nes ymlaen."

Arweiniodd dehongliadau gwahanol Mavis a Sylvia o ystyr "normal" at ddarn o ddeialog gwerth ei gofnodi rhwng Mavis a'i gwesteion yn ddiweddarach y diwrnod hwnnw. (Gary a'i hailadroddodd wrth Sylvia a hithau wrthyf i.)

Mavis: I'm so glad you boys are normal.

Steve: So are we, Mavis.

Mavis: I don't know what I'd have done if we'd had, you know, two homosexuals.

Steve: We are homosexual.

Mavis: No you're not. Sylvia said you were normal.

Steve: That's right. We're normal homosexuals.

Mavis: You're having me on.

Gary, dan gymryd arno gynnig cusan i Steve: Would you like us to prove we're gay?

Mavis: Good God! No, thank you very much! *Gyda chwerthiniad nerfus*. Well, all I can say is – what a waste of two lovely young men.

Gary: Perhaps Havard might have some use for us?

Mavis, mewn braw: Havard? *Yna, dan chwerthin yn aflywodraethus*. No, I don't think so!

Yn ôl Sylvia, diflannodd rhagfarnau ei mam yn erbyn hoywon wedi'r sgwrs honno.

Ers dyddiau, bûm yn breuddwydio nos a dydd am lusgo Sylvia o'r *Welfare* gynted ag y croesai'r rhiniog, ei sodro'n fy Ford Escort, sbydu am 7, Maes Hyfryd Terrace, ei gwthio i fyny'r grisiau ac i mewn i'r llofft, ei lluchio ar y gwely – ac yn y blaen, ac yn y blaen.

Yn lle hynny, treuliodd hi'r pnawn gyda Sue Ford a Mavis yn biletio'r Llundeinwyr a minnau'n eu tacsïo i'w lletty.

"Na, 'sdim amser 'da ni," oedd ei hymateb pan geisiais am wobr gysur, a ninnau'n newid ar gyfer y Sosial. "Rwy'n erfyn bàth a gwisgo. A ma' Mam yn disgwl ni gatre am de . . ."

"Fa'ma 'di dy gartra di."

"Addawes i wrth Paul a'r pwyllgor elen i'n brydlon i'r *Welfare*, rhag ofan bydd probleme . . ."

Anwybyddais ei phrotest a mynd ati i agor y *bathrobe*

wen, foethus – anrheg Nadolig gen i – a guddiai ei noethni chwyslyd.

"Na, Arwel! Stopa 'na nawr!"

Slapiodd gefn fy llaw dan chwerthin a symud droedfedd ymhellach oddi wrthyf hyd erchwyn y gwely. Caeais y bwlch rhyngom a dodi fy mreichiau amdani. Gwnaeth hithau'r un modd i mi gan sibrwd yn fy nghlust:

"Nage nawr. Heno. Bydd e'n well."

"Fydda i wedi cael llwyth heno."

"Rheswm i ti beidio yfed gormod 'te!" siarsiodd a 'ngwthio ar fy nghefn ar y gwely dwbl. Cododd gan dynnu'r wenwisg am ei bronnau a chamu at ei bwrdd ymbincio. "Ta beth. Ma' rhywbeth 'da fi i weud wrthot ti. Rhywbeth pwysig; so i wedi cael cyfle tan nawr . . . Rwy wedi cael cynnig jobyn newydd."

"O," meddwn yn ddi-hid. "Mwy o bres?"

"Ie," meddai, a gwelwn nad oedd wedi dweud y cyfan. "Ond nage 'na sy'n bwysig. Ma'r job yn Abertawe. *Tutor/ Organizer* 'da'r WEA. Dechre mis Ionawr. Os cymera i hi."

Neidiais ar fy nhraed: "Mi 'nei?"

"Sa i'n siŵr . . ."

"Sylvia! Blydi hel!"

"Wrth gwrs cymera i hi."

"O, Sylvia!" llefais a'i chofleidio â chariad trech hyd yn oed na blys. "Dwi mor falch. Wyt ti wedi deud wrth dy rieni?"

"Pwy ti'n feddwl swingodd y swydd i fi?"

"O." Llaciais fy ngafael a gofyn: "Ers pryd ma' Havard wedi bod yn wanglo?"

"Mish . . . Whech wthnos falle . . ."

"Pam na fasach chi wedi deud wrtha i?"

"Odd dim pwynt nes bod y peth yn weddol saff."

"'Swn i wedi lecio gwbod be oedd yn mynd ymlaen."

"Nagon i am i ti gael dy siomi. Tase pethach yn mynd o whith."

"A Havard Griffiths o'th blaid, pwy a saif yn dy erbyn?"

"Feddylies i byddet ti'n blês!"

"Mi ydw i. Ond pryd ga i 'nerbyn yn gyflawn aelod o'r treib?"

"Paid dechre 'na. Neu fe atgoffa i di o gwpwl o *bons mots* dy fam."

"Dwyt ti ddim yn gorfod byw'n Glan-y-nant, nagwyt? Dwi'n mynd i molchi tra bod 'na ddŵr poeth."

Bu'r Sosial yn llwyddiant ysgubol a chafodd pawb hwyl aruthrol: y streicwyr a'u cefnogwyr, cyffredin ac ysgolhaig, y lesbiaid a'r hoywon, undebwyr, Llafurwyr, Comiwnydd-ion, Pleidwyr, Trotsciaid, hen ac ifanc, claf ac iach. Pawb – ond fi. A Sue Ford.

Dechreuodd fy noson i'n addawol iawn, gyda chyfres o beintiau chwim yng nghwmni Paul, John, Andrew a streicwyr eraill o'r un genhedlaeth. Wedyn, ymunais i â Sylvia mewn datganiad torfol, swnllyd, diniwed o'r gân actol hoyw *YMCA,* gan ryfeddu a llawenhau fod pobl Trelwchwr yn cymryd cyn lleied o sylw o ddynion yn dawnsio gyda'i gilydd â phetai hynny i'w weld yn y *Welfare Hall* bob noson o'r wythnos. Nid oedd, ac nid yw menywod yn dawnsio gyda'i gilydd yn beth mor anghyffredin yno. Yn wir, dyna'r norm, oherwydd fod gan y rhan fwyaf o ddynion yr ardal wrthwynebiad cyd-wybodol i ddawnsio'n gyhoeddus.

Gwyn Howells, er enghraifft. Pan welais i ef a'i wraig Bethan ar y llawr, law yn llaw, tybiais iddi lwyddo lle y methodd Sylvia a rhes o ferched eraill. Ond yn hytrach na dawnsio, daethant atom ni am sgwrs. Syrpreis.

O fewn ychydig wythnosau i Gwyn raddio a dechrau gweithio fel cemegydd diwydiannol yng ngwaith dur

88

Port Talbot, ailgydiodd ef a Bethan yn y garwriaeth a fylchwyd gan Sylvia. Dyweddiasant yn ystod haf 1983 ac ymhen llai na blwyddyn roeddynt yn briod ac yn byw yn eu cartref eu hunain ym Maes y Dderwen, un o stadau newydd, dosbarth-canol Trelwchwr.

Nyrs yn y *General* oedd Bethan o hyd – hi oedd y gymwynaswraig a sicrhaodd na fu raid i mi ddisgwyl fwy na mwy cyn cael sythu fy nhrwyn yn ystod f'ymweliad cyntaf â Threlwchwr. Cawn achos i siarad â Gwyn ynglŷn â materion undebol ar y ffôn neu yn y swyddfa o leiaf unwaith y mis. Gwelwn ef a Bethan gyda'i gilydd, o bryd i'w gilydd, yng nghyffiniau cwrt badminton y ganolfan chwaraeon, ac yn amlach yng nghyfarfodydd a phwyllgorau lleol y Blaid Lafur.

Byddai Gwyn wastad yn serchus, ond nid felly Bethan. Gan na wnes i ddim erioed i'w thramgwyddo, rwy'n amau mai'r eglurhad yw ei bod yn meddwl 'mod i wedi "dwgyd" Sylvia oddi ar Gwyn, a'i bod yn gwrthod maddau i rywun wnaeth loes i'r crwt, yn lle teimlo'n ddiolchgar, fel y dylai, petai'r ddamcaniaeth yn ddilys.

Beth bynnag. Roedd a wnelo greddf famol gref Bethan â'r hyn a ddywedodd wedi mymryn o siarad arwynebol ynglŷn â llwyddiant y Sosial a rhagolygon y streic.

"Wedi di wrth Sylvia ac Arwel?" meddai Bethan wrth Gwyn gyda gwên awgrymog.

"Gwed ti," ebe Gwyn yn wên i gyd.

"Rwy'n dishgwl babi," cyhoeddodd Bethan. Edrychai i fyw llygaid Sylvia fel petai Gwyn a fi heb fod ar eu cyfyl. "Mis Mai," ychwanegodd yn fuddugoliaethus.

"Gwd," ebe Sylvia, mor boleit â phetai newydd glywed fod Bethan wedi cael bargen ar sgert yn M&S Abertawe. "Rwy'n falch drosoch chi'ch dau."

Eiliais yn frwd: "Ia. Llongyfarchiada!"

"Esgusodwch fi," ebe Sylvia a throi ar ei sawdl. Cerdd-odd yn gyflym oddi wrthym gan gylchu'r dawnswyr a diflannu trwy ddrws tŷ bach y merched.

"Ma' hi wedi ymlâdd," ymddiheurais. "Chath hi 'run funud o hoe er pan adawon nhw Lundan ben bora 'ma."

Derbyniodd Gwyn fy ymddiheuriad gan fwmial a gwrido. Gwenai Bethan fel giât Buckingham Palace.

Ailymunais â'r coliars ifainc ond byr fu f'arhosiad gyda hwy.

"Na, ma'n olreit, Arwel," ebe Paul pan gynigiais godi rownd. "Rŷn ni'n moyn siarad am bethach bydde'n well i ti bido'u clywed."

"Fi 'di'ch twrna chi. Cofio?"

"'Na pam, Arwel."

"OK, os ma' felly ma'i dallt hi," atebais yn bwdlyd, a'u gadael i gynllwynio.

Chwiliais am Owen Daniels a'i weld ger y bar, yn fflyrtio gyda Sue Ford a Sylvia. (Roedd Non wedi mynd adref yn gynnar, yn ôl ei harfer. Casâi achlysuron myglyd, meddw, gwerinol o'r fath.) Fel y cychwynnais tuag atynt, gwelais Owen yn tywys Sue i ganol y dawnswyr a hithau wedyn yn ei gyfeirio o fewn ychydig droedfeddi i'r fan y lapswchai ei gŵr, John, yn ddigywilydd â Helen Gambini. Erbyn i mi gyrraedd y bar, roedd Sylvia wedi ymuno â'i rhieni a'r blaenoriaid eraill. Arhosais lle'r oeddwn ac archebu wisgi dwbwl.

Uchelfannau gweddill y noswaith:

- Paul Griffiths, ar ddiwedd set Street Cred yn diolch i'r hoywon a'r lesbiaid: "Over the past few months, we in the mining communities have known what it's like to suffer repression and brutality at the hands of the British state and its coercive agencies, mainly the police. Something

90

you've had to put up with for centuries. You've supported us now. We must support you when this is over."

Ni fedrodd Paul a'i gymrodyr gadw'r addewid, ond nid hwy sydd i'w beio am hynny.

● Araith Owen Daniels a'i ymateb i heclo Tal Howells: "The miners' struggle is our struggle, all of us. The miners must win because they are fighting for much more than their own interests as employees. They're fighting for the whole community. Here in the Loughor Valley and for mining and working class families all over the country."

"Os yw'r streic mor bwysig, Owen," bloeddiodd Tal, a safai gerllaw i mi ger y bar â'i beint yn ei ddwrn, "Pam nagyt ti a Neil Kinnock wedi bod ar *picket-line* 'da'r bois?"

Atebodd Owen mai dim ond yn ddiweddar y bu galw am bicedu Pwll yr Onnen, ac iddo gefnogi picedwyr yn Notts a Chaint ar fwy nag un achlysur. Yna ychwanegodd yn wawdlyd: "Nage'n lle i yw siarad dros Neil. Bydd rhaid iddo fe siarad drosto'i hunan. Ond alla i weud hyn wrthoch chi. Nage'r Neil Kinnock sy'n arwain y Blaid Lafur y dyddie hyn yw'r cochyn ifanc, tanbaid, 'eithafol', asgell-whith o'n ni mor gyfarwdd ag e cwpwl o flynydde'n ôl. Ma' Neil yn *statesman* nawr, welwch chi."

● Mavis Griffiths yn ennill prif wobr y raffl – paentiad o dri glöwr ifanc, cyhyrog, helmetiog, hanner-noeth, yn erbyn cefndir sgarlad. Tynnwyd y tocyn buddugol gan yr arlunydd, a gyflwynwyd gan Derek Harcombe, y *compère*, Arweinydd

91

Cyngor Bwrdeistref Llwchwr a Chadeirydd *Loughor CLP*, fel "the world-famous London-based artist, Miss Helen Gambini, whom we are honoured to have with us this evening supporting the miners who are so very close to her heart". Cyhoeddodd Ms Gambini enw'r enillydd, ac yn gymysg â'r gymeradwyaeth clywyd y gri draddodiadol pan ddeuai llwyddiant bydol i ran aelod o'r teulu Griffiths: "Fix! Fix!"

Gwerthodd Mavis y llun i Gary a Steve am hanner can punt a aeth i'r gronfa: "There you are, boys. Three Welsh miners you can take back with you to London." Nid er mwyn tewi cyhuddiadau di-sail, maleisus a chenfigennus y gwnaeth Mavis hyn, eithr am resymau aesthetig. "Ych-a-fi! On'd ŷn nhw'n salw, Arwel? Bydde ofan 'da fi fynd miwn i'r *lounge* 'co, a'r tri *thug* 'na'n hongian ar y wal."

Wrth anghytuno â Mavis, ond nid digon i gynnig mwy na Gary a Steve am y llun, sylwais mor debyg oedd y blaenaf o "arwyr du erwau'r glo" i John Ford.

Ni fu llawer o Gymraeg rhwng Sylvia a minnau wrth i ni gerdded adref o'r Neuadd Les. Pan gyraeddasom es yn syth i'r stafell ymolchi, slemp a glanhau 'nannedd yn frysiog, gwisgo 'mhajamas amdanaf ac i mewn i'r gwely.

Ychydig funudau'n ddiweddarach, gwireddwyd fy mreuddwyd. Dilynodd Sylvia fi i'r gwely'n noethlymun groen a dechrau datod côt fy mhajamas. Ond chwedl Marilyn Monroe: *After you get what you want/You don't want it./Though you get what you want/You don't want what you get*. Yn wahanol i'r hyn ddigwyddodd yn y freuddwyd, rhwystrais Sylvia gyda phrotest biwis: "Dwi'n teimlo'n giami. Ges i lond cratsh. Ddeudis i."

Trodd Sylvia ar ei chefn a gorwedd yn fud am hir

iawn. Anwybyddodd fy nghais ar iddi ddiffodd y golau, a phan estynnais i wneud hynny gofynnodd, gan droi ataf:

"Beth sy'n bod, Arwel?"

"Dwi 'di deud."

"Wyt ti'n flin achos bod Dad wedi fficso'r jobyn i fi?"

Gorweddais ar fy nghefn a syllu at y nenfwd gyda'r sylw: "Ddim felly. Dyma sut 'dach chi'n gneud petha ffor hyn. Rhaid i mi arfar."

"So ti am i fi gymryd y swydd?"

"Ddeudis i mo hynny," atebais yn rhy gyflym.

"Ari," murmurodd gan orwedd ar fy mhen a chusanu fy ngwyneb yn fân ac yn fuan. "Paid sbwylo pethach. Gwed beth sy'n becso ti . . ."

"Olreit," meddwn â ias dan fy mron, fel petawn yn camu dros ddibyn. "Wt ti'n dal i garu o?"

"Pwy? Dal i garu pwy?" atebodd Sylvia a'i llais yn caledu.

"Gwyn, siŵr iawn," meddwn gan ddisgwyl cadarnhad.

Cododd Sylvia ar ei heistedd, cydio yn fy ngên a throi fy wyneb fel y gallai edrych i fyw fy llygaid a datgan: "Nagw. So i'n dala i garu Gwyn. Shwt alli di awgrymu shwt beth?"

Codais innau a'i hwynebu. Cuddiodd Sylvia ei bronnau crynion â'r *duvet*.

"Be ddiffethodd heno i mi," meddwn. "Be nath i mi feddwl fod Gwyn yn golygu lot mwy i chdi nag wyt ti'n fodlon gyfadda, oedd d'ymatab di pan ddeudodd Bethan bod hi'n disgwl. 'Gwd'. Dyna i gyd. A'i hel hi am y lle chwech. Pam, Sylvia? Cenfigan? Difaru na fasa chdi'n cario'i fabi o?"

Eisteddasom yn rhythu ar ein gilydd fel dau Fwda gelyniaethus nes i Sylvia ofyn: "Alla i ddiffodd y gole?"

"Ia. Taw pia hi."

"Nage," ebe Sylvia'n dawel a'r olwg ddieithr ar ei hwyneb yn gyfuniad o ing ac urddas. "Ma' rhywbeth rwy'n moyn gweud wrthot ti a ma' well 'da fi'i weud e'n y tywyllwch."

Tynnais y cortyn a hongiai o'r nenfwd i ddiffodd y golau a gorweddasom ochr yn ochr mewn tywyllwch a oleuid gan hynny o wawl oren lampau'r stryd a dreiddiai trwy lenni ffenestr y llofft ac o'u hamgylch. Yn y man, dechreuodd Sylvia lefaru'n dawel ac ar adegau'n grynedig. (Yn ddiweddarach y clywais rai o'r geiriau a ganlyn ond credaf mai dyma'r fan i'w cofnodi.)

"Nagon i'n dod ymlaen 'da bechgyn pan o'n i'n groten. Ddim yn Trelwchwr *Comp*, ta beth. Nagon i'n folon cwato bo fi'n glefrach na'r rhan fwya ohonyn nhw. Gwrthodes i gymryd 'y mwlian na 'mhatroneiso, 'y nghodi ar bedestal na 'ngalw'n slag neu'n bitsh. Roeson ni amser caled i'n gilydd. Fi a'r bois. Nagodd Gwyn fel 'ny. Gallase fe wedi bod y mwya *macho* achos bod e mor dal a chryf a golygus. Feddyles i am sbel hir nagodd e'n neisach 'da fi na 'da phawb arall. Sylweddoles i ar y trip i Stratford-on-Avon bod e'n meddwl bo fi'n sbeshal. Fel o'n i'n meddwl bod e.

"O'n i'n edmygu shwt odd Gwyn yn dod 'mla'n 'da pawb heb seboni na chrafu. Shwt odd e byth yn iwso'i boblogrwydd i iselhau rhywun arall, neu i ennill mantes annheg iddo fe'i hunan. O'n i'n edmygu 'i benderfyniad e i fynd i'r brifysgol a dod 'mla'n, er pob anhawster. Odd 'i rieni e, Tal a Joyce, yn bobol ffein, ond fydden nhw ddim wedi bod yn grac tase Gwyn wedi dewis gadael yr ysgol yn un ar bymtheg – fel nath Paul. Odd hi'n strygl i Gwyn. Gas Dad gender odd yn saer 'da'r Cownsil i droi'n stafell wely i'n swyddfa – desg, cader, silffodd llyfre, teipreiter, gwres canolog – popeth fel bo fi'n ca'l whare teg i neud 'y ngwaith cartre. Odd Gwyn, pŵr dab, yn gorffod gwitho ar ford y gegin, neu lan llofft a'i dopcôt amdano fe o flaen *electric fire* un bar.

"Weles i mor *vulnerable* odd Gwyn pan fuodd 'i fam e farw, ychydig wthnose cyn 'i *A Levels* e. Wedodd e bydde fe wedi ffaelu hebdda i. Falle bod e'n iawn. Clwmodd 'na ni'n dynn iawn.

"'Ddar o'n i'n groten fach, buodd Wncwl Owen yn mynd 'mlaen boutu'n hala i i Oxford, i'w hen goleg e. Es i am *interview* a chael 'y nerbyn. Ond wedes i bo fi'n mynd i Aber, at Gwyn.

"'Na pryd cynigiodd Owen job i fi sha Westminster fel *research assistant.* Bydde gofyn i fi anghofio am Aber a mynd i rywle yn Llunden, fel yr LSE. *Put-up job* ar ran Havard a Mavis odd e, wrth gwrs. Balles inne fynd 'co. Odd Havard a Mavis yn grac y diain.

"Whare teg i Owen, odd e'n diall. 'Yr oedran ŷt ti, Sylvia,' medde fe, 'falle taw ufuddhau i dy galon, nage dy ben, sydd wir ddoethineb.'

"Anghofia i fyth y geirie 'na. Falle bod Owen yn meddwl amdano fe'i hunan a Non. Ma' nhw'n siwto'i gilydd mor dda. Ma'i *qualifications* hi gystal â'i rai e. Falle bod nhw'n siwto'i gilydd rhy dda. Popeth yn ffitio'n rhy deit.

"Ath Mam lan y wal pan wedes i bo fi wedi troi lawr cynnig Owen am bo fi'n caru Gwyn ac am fod 'da fe yn Aber.

"'Byddi di fel Sue Evans,' mynte Mam. 'Yn y clwb a'n ffaelu cwpla dy gwrs.'"

"Odd Sue yn erfyn babi a nagodd hi ar y *pill,*" medde fi.

"Gymrodd hi gwpwl o funude i Mam gyfadde iddi'i hunan bod hi wedi clywed beth wedes i. Gwrthododd Dad neud 'ny nes gwaeddodd hi: 'Havard! Glywest ti beth wedodd dy ferch?' 'O, Sylvia,' mynte Dad, achos bod rhaid iddo fe weud rhywbeth, 'rwy mor siomedig ynot ti.' 'Odych chi?' gwiddes i. 'Pam galwoch chi fi 'rôl

Sylvia Pankhurst 'te?' A mas â fi o'r stafell a slamo'r drws ar 'yn ôl.

"Odd y flwyddyn gynta yn Aber yn *magic*. Gwmws fel o'n i wedi erfyn. Gadel cartre. Bod 'da Gwyn. Dege o ffrindie newydd. Dwlu ar y cyrsie.

"Erbyn yr ail flwyddyn, rodd y sglein yn pylu. Ges i'n hunan yn difaru, ambell dro, nad es i i Lunden neu Rydychen. Beio Aber i ddechre. Wedi 'ny gorffod cyfadde bod Aber yn olreit. Taw'r broblem odd fod 'y mherthynas i â Gwyn, 'y nghariad i at Gwyn a'i gariad e ato i, yn stopo fi neud pethach o'n i am neud. Dod yn ffrindie, er enghraifft – ac yn elynion – 'da lot o bobol ddiddorol nagodd 'da Gwyn feddwl ohonyn nhw. Roedd e wastod yn cytuno 'da fi. Bydden i'n gweud pethach eithafol a dwl, weithie, dim ond i wylltu e, ond fydde'r ddadl ddim yn un hir. 'Ti yw'r politishan,' fydde fe'n weud. 'Dim ond seientist bach odw i. So i'n diall pethach fel 'ny.' 'Na beth lices i amdanot ti, tro cynta gwrddon ni, Ari. O't ti'n clatsho'n ôl.

"O'n i'n gymysglyd ofnadw. Caru Gwyn. Moyn bod yn rhydd. Ofan cwpla lan yn Nhrelwchwr, a mynd yn wallgo achos bod Mrs Gwyn Howells, tu fas, a Rosa Luxemburg, tu fiwn, yn bwrw'u penne yn erbyn 'i gilydd.

"Feddyles i bydde pethach yn sorto'u hunen mas heb ormod o loes i Gwyn na fi. Fydden nhw. Fydden nhw, Arwel. 'Blaw bod . . ."

Tawodd a pharodd y distawrwydd gyhyd nes i mi amau iddi fynd i gysgu.

"Sylv . . .?" holais yn betrus.

"Mmhh . . ."

"Be ddigwyddodd?"

"Ffindes i bo fi'n dishgwl. Yn cario'i blentyn e. Stopes i gymeryd y bilsen achos bo fi'n becso galle hi niweidio'n

iechyd i. Roedd Gwyn yn gwbod. O'n ni'n cymryd gofal.
Dim digon . . ."

Mudandod maith. Dim smic yn y llofft. Car yn gyrru i
fyny'r stryd o gyfeiriad y dref ac yn stopio. Drysau'n
agor a chau a rhywrai'n mynd i mewn i un o'r tai gyfer-
byn gan sgwrsio fel petai'n ganol dydd. Wedyn:

Fi: Be ddigwyddodd?
Sylvia: Ges i erthyliad.
Fi: Gwyn oedd isio?
Sylvia: Nagodd e'n gwbod bo fi'n dishgwl. So fe'n
gwbod hyd heddi.

Clywais Sylvia'n igian wylo. Dodais fy mraich amdani
a chusanu grudd oedd yn wlyb diferol. Llifodd dagrau
hallt i'm ceg.

Aeth rhai munudau heibio cyn i Sylvia na minnau
syflyd. Yna, trodd ar ei chefn gan ddweud:

"Os na chwpla i'r stori nawr, 'naf i byth . . . Drefnes i
erthyliad 'da clinic yn Birmingham a chytunodd Mags,
'yn ffrind gore, i ddod 'da fi. Ond gas 'i mam hi 'i
tharo'n wael a gorffod iddi fynd tua thre. Jest i fi ffono i
ganslo. Allen i ddim wynebu mynd lan i Birmingham ar
ben 'yn hunan. Feddyles i falle bod y dewis yn cael 'i
neud drosto i. Dim ond un person arall yn Aber, yn y
byd, allen i ymddiried ynddo fe. Keith Atkins. 'Na pam
trois i lan yn y cyfarfod stiwpid hwnnw yn y Skinners.
Wydden i bydde Keith a'i bytis 'na'n gwerthu papure.
Ti'n diall nawr pam o'n i mor *hysterical*? Pam wedes i
bethe mor gas wrthot ti. Dim nagot ti'n haeddu 'ny.

"Aeth Keith â fi i Birmingham yn y *Trotmobile*. Arhos-
odd e amdano i a dod â fi'n ôl i Aber. Fe yw'r ffrind gore
ges i erioed.

"Odd rhaid cwpla 'da Gwyn wedi 'ny. Ma'n flin 'da fi

am beth nes i iddo fe. Rwy'n dala i fecso. Ac am beth nes i i fi'n hunan. A'r babi. Ond so i'n 'i garu e, Arwel. So i'n caru Gwyn. Ti yw'r un rwy'n garu."

Beichiodd grio a gadael i mi ei chysuro, orau gallwn. Pan dawelodd y storm, meddai:

"Wedon ni, ti a fi, pan ddechreuon ni, fydde dim cyfrinache rhyngton ni, Arwel. Nagon i'n onest. Gwates i un gyfrinach anferth. So 'na'n wir nawr. Ond so i'n gwbod beth wyt ti'n feddwl ohona i . . ."

"'Mod i'n dy garu di'n fwy nag erioed, Sylvia," meddwn a'i thynnu ataf. "Feddylis i ddim bod y fath beth yn bosib. Ond mae o. Mae o . . ."

*   *   *

Fe'n deffrwyd o gwsg hyfryd, difreuddwyd gan ganiad plygeinol y ffôn.

"Pwy ddiawl . . .?" achwynais.

"Mam, siŵr o fod," murmurodd Sylvia'n fwythlyd. "Tsieco bod ni'n mynd 'co am gino."

Ymbalfalais am y teclyn gydag: "Ydi'r ddynas yn gall . . .?"

Andrew atebodd: "Dere i 'nhŷ i'n glou, Arwel. Ma' Paul miwn trwbwl."

"Damia. Wedi'i restio?"

"Odi. Ar *murder charge*."

Deg munud gymerodd hi i Sylvia a minnau neidio o'r gwely, gwisgo, rhuthro o'r tŷ a gyrru'r filltir a hanner i gartref Andrew ar stad gyngor Cae Mawr.

Yno'n disgwyl amdanom roedd Andrew a phedwar o'i gyfeillion, a golwg dynion newydd gael eu llusgo trwy wrych arnynt – yr hyn oedd yn llythrennol wir. Ymgel-eddid hwy â mygeidiau o de a thost gan wraig Andrew,

Bonnie, mewn *négligée* bitw, binc a fuasai wedi ennyn sylwadau coch petai'r amgylchiadau'n llai dyrys.

Adroddwyd hanes yr *ambush* wrthyf yn glau ac yn gryno. Cyrch a gynllwyniwyd ers dyddiau ac a drefnwyd yn derfynol yn y Sosial y noson cynt yn y drafodaeth yr esgymunwyd fi ohoni.

Daethai'n hysbys i Gyfrinfa Pwll yr Onnen fod y *superscab* bondigrybwyll yn lletya mewn bwthyn diarffordd ym mhen ucha'r dyffryn, adeilad a fu unwaith yn eiddo i'r Comisiwn Coedwigaeth; a bod tacsi'n ei godi bob bore i'w gludo, dan warchodaeth car polîs, i'r pwll. Bwriad y cyrch oedd stopio'r tacsi a dychryn y cynffonnwr gyda bygythion a "chwpwl o belts". Y *modus operandi*: ynysu a stopio'r tacsi trwy daflu boncyff coeden ganghennog ar draws y lôn gul, ar droad nid nepell o'r bwthyn, wedi i'r *patrol car* fynd heibio.

"Bydde'r plan wedi gwitho'n berffeth," taerodd Andrew, "tase'r *taxi driver* ddim yn aelod o'r *SAS* neu'n ffan mowr o *Starsky & Hutch.*"

Llwyddodd y gyrrwr, er gwaethaf ei gaeth-gyfle a dyrnau'r picedwyr, i droi'r cerbyd i'r cyfeiriad y daethai ohono, a buasai wedi dianc oni bai i John Ford daflu carreg fawr trwy'r winsgrin.

O weld y gwaed yn pistyllio o wyneb y gyrrwr tacsi, a chlywed y plismyn bytheiriol ar eu gwarthaf, rhedodd John a Helen Gambini, a ffotograffodd y digwyddiad, at 4x4 y Llundeines a ddiflannodd ar amrantiad i'r niwl. Dihangodd y pedwar a adroddai'r hanes wrthyf i a Sylvia dros y cloddiau a thrwy'r caeau at eu car, a adawyd mewn cilfach ar feidr goedwigol. Arhosodd Paul i weld pa niwed a wnaed i yrrwr y tacsi ac fe'i restiwyd.

Pan ffoniodd Bonnie i holi'r heddlu ynglŷn â sefyllfa Paul, dywedwyd wrthi fod y gyrrwr tacsi ar ei wely angau ac mai'r broblem a'u hwynebai hwy oedd pa gyhuddiad i'w ddwyn yn erbyn Ysgrifennydd Cyfrinfa Pwll yr Onnen; llofruddiaeth ynteu dyn-laddiad.

Cyn cychwyn am swyddfa'r heddlu, ffoniais Bethan Howells a gofyn iddi ymholi ynglŷn â chyflwr y gyrrwr tacsi, os aed ag ef i Ysbyty Trelwchwr, a'i leoliad onid e. Bu raid i mi ddisgwyl am awr a hanner cyn cael gweld fy nghleient. Erbyn hynny daethai neges oddi wrth *Staff Nurse* Howells nad oedd y dyn yn dioddef o ddim gwaeth na *concussion* ac y câi ei anfon adref ymhen ychydig oriau.

Tywysodd yr arolygydd fi i mewn i'r ystafell gyf-weld at Paul gyda'r geiriau: "Aiff y boi odd yng nghefen y tacsi ar 'i lw taw Paul dwlodd y garreg. Ma' Paul yn gwadu 'ny, wrth gwrs. Ond os yw e'n gweud y gwir, mae e'n gwbod pwy nath e. On'd ŷt ti, Paul? Wyt ti'n folon mynd lawr am ddeng mlynedd, falle am oes, am rywbeth nest ti ddim?"

"Be 'di'ch newyddion diweddara chi am y gyrrwr, Inspector?" holais.

"Falle daw e drwyddi, Mr Williams, ond so nhw'n rhy obeithiol," ebe'r arolygydd tew yn ddwys a theimladwy.

"Pryd siaradoch chi efo nhw?"

"Yn ddiweddar."

"Rydw i newydd glŵad nad ydi o fawr gwaeth ac y bydd o adra erbyn amsar cinio."

"Odych chi?"

Cwympodd masg diaconaidd yr inspector. "Hyd yn oed os yw 'na'n wir, gw'boi," rhybuddiodd Paul, "ti'n dala miwn yffach o drwbwl!"

Ymhen hir a hwyr, wedi oriau o holi a stilio, dadlau a thaeru, rhyddhawyd Paul ar fechnïaeth a'r cyhuddiad wedi ei leihau i *Actual Bodily Harm*.

I mi, y penwythnos hwnnw oedd uchafbwynt gobeithiol, arwrol, cyn-chwyldroadol Streic Fawr y Glowyr 1984-85 a dechrau ei diwedd. Bu'r digwyddiadau a ddisgrifiwyd uchod yn bellgyrhaeddol eu heffaith, nid yn unig arnaf i a rhai oedd yn agos ataf, ond ar sawl agwedd bwysig ar fywyd y dyffryn.

Gellir dweud yr un peth am y streic yn ei chrynswth. Dyma'r ffenomen gymdeithasol ddyfnaf a lletaf ei harwyddocâd y bu gen i unrhyw gysylltiad â hi. Colli wnaethom ni. Dyna pam mae'r enillwyr, ynghyd â'r cynsosialwyr a ymunodd â hwy o anobaith neu hunanoldeb, mor ffyddiog fod y rhyfel dosbarth ar ben.

Serch hynny, plannodd y streic ynof i yr argyhoeddiad fod sosialaeth nid yn unig yn ddelfryd â chyfiawnder o'i blaid, ond hefyd yn drefn a allai ddiwallu anghenion y ddynoliaeth mewn ffordd decach a mwy effeithiol na'r un bresennol.

Rhyddhaodd y streic egnïon creadigol, rhyfeddol, yn y dosbarth gweithiol a'u cefnogwyr a dadlennodd alluoedd trefniadol mwy na digon i redeg gwladwriaeth yn effeithiol. Yn 1984-85, sefydlwyd gwladwriaeth amgen yn y Deyrnas Gyfunol. Gweriniaeth y Gweithwyr oedd hon, a ddaliodd ei thir yn anrhydeddus iawn, gyda chefnogaeth cynghreiriaid ledled y byd, am flwyddyn gron, mewn rhyfel digymrodedd â'r wladwriaeth swyddogol a'i grym a'i hawdurdod, ei gwasg a'i chyfryngau, ei chyfraith a'i threfn, ei heddlu glas a'i heddlu cudd.

Buasem wedi ennill yn hawdd petai athrylith ddieflig Thatcher heb greu Rhyfel y Falklands. Ni welai Arthur Scargill annigonolrwydd y tactegau a fu mor llwyddianus yn y saithdegau, â'r bwldog Prydeinig buddugoliaethus newydd flasu gwaed. Edmygaf Scargill fel dyn gonest, diffuant, dewr, llwyr ei ymroddiad i achos y gweithwyr. Yn hytrach na'i feirniadu fy hun, rwyf am ddyfynnu sylwadau undebwr arall ac aelod o'r un dosbarth ag Arthur, mewn perthynas ag elfen yn ei bersonoliaeth a ddylanwadodd yn negyddol ar hynt y streic. Dyma ddywedodd Tal Howells am Ysgrifennydd Cyffredinol Undeb y Glowyr wrth Sylvia a fi, dros beint pruddglwyfus yn y Clwb Caib a Rhaw, wedi i ni ddychwelyd o Bwll yr Onnen ar ôl hebrwng y gweithlu gorchfygedig yno, y bore dydd Mawrth diflas hwnnw, Mawrth 5ed, 1985:

"Weda i'r un gair yn gyhoeddus yn erbyn Arthur nawr nes bydd e'n saff o afel MI5, MI6 a phob diawl arall hyd at MI100 sy ar 'i ôl e. Bachan dewr a galluog tu hwnt. 'Sdim dowt am 'ny. Ond ma 'da fe ormod o feddwl o'i hunan. 'Na'i wendid e. Y tro cynta teimles i hynny odd yn angladd Dai Francis. Nage. Cwrdd Coffa, rhyw brynhawn Sul oer uffernol i'r rhai ohonon ni ffilodd fynd miwn i Glwb NUM yr Onllwyn, a gorffod sythu yn y carparc.

"Talu teyrnged i Dai odd e i fod. Nath Arthur hynny'n deidi iawn, whare teg. Nes daeth e i'r *peroration*. Yr uchafbwynt. Y peth brofodd fawredd Dai Francis, yn ôl Arthur, odd rhag-weld 'i ddyfodiad e, Scargill, fel Arweinydd y Glowyr. Rhywbeth fel hyn wedodd e – so i am drial dynwared 'i acen e:

'I'll never forget how nervous I was addressing my first NUM National Conference at Blackpool, as a very young lad. But I got through it somehow. The next speaker up was Dai Francis and his kind words still ring in my ears: 'I prophesy that this young man will play a significant role in the National Union of Mineworkers,' said Dai. 'Today, a great light has shone out of the Yorkshire Coalfields!'

"Ioan Fedyddiwr yn paratoi'r ffordd i Iesu Grist, myn diain i!"

Oherwydd y buasai'n chwith gennyf derfynu'r bennod hon gyda sylw beirniadol, boed hwnnw'n deg ai peidio, am arweinydd y glowyr, es i ati i geisio crynhoi fy syniadau a 'nheimladau ynglŷn ag effeithiau hir-dymor Streic y Glowyr 1984-85 ar Drelwchwr.

Lluniais bentwr o ystrydebau a gwirebau dienaid, aillaw a'u dileu.

Eithr wrth ddwyn y gorffennol i gof, cefais fy hun yn meddwl fwyfwy am John Ford a'i wraig Sue a sut yr effeithiodd y streic a'u rhan nhw ynddi ar eu priodas, eu teulu ac ar gwrs eu bywydau hwy a llawer o'u cydnabod – gan gynnwys Owen Daniels a Sylvia a fi. Tybiaf fod stori John a Sue yn ddameg o ganlyniadau negyddol a chadarnhaol y streic yng nghymunedau Maes Glo y de.

Seilir y naratif canlynol yn bennaf ar dystiolaeth Sylvia, *confidante* Sue, a Paul, ei brawd, "partner" John.

Pan gyrhaeddodd Sue Evans ei phen-blwydd yn un ar bymtheg, penderfynodd nad oedd ddiben iddi hi a'i chariad John Ford "gymryd gofal" rhagor. Ymhen deufis, pan ganfu ei bod yn disgwyl, dyweddïodd hi a John a phriodi ymhen deufis arall. Ganed Jason ddeufis cyn bod ei fam yn ddwy ar bymtheg, a chwe mis wedi penblwydd ei dad yn ddeunaw. Bymtheg mis yn ddiweddarach, pan ddilynwyd Jason gan ei chwaer, Kelly, dywedodd Sue: "Dyna ddigon am y tro! Nage! Am blydi byth!" a mynd ar y bilsen.

Yng nghyfarfodydd y Gyfrinfa ac yng Nghynadleddau Arbennig Maes Glo y de, ym misoedd Ionawr a Chwefror 1984, siaradai John, un o gynrychiolwyr Pwll yr Onnen, yn erbyn streicio; dadleuai, fel sawl un arall, mai ffolineb fyddai dechrau gweithredu ar ddiwedd y gaeaf a chymaint o danwydd wrth gefn ym mhwerdai'r wlad. Daliai mai camgymeriad tactegol arall fyddai gweithredu heb gynnal pleidlais gyffredinol ymhlith aelodau'r undeb. Eithr pan aeth pleidlais glowyr y de yn ei erbyn, derbyniodd John Ford farn y mwyafrif a bwrw iddi'n selog i hyrwyddo'r streic ac i genhadu ymhlith anghredinwyr a chynffonwyr Notts. Cyfaddefodd wrth Paul fod ymrwymiadau teuluol wedi lliwio ei farn yn ystod y trafodaethau.

Roedd Sylvia, erbyn hyn, wedi symud i Willesden ac wedi sefydlu, gydag aelodau eraill o'r Blaid Lafur yn bennaf, *The North-West London Miners' Support Group*. Derbyniwyd gyda brwdfrydedd ei hargymhelliad eu bod yn gefeillio â Threlwchwr ac yn gwahodd aelodau o Gyfrinfa Pwll yr Onnen atynt i godi arian a chasglu nwyddau at gynnal eu teuluoedd yn ystod yr anghydfod.

John Ford oedd dewis-ddyn Paul i arwain y garfan alltud "achos fod e'n fachan call, allen i drysto" ond dywedodd wrtho na fyddai'n edliw iddo petai'n gwrthod y cyfrifoldeb o achos ei deulu. "Af i," ebe John. "Ma' Jason a Kelly'n sefyll 'da mam Sue rhan fwya o'r amser dyddie hyn. Os bydda i bant hefyd gall Sue neud mwy 'da Pwyllgor y Menywod."

Statuesque yw'r gair gorau i ddisgrifio ymddangosiad yr artist Helen Gambini, menyw oddeutu deugain oed a wisgai bymtheg mlynedd yn iau na'i hoedran a hynny gydag *aplomb* a gynhyrfai wŷr a chynddeiriogi eu gwragedd. Rhaid wrth sawl ansoddair i gyfleu natur y fenyw – caredig, hunanol, hael, cydwybodol, diofal, hedonistaidd, egwyddorol, sosialaidd, aristocrataidd, di-amynedd, goddefgar, penderfynol . . .

John Ford a Helen Gambini. Gwrthgyferbyniad cosmig yn creu atyniad atomig a chyfres o ffrwydradau niwclear fu'n clecian am flynyddoedd.

O fewn pythefnos iddo gyrraedd Llundain, symudodd John Ford oddi ar soffa yn fflat gyfyng dau athro ifanc yn

Camden i wely brenhinol ei faint a'i foethusrwydd ym mhlasty Edwardaidd bychan, chwaethus Ms Gambini yn Finchley, perfeddwlad Thatcheriaeth. Dyna pam y cyrhaeddodd y 4x4 Siapaneaidd Drelwchwr rai oriau'n ddiweddarach na gweddill y confoi.

Ond roedd Sue mor falch o'i weld, a'r plant wedi gwirioni'n lân, fel na chafodd John y pryd o dafod a ddisgwyliai ac y teimlai iddo'i haeddu. Ofnai gydol y daith na lwyddai i gelu ei euogrwydd rhag llygaid craff ei wraig, ond prin y cafwyd amser i gusanu, cofleidio, anrhegu, taro dillad budr yn y peiriant golchi a newid, nag y daeth Mam-gu i garco'r cryts fel bod Dadi a Mami'n gallu'i baglu hi tua'r *Welfare Hall*.

Crybwyllais drallod Sue yn Sosial yr hoywon a'r lesbiaid, pan dynnodd ei gŵr y fath gywilydd arni hi ac arno'i hun. Cyfeiriais hefyd at Sylvia'n torri ein sgwrs â Gwyn a Bethan yn bwt ac yn anelu am dŷ bach y menywod.

Pan aeth Sylvia i mewn i'r lle chwech, roedd Sue yno'n golchi ei hwyneb ac yn beichio crio'r un pryd. Holodd Sylvia beth oedd yn bod a throdd Sue arni a'i rhegi mor chwyrn nes peri i Sylvia ofni ymosodiad corfforol:

"Pam na wedest ti wrtho i'r bitsh?" sgrechiodd Sue. "Pam na wedest ti bod y diawl yn mynd 'da'r slwten 'na? Pam na wedest ti bydde fe'n ddiweddar achos bod e 'da hi? *Fuck off*, Sylvia! Gad fi fod! Rwy'n mynd sha thre."

Llwyddodd Sylvia i argyhoeddi Sue nad o ddiffyg teyrngarwch y peidiodd â rhoi gwybod iddi am anffyddlondeb John ac i'w pherswadio i ddal ei thir a herio'i gŵr yn hytrach na dianc fel petai hi ar fai.

Aeth Sylvia a Sue at y bar, lle y prynodd Owen Daniels bob o *gin* mawr iddynt. Tynnodd Sylvia sylw O. D., yn gynnil, at gampau John a Helen Gambini ar y llawr dawnsio. Ymateb Owen i hynny ac i ddagrau Sue oedd mynnu ei bod hi'n dawnsio gydag ef.

"'Sdim dewis 'da ti, gw' gel," meddai pan nogiodd hi. "Ma' 'da Aelod Seneddol hawl i ddanso 'da pob menyw yn 'i etholaeth e. *Law of Henry the Fourth, Part Two, Act One*."

Noson stormus fu honno yn 129, Cae Mawr. Pum neu chwe awr o hyrddio cyhuddiadau, rhegfeydd a sarhad at ei gilydd. Pwnio, cripio, crafangu a llindagu, a'r plant, am y pared, yn crio. Yn ddiweddarach, cyfaddefodd John a Sue eu bod, o edrych yn ôl, yn falch bod Jason a Kelly dan yr un to â nhw. Onid e, gallasai'r ymrafael fod wedi diweddu'n drychinebus.

Am chwech o'r gloch y bore, a John newydd syrthio i drwmgwsg, seiniodd corn car o'r stryd. Neidiodd y glôwr o'r gwely fel petai wedi ei drywanu â nodwydd eirias. Agorodd y llenni am eiliad, gwisgo amdano'n ffrwcslyd, brasgamu o'r stafell wely, cydio yn Jason a loetrai ar ben y grisiau a'i ddodi'n ôl yn ei wely, taranu i lawr y grisiau ac allan o'r tŷ gan gau'r drws ffrynt yn ddistaw bach ar ei ôl.

Cododd Sue a mynd at y ffenestr mewn pryd i weld John a Helen Gambini'n cusanu ac yna'n dringo i mewn i'r 4x4 a gyrru ymaith.

Daeth Jason a Kelly i mewn i'r llofft. Gosododd Sue nhw yn y gwely o boptu iddi, dododd ei breichiau amdanynt a wylo'n hidl.

Nid oedd John Ford i fod i gymryd rhan yn yr *ambush*, ond pan glywodd Helen Gambini beth oedd ar y gweill, fe'i perswadiodd i'w hebrwng i'r fan fel y gallai hi gofnodi'r cyrch â'i chamera ac ychwanegu at ei phortffolio o ffotograffau'r streic.

Bodlonodd John ar wylio'r digwyddiadau a ddisgrifiwyd eisoes hyd nes iddi ymddangos y llwyddai'r tacsi a *superscab* ynddo i ddihengyd o'r fagl. I rwystro hynny, tynnodd faen o'r clawdd a'i hyrddio at y car.

Wrth gilio'n gyflym iawn o faes y gad yn y 4x4, penderfynodd Helen a John ddychwelyd i Lundain er mwyn osgoi ymholiadau'r heddlu, ond mynnodd John eu bod yn galw gyntaf yn 129, Cae Mawr, iddo gasglu dillad glân a gweddill ei gêr.

Fel y dynesent at y tŷ gwelsant golofn fwg. Sylweddolodd John mai o gyffiniau ei gartref ef y codai ac fe'i llanwyd â braw. Neidiodd o'r car cyn i hwnnw stopio, rhuthrodd trwy'r giât i ganol y mwg a gweld Sue'n procio coelcerth swrth ar y clwt o lawnt o flaen y tŷ.

"Beth yffach wyt ti'n neud, fenyw?" gwaeddodd John.

Cododd Sue ei phen a syllu'n fud a digyffro arno am rai eiliadau. Yna, troes a phwnio'r tanllwyth â'r coes brwsh llawr yn ei llaw.

Dyna pryd y canfu John beth a losgai – y ddoli fawr, siaradus y daethai â hi o Lundain i Kelly, esgidiau pêl-droed newydd Jason, ei ddillad isaf ei hun, ei grysau, ei siwt orau, ei LPs, ei bosteri rygbi . . .

"Ffycin hel, fenyw!" bloeddiodd John dros y stad. "So ti'n ffycin gall?"

Trodd Sue ato dan wenu'n siriol. "Rong, John," meddai. "Rwy newydd gallio. O'r diwedd."

Bibiodd Helen Gambini gorn y 4x4.

"Cer, John," ebe Sue, gan droi'n gas. "Cer 'nôl i Lunden 'da dy hwren. A 'sa 'co!"

"Faddeua i fyth i ti am hyn, Sue," tyngodd John.

Trodd Sue ei chefn ato a chicio *Elvis Presley's Golden Hits* i ganol y fflamau.

Dychwelodd John i'r 4x4 a gyrrodd Helen Gambini o'r mwg i'r Mwg, heb oedi unwaith ar y ffordd.

Pan hysbyswyd John o ganlyniadau ei fyrbwylltra, ffoniodd Paul o Lundain, syrthiodd ar ei fai a mynnu mynd at yr heddlu a chyfaddef mai ef a daflodd y garreg. Darbwyllodd Paul ef i beidio.

"Os nei di 'na, John," ymresymodd Paul, "halan nhw ti

lawr am fisodd. Blwyddyn, falle. Bydd 'da nhw ddim y wyneb i neud 'ny i fi achos bod y diawled yn gwbod bo fi'n ddieuog. A gwed bo fi'n ca'l jâl. Rwy'n sengl a bydda i'n arwr. Merthyr. *Working-class hero*. Os ei di lawr, bydd hi'n galed ar y diain ar Sue a'r cryts. A *picket-line thug* byddi di, weddill dy oes."

Maes o law, fodd bynnag, daeth Paul i amau gwerth y gymwynas i'w gyfaill a theimlo: "Falle bydden i wedi neud ffafar â John Ford wrth adel iddo fe fynd i'r jâl. Falle bydde Sue ddim wedi'i adel e."

Bu Paul dan bwysau gan ei rieni a rhai o'i gyfeillion i adael i John Ford dalu'r pris am ei ffolineb ac am drin ei wraig mor wael. Dirywiodd perthynas Paul a'i dad ymhellach. "O leia rŷch chi'n becso amdano i, Mam," meddai Paul, a'r pedwar ohonom a Sylvia wedi ymgynnull yn *lounge* Havard a Mavis i drafod yr achos. "Becso am y Parti ŷch chi, Dad. Rŷch chi am osgoi *headlines* fel *'Disgrace of Labour MP's Agent's Guilty Son'*!"

Gwir y proffwydodd Paul na châi gosb drom am ei drosedd honedig. Pan ymddangosodd gerbron Mainc yr oedd dau o'i hynadon yn aelodau amlwg o'r Blaid Lafur a'r trydydd yn siopwr lleol, gostyngwyd y cyhuddiad i "ymddygiad afreolus". Cafodd ddirwy o ganpunt, a rhwymiad i ymddwyn yn weddus am ddwy flynedd.

Elfen arall a chwerwodd y gynnen rhwng y tad a'r mab ymhellach oedd cefnogaeth Havard a'r rhan fwyaf o geffylau blaen y Blaid Lafur, yn lleol ac yn "genedlaethol" – gan gynnwys Sylvia a minnau, rhaid cyfaddef – i ddychweliad di-gytundeb y streicwyr i'w pyllau.

Dadleuem ni y byddai parhau'r anghydfod yn arwain at ddiswyddiadau gorfodol, cau pyllau, peryglu einioes yr NUM, a chreu rhwygiadau cymdeithasol difrifol yn y cymunedau glofaol.

Ateb Paul oedd mai dim ond pum cant oedd wedi

dychwelyd i'w gwaith yn ne Cymru, bod hanner yr undeb trwy Brydain yn dal ar streic a bod pwysau economaidd a pholiticaidd cynyddol ar y Llywodraeth i setlo.

Rwy'n meddwl y buasai Thatcher wedi ennill y streic, hyd yn oed petai wedi gorfod cerdded trwy fôr o waed i drechu'r NUM. Ond roedd Paul ac Arthur Scargill yn iawn ynglŷn ag effaith mynd yn ôl yn ddi-gytundeb. Drylliwyd yr NUM, blaen-gad y Mudiad Llafur, llof-ruddiwyd y diwydiant glo a daeth dirwasgiad arall i gymoedd a dyffrynnoedd y de gan chwalu cymunedau, teuluoedd ac unigolion.

TRELWGR

Arferai darlithydd Ffrangeg yn Aberystwyth, un ifanc a gefnogai'r gweriniaethwyr o hyd braich, sôn am ei ymweliadau â Sbaen yn y chwedegau a dechrau'r saithdegau fel y gwyliau difyrraf a gawsai erioed.

"Bodio neu drafeilio mewn siandris o fysys a threna y *Wild West*. Cyfeillachu efo hogia a genod o'r un oed â fi o bedwar ban byd, yn enwedig duwiesa Americanaidd, rhyddfrydol iawn, iawn. Canlyn y *toros* heb deimlo'n euog. Byta petha na wyddon ni ddim be oeddan nhw. Yfad a meddwi a smocio ffags baco *shag* a phetha erill. A'r *Caudillo*, yr Unben Franco, yn teyrnasu. Sbaen yn garchar i Sbaenwyr ac yn nefoedd ar y ddaear i ni."

Paradocs cyffelyb fu'r wythdegau yn hanes Sylvia a fi. Cyfnod o hapusrwydd digwmwl a welodd ein cariad at ein gilydd yn prifio ac yn aeddfedu; degawd o lwyddiant proffesiynol, gwleidyddol a materol i ni'n dau. Blynyddoedd y gaethglud i'r Mudiad Llafur, a'r rhyfel cartref gwaethaf er pan rwygodd Ramsey Macdonald ein plaid; blynyddoedd y dioddefodd gwerin Cymru a gweddill y Deyrnas Gyfunol ddialedd beunyddiol y Torïaid yn gosb am roi cythraul o fraw i'r rheini yn y chwedegau a'r saithdegau.

Ym mis Chwefror 1990, penodwyd fi'n bartner cyflawn yn Davies, Greene & Daniels, yr ieuengaf yn hanes y ffyrm. Daeth y dyrchafiad yn sgil gwaith caled, cydwybodol yr oeddwn yn ei fwynhau.

Tua'r un pryd, ymddiriedodd Cymdeithas Addysg y Gweithwyr (WEA) ofalaeth ardal eang i'r gogledd o Abertawe, yn cynnwys Trelwchwr, i Sylvia. Ar ben y gwaith sylfaenol o drefnu cyrsiau a darlithoedd ar bync-iau academaidd, gyrfaol ac ymarferol, aeth Sylvia ati i ddarparu cyfleoedd i fenywod y dyffryn ddatblygu'r doniau a'r sgiliau a ddaeth i'r amlwg yn ystod Streic Fawr 1984-85. Arweiniodd y gweithgaredd hwnnw, maes o law, at sefydlu Canolfan Gwenllïan, menter y bydd gofyn i mi ysgrifennu'n helaethach amdani'n nes ymlaen.

Fis Medi 1985, bu farw'r Cynghorydd Ernie Jones, YH, a gynrychiolai Ward Glan-yr-Afon ar Gyngor Bwrdeistref Llwchwr er pan sefydlwyd y corff hwnnw yn 1974. Cyn hynny, bu'r cyn-weithiwr dur yn Gynghorydd ac yn un o Henaduriaid yr hen Gyngor Sir Morgannwg. Ernie oedd Cadeirydd y Fainc pan gyhuddwyd Paul Griffiths o "ymddwyn yn afreolus" yn ystod y Streic.

Roedd enwebiad gan y Blaid Lafur leol i olynu Ernie Jones yn gyfystyr â chael fy ethol. Ymhen pum mlynedd roeddwn yn Arweinydd Grŵp Llafur y Cyngor, yn aelod o Bwyllgor Gwaith Cymreig y Blaid Lafur ac yn cael f'enwi y tu mewn a thu allan i'n plaid fel AS tebygol dros un o etholaethau'r de.

Fel Neil Kinnock, Allan Rogers, Llew Smith ac eraill o'i blaen, trwy ei gwaith fel Trefnydd/Diwtor gyda Chymdeithas Addysg y Gweithwyr yr ymgyrhaeddai Sylvia at y nod o ennill sedd yn San Steffan. Daeth ei dawn i lunio cyrsiau dychmygus a chreu prosiectau deniadol, ynghyd â sgiliau cyfathrebu nodedig, â sylw cyson iddi yn y wasg a'r cyfryngau. Manteisiodd Sylvia hefyd ar yr ymgyrch o fewn ein plaid i unioni'r anghyfartaledd rhwng gwryw a benyw ar feinciau Tŷ'r Cyffredin. Canlyniad hyn oll, ynghyd â chanfasio diflino ganddi hi a'i chefnogwyr, oedd y dewiswyd Sylvia Griffiths, ym mis Hydref 1990, yn ddarpar-ymgeisydd y Blaid Lafur yn etholaeth De-Orllewin Caerdydd.

Gan i incwm y ddau ohonom gynyddu'n sylweddol fel yr âi'r degawd rhagddo, symudasom o'n bwthyn di-nod i gartref *executive* ar stad Maes-y-Dderwen, nid nepell o un Gwyn a Bethan Howells. Nid oedd hwnnw mor *executive* â'n cartref ni. "So 'na'n golygu bod ni'n well na nhw," meddai Sylvia, "ond ma' Bethan yn meddwl 'ny a ma'n hala hi'n benwan."

Yn ystod yr wythdegau, gwelwyd *rapprochement* rhwng ein teuluoedd a ddatblygodd yn *entente cordiale*.

Dechreuodd y rhyfel oer feirioli yn ystod Streic y Glowyr. Wedi i Paul gael ei wahardd o gyffiniau Pwll yr Onnen, anfonodd yr undeb ef i Drawsfynydd am *R&R* (*Rest and Recreation*) fel y gelwid picedu'r Atomfa. Yn ystod ei arhosiad, galwodd Paul yn 'Goleufan' ddwywaith neu dair. Gwnaeth deallusrwydd Paul, ei arwriaeth ddiymhongar a'i wlatgarwch Cymreig, naturiol, argraff ddofn ar fy rhieni.

Daeth yn arferiad gan Havard a Mavis i dorri'r siwrnai ddiflas rhwng Trelwchwr a chynhadledd neu gyfarfod y Blaid Lafur neu TUC Cymru yn Llandudno trwy alw yng Nglan-y-Nant. Petaen nhw wedi cyfaddef mai gwir amcan dwy o'r teithiau hynny oedd canfasio ar fy rhan i, fel y cawn fy newis yn ddarpar-ymgeisydd Llafur yn Ardudwy a Dinmael, mae'n bosib y byddai Mam wedi cefnu ar heddychiaeth oes a dodi gwenwyn llygod mawr yn eu te.

Rhyw deirgwaith y flwyddyn, deuai fy rhieni i aros at Sylvia a fi am ychydig ddyddiau, ac un noswaith yn ystod pob ymweliad, yn ddi-ffael, aem ein pedwar at Havard a Mavis am swper. Prydau ffurfiol a sidêt oedd y rhain i ddechrau, ond yn y man daethant yn achlysuron digon joli. Roedd cwrs y byd, fel y gellid disgwyl, ar y fwydlen sgyrsiol. Tawel fyddai Mam a Mavis pan geid anghydweld ideolegol; Mam yn brathu'i thafod rhag troi'r drol a Mavis yn fodlon i Havard siarad drosti.

Pwnc na fyddai Sylvia a minnau byth yn blino ar ei wyntyllu oedd sut yr oedd ein rhieni'n debyg a sut yr oeddent yn wahanol. Heblaw bod yn wragedd, yn famau ac yn fenywod, ni welem fod gan Mam a Mavis lawer yn gyffredin. Ceisiem ddychmygu Ceinwen yn mynd "mas am ddrinc 'da'r gang, bob nos Wener" neu "am drip i Lunden i siopa yn Oxford Street a siew wedi 'ny"; a Mavis yn aelod o Orsedd Beirdd Ynys Prydain, yn beirniadu yn yr Ŵyl Gerdd Dant, neu'n chwilota ymhlith llythyrau teulu Ann Griffiths yn y Llyfrgell Genedlaethol.

Nid oedd meddwl am Havard yn Weinidog yr Efengyl a Rheinallt yn asiant i Aelod Seneddol mor swrealaidd. Byddai gofyn i Nhad fod yn dipyn llai o golomen a Havard yn dipyn llai o sarff, dyna i gyd. Nid yw eu bydolwg mor wahanol ag y gellid tybio, ac mae'r ddau'n biwritaniaid rhonc.

"Pobol fel chi a fi, Havard, greodd y Gymru sydd ohoni, yntê?" ebe Nhad unwaith.

Eisteddent o boptu'r tân gan dynnu'n hunanfoddhaus ar eu cetynnau, tra gwrandawai Sylvia a fi'n blant da ar y *settee*. (Roedd y ddwy fam yn golchi'r llestri swper, wrth gwrs.)

"Y dosbarth gwaith a'r *capitalists* rhyngtyn nhw, yn gwrthdaro â'i gilydd, wnaeth Gymru'r wlad yw hi, Rheinallt," mynnodd Havard.

"Tydw i ddim yn ama fod hynny'n ddigon at y gwir mewn perthynas â natur y gymdeithas a thirwedd y wlad," atebodd Nhad. "Ond yn ddiwylliannol ac yn wleidyddol, yr enwada Anghydffurfiol a'r undeba llafur sy'n bennaf cyfrifol am greu ein meddylfryd democrataidd ni fel Cymry. Dau fudiad sy wedi deud petha digon hallt am ei gilydd ar adega, ond sy wedi porthi ei gilydd hefyd."

"Alla i ddim anghytuno â 'na," cydsyniodd ap Stalin.

Hoff gyrchfan gwyliau Havard oedd y GDR – Gweriniaeth Ddemocrataidd yr Almaen – "achos taw dynon fel fe sy'n rhedeg y wlad," yn ôl Sylvia. Perswadiodd fy rhieni i dreulio wythnos yno, ym mis Awst 1987, yr un pryd ag ef a Mavis. Hynny a fu – Nhad a Mam mewn Cynhadledd Ddiwinyddol yn Leipzig, a Havard a Mavis yn ymweld â ffatrïoedd ac yn gloddesta gyda'r *Politburo*. Treuliodd y pedwar ddwy noson olaf y gwyliau yn nwyrain Berlin. Aethant i gyngerdd *ballet* gyda'i gilydd, profiad dieithr i'r pedwar.

Cafodd Nhad fodd i fyw yn y Gynhadledd Ddiwinyddol, yng nghwmni deugant o glerigwyr ac ysgolheigion o ddwyrain Ewrop, yr Undeb Sofietaidd a'r Trydydd Byd. Un o'r pynciau a drafodwyd oedd *Y Flwyddyn 1848 a Chrefydd yn Ewrop*. Enynnodd sylwadau byrfyfyr fy nhad ar Frad y Llyfrau Gleision a'r Deffroad Methodistaidd gryn ddiddordeb ymhlith cynulleidfa na wyddai nemor ddim am Gymru cyn hynny, ond a ddeallai ar unwaith arwyddocâd y datblygiadau gwleidyddol a diwylliannol y soniai'r siaradwr amdanynt.

Wnaeth yr wythnos honno ddim troi fy rhieni'n Stalinwyr nac yn sosialwyr, hyd yn oed, ond bu'n agoriad llygad iddynt. Gwenai Sylvia a fi wrth wrando ar fy nhad yn canu clodydd "Y Weriniaeth Ddemocrataidd":

"Roedd hedfan o 'no i faes awyr Amsterdam fel mynd o'r Nefoedd i Sodom. Gadal cymdeithas wâr, ddirodres dwyrain yr Almaen a glanio yn nheml Mamon. Y 'fateroliaeth gyfalafol' ar 'i mwya ffiaidd. Arwyddion neon yn fflachio'u gorchmynion atgas:

'Get your Sex Video here!' 'Porn on Sale here!', ac yn y blaen. Hollol wrthun."

Rheinallt a Ceinwen, o bosib, oedd yr unig genedlaetholwyr Cymreig i amau nad daioni a thrugaredd yn ddiau a ddeilliai o gwymp Mur Berlin. Datganai Havard Griffiths ei safbwynt ef yn ddigyfaddawd: "Difaru 'newn nhw," proffwydodd. Difaru newn ni i gyd. Gewch chi weld."

Ni fûm i a Sylvia yn y GDR, ond roedd wastad gymhelliad gwleidyddol neu hanesyddol i'n dewis o ddinasoedd a gwledydd i dreulio gwyliau ynddynt: Madrid a Barcelona, yr Undeb Sofietaidd, Dulyn, Bologna, Ciwba, yr Unol Daleithiau (ddwywaith: Efrog Newydd a lleoliadau brwydrau Rhyfel Annibyniaeth, a San Francisco a lleoliadau brwydrau'r Rhyfel Cartref).

Gellir olrhain f'esgyniad i led-amlygrwydd yn ffurfafen wleidyddol Cymru i ginio Nadolig Plaid Lafur Etholaethol Llwchwr a gynhaliwyd yn y Loughor Arms rhyw nos Iau ar ddechrau mis Rhagfyr 1987. Nid yno y cychwynnodd y broses, ond mae'n fan hwylus i ddechrau'r stori.

Yn ogystal â dathlu Gŵyl y Geni yn y dull traddodiadol, roedd i'r cinio swyddogaeth arall, sef anrhydeddu Catherine Morris, ysgrifenyddes swyddfa etholaethol yr Aelod Seneddol, a chroesawu ei holynydd, Sue Evans.

Yn ystod y ddwy flynedd a hanner a aethai heibio er diwedd y streic, enillasai Sue Evans, dan gyfarwyddyd Sylvia a'r WEA, gymwysterau rhagorol mewn Cymraeg, Saesneg, Mathemateg a Sgiliau Swyddfa. Er i Sue arddel ei henw morwynol oddi ar iddi hi a John Ford ysgaru, roedd hi a'i chyn-ŵr ar delerau da, yn bennaf oherwydd eu cariad at y plant. Enghraifft o hynny oedd i John gytuno i 'garco' Jason a Kelly tra byddai Sue yn y cinio. Yn anffodus, oherwydd damwain yn y gwaith, a ymddangosai'n ddibwys a doniol, hyd yn oed, ar y pryd, cyrhaeddodd John ei hen gartref ymron i awr yn hwyrach na'i addewid. Roeddem ni'r gwesteion eraill yn claddu talpiau enfawr o *Black Forest Gâteau* a llynnoedd o hufen pan ymddangos-odd yr ysgrifenyddes newydd yn ein plith gyda'r eglurhad: "Wedodd John bod e wedi cwmpo miwn i'r afon. Haws credu taw cwmpo trwy ddrws y dafarn nath e!"

Roedd cysylltiad rhwng amhrydlondeb Sue a phwnc "llosg" y noson, sef y mwg dudew, afiach y gyrrodd llawer ohonom drwyddo ar ein ffordd i'r Loughor Arms. Roedd y caddug ar ei waethaf yng nghyffiniau Llife Road, heol y mae'n arfer gan afon Llwchwr lifo drosti wedi glaw trwm.

Ar lain hir, cul, diffaith rhwng y ffordd a'r afon gwelid, bryd hynny, gasgliad o gytiau a chabanau, faniau tolciog a jacs-codi-baw ysglyfaethus ymhlith tomennydd sgrap a phentyrrau o sbwriel, myglyd. Dyma wâl GWD, Greaves Waste Disposal Services, prif gyflogwr Trelwchwr wedi cau'r lofa. Dywedid mai Gwilym Greaves, perchennog GWD, oedd y dyn cyfoethocaf yn y dyffryn. Ni fyddai Greaves ei hun fyth yn cadarnhau'r haeriad nac yn ei wadu – dim ond gwenu. Bydd pobl Trelwchwr yn lladd ar Gwilym Greaves bron mor aml ag y cwynant am y tywydd a defaid strae.

Gwnânt hynny, fel arfer, mewn iaith liwgar a llais uchel, ond er bod y gwahoddedigion yng nghinio Nadolig 1987 Plaid Lafur Etholaeth Llwchwr i gyd yn gwybod mai GWD Services oedd i'w beio am y mwg yn Llife Road, prin fod y feirniadaeth yn hyglyw. Yn gyntaf, am fod per-chennog y cwmni'n bresennol. Yn ail, am iddo gyfrannu'n hael at rodd ffarwél Catherine – ffenestri dwbl newydd o wneuthuriad GWD Windows – ac at dreuliau'r noson.

Yr unig un a feiddiodd herio Gwilym Greaves ynglŷn â mochyndra diweddaraf GWD oedd Gwyn Howells.

Gan mai fy ward i, Glan-yr-Afon, a effeithid waethaf gofynnodd i mi fynd gydag ef i wrando ar ymateb yr *entrepreneur* i'w sylwadau beirniadol.

Edrychai Gwilym Greaves yn od o debyg i Desperate Dan wedi ei wthio yn erbyn ei ewyllys i siwt *waiter* bychan, eiddil. Er bod Greaves dros ugain mlynedd yn hŷn na Gwyn a fi, petai wedi mynd yn daro rhyngddo fo a ni buasai'r "arian call" ar G.G.

Cyflwynodd Gwyn ei sylwadau'n gwrtais ond yn ddi-dderbyn-wyneb, fel petai'n negydu gyda chyflogwr styfnig. Collfarnodd GWD am wahardd undebaeth, a chyhuddodd ei gwmni o beryglu iechyd a diogelwch y gweithlu, o lygru'r amgylchedd ac o achosi dirywiad yn ansawdd bywyd trigolion yr ardal a amgylchynai'r safle yn Llife Road. Siaradai gydag awdurdod proffesiynol ar y tri phwynt cyntaf ac o brofiad personol ar y pedwerydd, gan fod ei dad, Tal, yn parhau i fyw yn yr hen gartref, lai na hanner milltir o bencadlys '*Nogood Sewages*', fel y gelwid cwmni Gwilym Greaves ar lafar gwlad.

Nid oes neb cleniach na Gwilym Greaves pan gaiff ei ffordd ei hun na neb mileiniach pan y'i pechir. Profiad anghyffredin iddo oedd cael ei herio. Gydag anhawster cynyddol y ffrwynodd ei dymer wrth ymateb i gyhuddiadau Gwyn Howells. Ymchwyddai bol a bronnau'r cyfalafwr cnawdol i'r fath raddau nes i mi ofni cael fy saethu'n farw gan un o fotymau ei grys.

"Ma' perffeth ryddid i'r gwithwrs 'co joino undeb, Gwyn," haerodd yr *entrepreneur*, "ond so nhw'n moyn. 'Na'r ffaith i ti. Wyddost ti pam? Achos bo fi'n talu'n well nag unrhyw gyflogwr arall yn y dyffryn. O't ti'n coethan boutu *Health and Safety Regulations*. Clyw, gw'boi. Colier odd 'nhad-cu, 'nhad a phob gwryw yn y tylwth, a fi'n hunan am ddeg mlynedd gynta'n *working life*. 'Sdim angen unrhyw *trade union bureaucrat* bach i weud wrth *employer* â'r *background* 'na shwt i ddisgwyl ar ôl 'i withwrs. So i ariôd wedi gofyn iddyn nhw neud dim nelen i mono fe'n hunan. Rwyt ti'n becso am yr 'amgylchedd' meddet ti. A fi. Gofyn di i *Councillor* Williams, man hyn. Ma' bois *Environmental Health* y Cyngor lawr 'co bob whip stitsh yn tsieco dŵr yr afon, y tir a'r awyr 'da'r holl *instruments* s'da nhw'r dyddie hyn a so ni ariôd wedi'n cael yn euog o ddim ond *very minor infringements*. Ariôd, Gwyn. A phwy yw'r bobol hyn sy'n conan? Nage teuluodd y bois sy'n gwitho 'co. Weda i wrthot ti pwy. Dynon â dim byd gwell i neud â'u hamser. Ma' dy dad yn un o'r rheini, Gwyn, ma'n flin 'da fi weud. A 'sdim lle 'da fe i achwyn. Ma' Tal yn ifed tua'r *Welfare* neu yn bar y lle hyn mwy na mae e gartre. Esgusoda fi nawr, Gwyn. *Councillor* Williams. Rwy'n bownd o gael gair 'da Owen cyn bo fe'n 'madael.''

"Dyna dy roid di yn dy le, washi!'' meddwn wrth Gwyn gan gyfeirio 'nghoegni at Greaves.

"Ie,'' ebe'r undebwr gyda chwerthiniad dirmygus. "Fory cei di amser caled, Arwel.''

"Gin Greaves?''

"'Da Nhad. Bydd e'n arwain dirprwyaeth i dy weld di boutu'r mwg.''

Sgwrsiodd Sylvia gyda Gwyn yn ddiweddarach, ond nid cyn ffraeo gyda'i mam. Ail feichiogiad Bethan oedd y *causus belli* y tro hwn.

"*Congrats*, Bethan,'' ebe Mavis, gynted ag yr ymunodd ein cymdoges â hwy. "Pryd mae e'n diw?''

Bethan: "Dechre *June*, Mavis.''

Mavis: "Ma'n *one-nil* yn barod, Sylv. Jobyn dala lan 'da ti ac Arwel.''

Sylvia: "O'n i'm yn gwbod fod cystadleuaeth.''

Bethan: "Falle nagyw Arwel a Sylvia'n moyn plant.''

Mavis: "'Sdim amser 'da nhw i neud rhai, Bethan. Ma'r

ddou mor fishi. Sylvia 'da'r *classes*, ac Arwel 'da'r *Council*. Falle dyle Arwel ofyn i Gwyn am gwpwl o dips, Sylvia."

Sylvia, o'i cho, gan godi o'i sedd: "Ofynna i iddo fe'n hunan. Os nag oes wahaniaeth 'da ti, Bethan?"

Bethan, gan wenu'n anghynnes: "Ddim o gwbwl, Sylvia."

Aeth Sylvia a holi Gwyn, fel yr oedd wedi bwriadu gwneud yn ystod y noswaith, ynglŷn â'r posibilrwydd o drefnu cyfres o seminarau i'w *shop-stewards* ar y ddedd-fwriaeth amgylcheddol ddiweddaraf a'i heffeithiau ar ddiwydiant. Gwrandawodd Gwyn gyda diddordeb a threfnwyd i Sylvia ymweld â'i swyddfa yng ngwaith dur Port Talbot yr wythnos ganlynol. Ni fu mor gefnogol pan gododd hi bwnc mwy cymhleth, sensitif a dadleuol yr olyniaeth.

Pan gollodd Llafur Etholiad Cyffredinol 1979, pender-fynodd Owen Daniels efelychu'r Toriaid diedifar hynny a aeth ati, wedi eu methiant dwbl yn 1974, i osod sylfeini ideolegol a threfniadol y fuddugoliaeth Geidwadol, bum mlynedd yn ddiweddarach.

Wedi siomiant 1979, yn hytrach nag ymelwa ym myd y gyfraith, masnach neu fancio, fel cynifer o'i gyd-ASau, dewisodd Owen ganolbwyntio ar ei ddyletswyddau fel cynrychiolydd seneddol Llwchwr a llefarydd mainc flaen Llafur ar y Trysorlys (1979-83) a Iechyd (1983-86). Ef oedd cefnogwr selocaf Tony Benn ymhlith ASau Cymru. Chwaraeodd ran flaenllaw yn yr ymgyrch fawr i newid trefniadau ac osgo gwleidyddol y Blaid Lafur mewn modd a fuasai wedi creu chwyldro – ac efallai gwrth-chwyldro hefyd – ym Mhrydain, petaem wedi adennill grym yn 1983.

Pan drechodd Thatcher yr NUM, cyfaddefodd Owen Daniels mai "breuddwyd gwrach" oedd "Llywodraeth sosialaidd o fath newydd". Lliniarodd ei siomedigaeth trwy hel ei fol, hel diod a hel merched. Daeth ei gampau yn y meysydd hynny'n ddiarhebol yng nghyffiniau San Steffan ac yn hysbys ymhlith ei gyfeillion a'i elynion yng Nghymru. Diau i sawl stori ddiraddiol am ei gŵr gyrraedd clustiau Non Daniels.

Fis Mawrth 1986, gwnaeth O.D. ei hun yn destun sbort ymhlith gwleidyddion a newyddiadurwyr. Ffoniodd yr Arweinydd berfeddion nos, yn chwil gaib, ei sarhau'n bersonol a datgan ei fod yn ymddiswyddo o Gabinet yr Wrthblaid. Ni chofiodd am y digwyddiad tan amser cinio, drannoeth, yn un o'i hoff fwytai, pan ddarllenodd fersiwn o'i ddatganiad ac ymateb ffurfiol ac ystrydebol Kinnock i'w ymddiswyddiad, ar dudalen flaen rhifyn cyntaf yr *Evening Standard*.

Erbyn mis Rhagfyr 1987, a chweir arall i Lafur, cynigiai bwcis San Steffan 10-3 ar ymadawiad Owen Daniels, i swydd yn nes at adref, ar gais ei wraig, ac *evens* oherwydd trawiad ar y galon neu strôc. Yng Nghymru, roedd cymwysterau a gobeithion ceffylau blaen y ras i'w olynu yn destun trafod ymhlith pobl sy'n ymddiddori mewn pynciau o'r fath.

Felly, pan ofynnodd Sylvia i Gwyn am ei gefnogaeth ef, fel aelod o Bwyllgor yr Etholaeth a swyddog dylanwadol mewn undeb *affiliated* pwysig a phwerus, i'w chais hi am ddarpar-ymgeisyddiaeth y Blaid Lafur yn Llwchwr, nid oedd yn gwestiwn anweddus nac annheyrngar. Synnwyd Sylvia gan ateb sarrug, ymosodol Gwyn:

"Ma' straeon bod Owen wedi colli diddordeb yn Westminster a Non am iddo fe gwpla wedi bod boutu'r lle ers ache, Sylvia. So i'n gweld 'na'n digwdd. Mae e'n joio gormod bod yn aelod o'r *Best Gentleman's Club in London*. Weda i rwbeth arall wrthot ti, 'fyd. Pe bydde

Owen yn rhoi lan, so i'n meddwl taw ti fydde â'r siawns ore i'w ddilyn e. Bydde'n arian i ar dy sboner di. Arwel yw *protégé* Owen nawr – nage ti. Ma'r undebe'n blês iawn 'dag e. Rwyt ti'n meddwl bod hawl 'da ti i fod yn MP dros Lwchwr. Anghofia fe. Whilia am sedd arall."

"Gwenwyn," meddwn wrth Sylvia o flaen fflamaucogio'r tân nwy, ddwyawr yn ddiweddarach, wrth sipian y dŵr statudol wedi noson o yfed. "Trio'n troi ni'n dau yn erbyn ein gilydd mae o."

"Falle. Ond ma' fe'n iawn. Ti gaiff y sedd 'rôl Owen. A 'sdim ots 'da fi, ti'n deall?"

"Pwnc academaidd. Fel deudodd Gwyn – fydd Owen yn San Steffan am sbel," atebais â chlec i'r dŵr.

Roedd Gwyn yn iawn hefyd pan rybuddiodd fi y deuai ei dad â chriw o'i gyd-ardalwyr i 'ngweld i drannoeth, ond ni ddisgwyliwn iddynt bicedu Davies, Greene & Daniels am chwarter wedi naw. Lwc i mi mai Tal a arweiniai'r ddirprwyaeth. Roedd y protestwyr eraill yn gynddeiriog, yn uchel eu cloch ac yn mynnu 'mod i'n mynd gyda hwy'n syth bìn i safle GWD "cyn bod y diawled yn cael cyfle i gymoni".

Llwyddais, gyda chymorth Tal, i'w darbwyllo na ddeilliai unrhyw fudd o ymweliad Cynghorydd â'r fan heb aelodau o staff yr Adran Iechyd Amgylcheddol i gofnodi unrhyw lygredd yn wyddonol. Addewais gyfarfod â'r ddirprwyaeth ger y safle ymhen awr a hanner gyda'r swyddogion cymwys a'r Cynghorydd Dewi Grant, cynrychiolydd ward y Dolau, y tu draw i'r afon.

Gwnaeth fy ysgrifenyddes y trefniadau priodol tra oeddwn i'n trafod achos ysgrifenyddes rheolwr ffatri leol a ddiswyddwyd yn ffurfiannol (*constructively dismissed*) yn ystod beichiogrwydd, gyda'r wraig ifanc ei hun ac un o swyddogion lleol undeb y T&G.

Y peth cyntaf a'm trawodd pan yrrais fy nghar i mewn

i safle yn Llife Road, ychydig wedi un ar ddeg, oedd ei bod yn od o daclus. Cadarnhawyd yr argraff honno gan sylwadau Tal a'i ffrindiau. Mynnent fod gweithwyr GWD wedi bod yn cludo gweddillion coelcerthi'r noson cynt, ynghyd â thunelli o sbwriel arall o'r fan trwy'r bore, a bod galwyni o ryw hylif wedi ei arllwys i'r afon i'w "phuro".

Gan farnu y gallai'r sefyllfa droi'n ddiflas, roeddwn wedi gofyn i'r heddlu anfon dau blismon i Llife Road yn ystod ein hymweliad. Da o beth. Aeth y protestwyr yn gandryll pan wrthododd y swyddogion ddadlennu canlyniadau eu hymchwiliad yn y fan a'r lle. Cyhuddwyd fi a Dewi Grant o oedi'r *site visit* er budd a lles GWD Services, ac o gael ein talu'n hael am y gymwynas.

Daeth torf o brotestwyr i'r cyfarfod o Bwyllgor Amgylcheddol y Cyngor yn Neuadd y Dref, dair wythnos yn ddiweddarach, a'r oriel gyhoeddus dan ei sang. Yno hefyd, yn dawelach na byddin anystywallt Tal Howells, ac yn destun dirmyg i'r rheini, eisteddai Paul Griffiths, Rheolwr Safle Llife Road, ei gyfaill, John Ford, a dau o'u cydweithwyr. Oni bai fod y pedwar yn wŷr ifanc abl, hwyrach y buasent wedi dioddef sarhad mwy difrifol na geiriau angharedig.

Cododd gwres y cyfarfod sawl gradd pan lefarodd y Cadeirydd, Derek Harcombe, Arweinydd Cyngor Bwrdeistref Llwchwr, rhugl ei fiwrocrateg: "Next item on the agenda, 30/135/47 . . . Alleged pollution at GWD Services' Llife Road Site."

Neidiodd Tal ar ei draed a bloeddio: "'*Alleged*' myn yffach i! Ma'n ffaith, Harcombe, y slej!"

Mynegodd y Cynghorydd Harcombe ei bleser digymysg ef ac aelodau eraill y Pwyllgor o weld aelodau o'r cyhoedd yn manteisio ar eu hawl ddemocrataidd i weld y drefn ddemocrataidd wrth ei gwaith democrataidd gan apelio ar bawb a oedd yn bresennol i ymddwyn bob amser mewn modd teilwng o'r achlysur a'r Cyngor a democratiaeth. Yna galwodd ar y Prif Swyddog Iechyd Amgylcheddol, Vernon Brin, i gyflwyno ei adroddiad ef a'i gyd-swyddogion parthed cwynion y cyhoedd mewn perthynas â gweithgareddau'r Mri GWD Services ger Llife Road.

Cafwyd datganiad cwta gan Brin, a ddiweddodd gyda geiriau a chwythodd y marwor a fudlosgai yn yr oriel gyhoeddus yn wenfflam:

"After a thorough investigation, my colleagues and Councillors Williams and Grant concluded that conditions pertaining at the site and activities taking place there, at the time, were well within acceptable statutory tolerance levels . . ."

Parhaodd y protestwyr i fytheirio ac i siantio "GWD Services Stinks!" am rai munudau, nes i'r Cadeirydd fygwth terfynu'r drafodaeth a'r cyfarfod. Gan fod y Cynghorydd Dewi Grant â'i law i fyny, cafwyd tawelwch. Os disgwyliai ei etholwyr i'r Cynghorydd Grant fflangellu GWD Services ac Adran Iechyd Amgylcheddol y Cyngor, fe'u siomwyd. Clywsant i'r siaradwr gyflwyno i Mr Gwilym Greaves gŵynion rhai o wragedd y fro fod mwg o safle GWD Services, o bryd i'w gilydd, yn baeddu'r golch a sychai ar eu leins-dillad a bod Mr Greaves wedi ymateb yn foneddigaidd iawn:

"I'm pleased to be able to report, Mr Chairman, that GWD Services, entirely without prejudice, of course, will provide each household where clothes hung out to dry were *apparently* affected by smoke, with vouchers for a one kilo bag of high quality detergent, to be redeemed at a local supermarket . . ."

Ni fuasai Dewi Grant wedi gyrru'r protestwyr ym-
hellach o'u coeau petai wedi cyhoeddi fod Gwilym
Greaves yn awyddus i arllwys galwyn o'i *effluent* mwyaf
ffiaidd trwy dwll llythyrau pob cartref yn Nhrelwchwr.
Gorlifodd y protestwyr o'r oriel gyhoeddus fel afon lidiog
i blith y Cynghorwyr dan regi a difenwi. Edliwiwyd i mi
fy nhras ethnig ac atgoffwyd Dewi Grant o ewythr iddo a
gollodd ei drwydded am yfed a gyrru. Pan fethodd ymbil
taer a geiriau hallt â gwastrodi'r anhrefn, gohiriodd y
Cadeirydd weddill ein trafodaethau am hanner awr, fel y
gallai'r heddlu, a oedd eisoes ar eu ffordd, glirio'r oriel
gyhoeddus.

Gadawodd y protestwyr y neuadd ar ymddangosiad y
glas, ac wedi cadoediad byr aeth y cyfarfod yn ei flaen yn
ddidramgwydd, gan ddiweddu fymryn yn hwyrach na'r
disgwyl am ddeg o'r gloch.

Gadewais Neuadd y Dref ar frys a brasgamu at fy
nghar, gan fod *Jules et Jim*, ffilm Ffrangeg yr oedd Sylvia'n
awyddus i mi ei weld, newydd ddechrau ar BBC2. Goleuid
y maes parcio gan un llusern drydan, bŵl, uwchben drws
cefn y neuadd, ac fel y pellhawn oddi wrthi arafai fy
nghamre. A minnau ychydig droedfeddi oddi wrth y car
a'r allweddi yn fy llaw, clywais lais dwfn y tu ôl i mi, yn
fy nghyfarch gydag acen a goslef ffug-ogleddol:

"Y Cynghorudd Arrwel ap Rheunallt Wuluams! Ydach
chi'n falch o be neuthoch chi'n fan 'na heno, deudwch?"

Trois mewn braw. Roedd fy ngwatwarwr yn ŵr tal a
chanddo ysgwyddau llydan. Cuddid rhan uchaf ei wyneb
gan big ei gap a'r rhan waelod gan goler ei siaced.

"Pwy uffar wyt ti?" arthais mor wrol ag y medrwn.
Gobeithiwn mai Tal ydoedd, er bod hwnnw'n fyrrach ac
yn dewach. Chwiliai fy llygaid am ragor o brotestwyr.

"Llwnc Dwfwn!" ebe'r dieithryn fel petai wedi bwr-
iadu dweud "Dy dad di ydwyf, Hamlet!"

Ciliodd fy ofn a holais yn sarrug: "'Llwnc Dwfn'? Be ti'n falu?"

"*Deep Throat*, yr ionc!" chwarddodd Paul Griffiths yn ei lais ei hun. Gwaeddais i'w wyneb:

"Iesu, Paul! Be ddiawl sy'n bod arna chdi? Ddychrynist ti fi!"

"Gwd," ebe yntau'n ddigyffro. "Cer miwn i'r car. Rwy'n dod 'da ti."

"Nagwyt. Gei di gerddad."

"Ma' pethach 'da fi i weud wrthot ti a Sylvia. Ac i ddangos i chi."

Ni welais *Jules et Jim* y noson honno nac wedyn. Fe'i disgrifir fel un o gampweithiau'r sinema Ffrengig. Rwy'n amau a fuasai mor afaelgar a pherthnasol â saga Gymreig Paul Griffiths. Dyma grynodeb o'r hyn a glywodd Sylvia a fi ganddo, ac yntau'n drachtio caneidiau o gwrw Felinfoel; ninnau ambell wydryn o *Côtes du Rhône*:

"Odd arfer bod meddwl mowr 'da fi o Gwilym Greaves. Adeg y streic des i i'w nabod e. Buodd e'n gefnogol iawn. Hael iawn 'da arian, bwyd, *booze*, dillad – beth bynnag o'n ni'n moyn. Ac odd e'n folon rhoi mincyd ceir a fanie i ni, rhai nagodd y polîs yn nabod, i fynd i *picket line* man'na, *meetin'* man'co. Wedodd e wrtho i am beidio becso pe rhoddai'r NCB y sac i fi. Dryche fe ar 'yn ôl i. Cholles i mo'n jobyn, diolch i ti, Arwel, ond pan wedon nhw bod Pwll-yr-Onnen i giad, ofynnodd Gwilym i fi fynd i weld e i'r tŷ mowr 'co s'da fe ar y Waun.

"Wedodd e bod e wedi cael *planning permission* i ecspando'i seit ar Llife Road a bydde fe angen *site manager*. Gynigodd e'r jobyn i fi a gweud gelen i fynd â hanner disen o fois o'r pwll 'da fi.

Sonies i ddim wrtho fe am undeb pan dderbynies i'r swydd, a bod yn onest. O'n i mor falch o osgoi bod ar y clwt. Pan godes i'r mater, nes ymlaen, wedodd e bod well 'da fe redeg 'i fusnes heb interffirens o'r tu fas a bod e'n siŵr gallen ni setlo rhyngton ni unrhyw broblem fydde'n codi. Ond os taw 'na odd mwyafrif y bois yn moyn, odd e'n folon i ni joino. Wedodd e wrth y bois celen nhw lai o bae pe dele'r undeb miwn achos bydde fe'n gwario shwt gyment i gompleio 'da *health and safety regulations, National Insurance, VAT* ac yn y blaen. A bydde fe'n gorffod rhoi gwbod i'r *Inland Revenue* faint o *overtime pay* odd pob gwithwr yn gael. Dim undeb 'co, felly. Ond achos bod Greaves yn talu mwy na *top whack* unman arall yn y dyffryn, dim ond John Ford a fi odd yn achwyn.

"Mwya des i i nabod Gwilym Greaves, ac i ddiall natur 'i fusnes e, lleia o feddwl odd 'da fi ohono fe. Nage jest achos y niwed mae e'n neud i ddŵr a thir ac aer y dyffryn ac i iechyd y bobol, yn enwedig 'i withwrs 'i hunan. 'Na ti John, er enghraifft. 'Rôl cwmpo i'r afon pwy noswaith odd e'n dishgwl fel *lobster* a buodd e'n hwdu am wthnos. Ma' dylanwad Greaves ar Drelwchwr, a'r dyffryn i gyd, yn ddiawledig. Ar y gymdeithas. Ar y bobol sy'n 'i harwen hi. Neu'n meddwl bod nhw.

"Un rheswm hedhyntodd Gwilym Greaves fi odd Dad. Whare teg i Havard, fe, ar wahân i chi'ch dou – falle! – yw'r unig un o'r *Labour élite* sy ddim ym mhoced Greaves. Sy ddim yn 'i ddyled e, rhywffordd, neu wedi derbyn ffafar. Ma' nhw i gyd 'na. Owen Daniels. Derek Hargreaves, *et al* . . . *Ad nauseam.* Heblaw am 'rhen foi. Ond 'ddar rwy'n gwitho i GWD, mae e Greaves yn gallu bostan tsha'r *Golf Club* a'r *Masons* bod Havard Griffiths ar y *payroll* e'd.

"Pan sylweddoles i beth sy'n mynd 'mla'n 'co, a gweld 'yn hunan yn ca'l 'y nhynnu miwn i'r cachu, o'n i'n teimlo fel cerdded mas. Rhoi llond pen i Greaves a mynd bant i whilo am waith. Bydde hynny ddim help i neb, felly sefes i, a chadw *diary* . . ."

Tynnodd Paul gopi maint A4 o'i gas dogfennau *Wales TUC Cymru 1984-5* coch a gwyn.

"Dyddiadur, Arwel," meddai Paul gan wenu'n heriol arnaf wrth agor cloriau gloywlas, caled y llyfr nodiadau. "Yn y llyfr hyn, rwy wedi cadw record, gydag amsere a dyddiade, o rai o'r pethach mwya ych-a-fi rŷn ni wedi'u llosgi, eu tynnu'n bishys a'u twlu i'r afon ers whech mish. Ma' enwe 'ma. Y dynon pwysig sy wedi galw yn *HQ* i whilan 'da'r *Godfather*. A dyma rywbeth i ti, Arwel. Amsere a dyddiade'r galwade ffôn ges i gan staff yr *Environmental Health* i weud bod *inspectors* ar y ffordd. Ac un wrth dy byti mowr di, y Cynghorydd Dewi Grant, y diwrnod o'r blan.

"Ond nage 'na'r stwff mwya damniol. Ma' *photo-copies* 'da fi man hyn o ddogfenne sy'n perthyn i Tŷ Gwyn Properties. Falle bod ti Sylvia ddim yn gyfarwydd â'r enw 'na. Rwyt ti, Arwel, yn gwbod pwy 'yn nhw?"

"Un o gwmnïa Gwilym Greaves."

"Sbel yn ôl, roddoch chi ganiatâd i Tŷ Gwyn Pro-perties godi *executive homes* – fel hwn – ar gie Hendre Wen, tir amaethyddol da. Yn groes i'ch *planning guide-lines* chi'ch hunan, Arwel."

"Doeddwn i ddim yn hapus," ymesgusodais. "Ond mi

oedd swyddogion yr Adran Gynllunio a mwyafrif y grŵp o blaid."

Gwenodd Paul Griffiths yn hyderus fel *matador* sy'n gwybod y bydd y trywaniad nesaf yn angheuol.

"Galla i brofi i ti, Arwel," meddai Paul, gan dynnu sypyn o ddalennau o'r cas plastig, "fod perthnase agos i dy 'swyddogion' di, a rhai aelode o'r grŵp Llafur, sy â siârs yn Tŷ Gwyn Properties."

Roedd cipolwg yn ddigon i'n hargyhoeddi o ddilysrwydd y dogfennau a'r cyhuddiadau.

"Beth wyt ti am i Arwel neud 'da'r stwff hyn?" gofynnodd Sylvia i'w brawd.

"Dangos i'r byd shwt gythrel yw Greaves, ecspelo'i gronis e o'r Parti a throsglwyddo'r papure i'r polîs. Ca'l gwared o'r cancr hyn. Rwy'n rhoi cyfle i'r Blaid Lafur gliro'i stecs 'i hunan. Os na newch chi e, 'naf i. *Photocopies* yw rhein, Arwel. Gadwa i'r gwreiddiol. Rof i wthnos i ti."

F'ymateb greddfol, bryd hynny, pan wynebwn broblem wleidyddol neu broffesiynol anarferol, fyddai troi at fy "nhad yn y ffydd".

"Ffonia i Owen," meddwn wrth Sylvia pan ddychwelodd i'r stafell fyw, wedi hebrwng ei brawd at y drws ffrynt.

"Dyle fe fod gatre," ebe Sylvia gan edrych ar ei watsh ac yna arnaf i. "Ond fydd e'n sobor?"

"A' i ddim i drafod y sefyllfa heno," atebais, "ond gora po gynta clywith o."

Non atebodd: "Dyw Owen ddim 'ma, Arwel." Saib hir. "Daeth e . . ." Saib hir. ". . . ac aeth e'n ôl i Lundain."

Gofynnais iddi a oedd "rhyw broblem annisgwyl wedi codi?"

Saib hir arall, ac yna meddai Non Daniels: "Ma' problem. Ond so hi'n annisgwyl."

"Ffonia i'r fflat yn y bora?"

"Sa i'n meddwl bydd e 'na."

"Sut medra i gael gafal yn'o fo?"

"Alla i mo dy helpu di. Ma'n flin 'da fi. Nos da."

Dododd Non y ffôn i lawr. Gwnes innau'r un modd gan droi at Sylvia a fu'n gwrando'n chwilfrydig: "O.D., MP. *A.W.O.L.,*" gwamalais.

Ni fu cellwair rhwng Havard a mi, fore trannoeth, yn Swyddfa'r Etholaeth, wrth i ni drafod argyfwng dwbl bygythiad Paul a diflaniad Owen.

Peiriant a atebodd pan ffoniodd Havard fflat Owen yn Notting Hill ac nid oedd ef na'i ysgrifenyddes, Charlie Ambeliotis, ar gyfyl Tŷ'r Cyffredin.

"Ma'n MP ni'n gwmws fel polîs a Loughor Valley Motors," achwynodd yr asiant. "Ond allwn ni ddim symud hebddo fe. Os gall unrhyw un berswado'r crwt i bwyllo, Owen yw e. Os ffilith e, bydd 'da fe ran i whare'n y *damage limitation*. Aiff Paul at y *Sun* neu'r *Mirror*, dim ond i fi agor 'y ngheg. I'n sbeito i gymerodd e jobyn 'da GWD yn lle cynta. Rybuddies i e taw crŵc yw Greaves. Beth ges i ar draws 'y nannedd odd y streic a Kinnock a'r Parti, a'r nonsens 'na."

Awgrymais fod pethau'n mynd o ddrwg i waeth rhwng Non ac Owen.

"Trueni ofnadw," ochneidiodd Havard. "Ma' Owen wedi bod 'ddar y reils ers crasfa '83. Gollodd e bob diddordeb miwn politics a'r etholaeth wedi 'ny. Fydde 'na ddim wedi digwdd pe bydde Non yn fwy *political*. Ma' bod yn briod â MP yn siwto meileidi'n net. Gwaetha'r modd, so hi'n lico'r bobol halodd 'i gŵr hi i Westminster. Y rhai withodd drosto fe, na'r rhai fotodd iddo fe."

Y prynhawn Llun canlynol ffoniodd Owen fi o westy'r Dragon, Abertawe, gan ofyn i mi alw yno, fin nos. Dywedodd fod arno angen fy nghyngor proffesiynol mewn perthynas â "mater personol sensitif dros ben". Gadewais y gwaith yn gynnar a chyrraedd y gwesty ychydig wedi pedwar.

Nid edrychai Owen fel dyn a baich ar ei ysgwyddau pan groesawodd fi i mewn i'r stafell gysurus, ddigymeriad, gyda'i wên arferol. Parai ei grys polo glas golau a'i drowsus hamdden glas tywyll iddo ymddangos flynyddoedd yn iau na phan wisgai siwt.

"Diolch i ti am ddod, Arwel," meddai fy nghyfaill. "Tynn dy gôt. Ishte. Gwna dy hunan yn gyfforddus tra ffona i am de a chacs i ni. Bydd hi'n haws i fi weud 'thot ti beth sydd ar 'yn feddwl i dros ddished."

Eisteddais ar un o ddwy gadair esmwyth oedd o boptu'r bwrdd coffi isel. Ar hwnnw gorweddai pentwr taclus o bapurau'r dydd, soser lwch a phedair sigâr rad wedi eu stwmpio ynddi, paced o'r un sigârs a dwy ar ôl ynddo, potel litr o ddŵr Cymreig ar ei hanner, a gwydryn gwag. Dim golwg o botel wisgi na'r un chwa o'r wirod.

"Wel, shwt ma' pethach sha Trelwchwr?" holodd yr AS wrth eistedd yn y gadair esmwyth arall, gyferbyn â mi. Gofynnodd y cwestiwn gydag eiddgarwch dyn a fu'n alltud ers blynyddoedd.

"Ddim yn rhy dda, Owen," atebais, gan fachu'r cyfle i drafod "GWD-gate" cyn clywed am y ffrae ddiweddaraf rhyngddo ef a Non a cheisio cynllunio strategaeth i'w cymodi.

Agorais fy mriffces a throsglwyddo i'r aelod seneddol dystiolaeth ddiymwad o lygredigaeth rhai o geffylau blaen yr etholaeth.

"Gwd . . . gwd . . ." murmurodd, fel petai'n cael blas anarferol ar yr hyn a ddarllenai.

"Diawledig," ebychais, gan ofni fod trafferthion personol Owen wedi amharu ar ei grebwyll.

"Wyddet ti, Arwel, fod yr arwydd, neu'r symbol Tsieineaidd am 'argyfwng' wedi ei lunio o ddau arwydd arall?" gofynnodd fy nghyfaill, a chadarnhau f'amheuon am eiliad. "Mae'r naill yn golygu 'perygl' a'r llall 'cyfle'? Ma' 'na beryg i'r Parti man hyn . . ." Cyffyrddodd â'r llungopïau ar y bwrdd coffi o'i flaen. "Ond ma' 'na gyfle hefyd. Cyfle i dorri mas y 'cancr' ys gwedodd Paul. Rwyt ti'n gwbod cystal â fi bod tair Plaid Lafur – o leia – sha Trelwchwr 'co? Y blaid seneddol – fi. Y blaid etholaethol – y bobol dda, ddiniwed sy'n pwyllgora, codi arian, canfasio ac yn y blaen. A *mafiosi* y Cyngor."

"Dwi'n un o'r rheini?"

"Ddim 'to!"

Gwenodd fy mentor yn ymddiheurol wrth weld y siom ar fy wyneb, ac ychwanegu, "A sa i'n credu byddi di."

Difrifolodd: "Dyma'n cyfle ni, dy gyfle di, Arwel, i gael gwared ar y giwed."

"Heb i etholwyr Llwchwr hongian 'yn crwyn ni i gyd ar barwydydd Neuadd y Dre? Sut?"

Crychodd Owen Daniels ei dalcen, ond yn lle ateb gorweddodd yn ôl yn ei gadair, fel petai wedi ei barlysu gan lesgedd aruthrol.

"Os wyt ti o ddifri boutu dod 'mlaen miwn gwleidydd-iaeth, Arwel," crygleisiodd a'i lygaid ynghau, "dyma'r math o beth ti'n gorffod dysgu neud drosot ti dy hunan."

Tybiwn fod problem bersonol Owen wedi llifo o gefn ei feddwl i'w ymwybyddiaeth.

"Fasa cwpwl o dips gin y 'meistr' yn help," murmur-ais, fel seiciatrydd yn denu claf o'r gors.

Daeth Owen ohoni cyn gyflymed ag y llithrodd iddi. "Gad dy sebon," meddai. Ymsythodd gan bwyso'i ben-eliniau ar ei bengliniau a gwasgu ei ddyrnau'n un. Syllodd ar lyfndra'r bwrdd coffi. "Gad i fi weld," meddai. "Gad i fi weld . . . Mmm . . ."

Tra cymunai Owen â phwerau anweledig, crwydrai fy llygaid i o amgylch y stafell, gan oedi ar brint haniaethol, di-ddim ar y pared uwchlaw'r gwely dwbl. Yn y man, cododd Owen ei olygon. Yr hen Owen, yn llawn hyder fod electronau ei ymennydd, unwaith eto, wedi dadelfennu'r pôs a'i ddatrys.

"Reit 'te, Arwel," meddai. "Cer di a Havard i weld pob un sydd â'i enw man hyn – yn unigol. Gwedwch wrth Harcombe bod e'n gorffod reseino fel Arweinydd y Cyngor ac o bob Cadeiryddiaeth. Geiff e aros ar y Cyngor ond ddim sefyll 'to dros y Parti mewn unrhyw etholiad. 'Run peth wrth Dewi Grant a'r pedwar cynghorydd arall. Vernon Brin – *early retirement*. Diwedd y mis. 'I *sidekicks* e: 'Ffindwch swyddi erill, glou, bois, neu dwlwn ni chi mas, heb 'ych pensiyne, a chewch chi fyth jobyn arall mewn llywodraeth leol yng Nghymru.''

"Pwy gawn ni yn lle Harcombe?"

"Ti, Arwel."

"Ddeudan nhw 'mod i'n gneud hyn er 'yn lles 'yn hun. Na tydw i ddim gwell na nhw."

"Wrth gwrs. Ddeallan nhw bod ti o ddifri ac fe newn nhw bopeth wyt ti a Havard yn weud. Grym yw hanfod gwleidyddiaeth, Arwel, nage syniade, egwyddorion nac ideoleg. Oni bai bo ti'n deall y gwirionedd 'na, 'sdim gobaith 'da ti i neud dim byd i hyrwyddo'r un syniad, egwyddor nac ideoleg o unrhyw werth. Dyna'r paradocs."

"Gin Paul ma'r grym. Dwi'n ama derbynith o ddîl fel 'na."

"Gad ti Paul bach i'w deulu. *He'll toe the family line, if not the Party's.*"

Cyrhaeddodd gŵr ifanc yn lifrai'r gwesty gyda byrbryd ar hambwrdd. Gosododd y llestri ar y bwrdd coffi, arllwys llefrith a the i'n cwpanau ac ymadael gyda childwrn o bumpunt gan Owen.

Cododd fy nghyfaill ei gwpan a'i soser a'u dodi'n ôl ar y bwrdd heb sipian diferyn. "Ma' Non a fi wedi pender-fynu ysgaru, Arwel," meddai, mor hunanfeddiannol â phetai'n sôn am newid eu car. "Licen i i ti ofalu am fy muddianne i'n yr achos."

"Ma'n ddrwg gin i, Owen," cydymdeimlais. "Does 'na ddim gobaith . . . ?"

Torrodd ar fy nhraws gyda phendantrwydd: "Nagoes."

"Nos Wenar penderfynoch chi?"

"Ie . . ."

Syllodd Owen ar ei de fel petai'n pendroni a ddylai gymryd llymaid cyn iddo oeri. Yna cododd ei ben ac ochneidio:

"Falle taw nos Wener yw'r man gore i ddechre esbonio i ti beth yw'r *state of play* . . ."

Tawodd am ysbaid hir ac anghysurus. Ni welswn Owen Daniels yn methu â rheoli ei deimladau o'r blaen. Nis gwelswn dan deimlad oni bai ei fod o flaen cynull-eidfa. Pan siaradodd, roedd fel petai'n ail-fyw'r digwydd-iadau yn hytrach na'u disgrifio:

"Dylen i fod wedi sylweddoli fod rhywbeth ar gerdded gynted cyrhaeddes i. Odd Non mor serchus. 'Af i â dy gês di lan,' medde hi. 'Ma' wisgi ar ford y *drawing-room*.' Yn lle 'So ti'n dechre nawr, Owen?' Odd rheswm da 'da hi i achwyn, rhaid cyfadde.

"Peth arall anarferol odd bod Rhodri'n sefyll 'da Dad-cu a Mam-gu Llanarth. 'Gewn ni gwpwl o ddyddie i ni'n hunen,' medde Non. Es i i whilo am y wisgi.

"Roedd e ar y ford, fel gwedodd hi, ar bwys jŵg ddŵr a gwydryn. Ac amlen frown, swmpus a'n enw i arni, yn ysgrifen Non.

"Arllwyses i wisgi i fi'n hunan ac es i â'r ddiod a'r amlen ac ishte ar 'y nghadair i ger y tân. Gymres i lymaid o'r wisgi ac agor yr amlen, oedd heb 'i selio. Roedd sypyn o ffotos ynddi. Beth yffach yw'r rhain? holes i'n hunan.

"Weda i wrthot ti, Arwel," ebe Owen gan syllu i fyw fy llygaid am eiliad cyn gostwng ei lygaid ac ochneidio. "Llunie mowr, du a gwyn ohono i a Charlie. *Very compromising*. Dim byd mochedd. *Photos* o ni'n dou miwn *restaurants*. Yn yr Hayward Gallery. Rhai tu fas i'n fflat i a'i fflat hi. I gyd yn dangos shwt o'n ni'n teimlo tuag at ein gilydd. Wel. Shwt o'n i'n teimlo am Charlie, o leia. Ac roedd adroddiad hefyd, gan ryw *private investigator*. Yn gweud pryd tynnwyd y llunie. Yn profi bod ni wedi treulio sawl noson 'da'n gilydd."

Ymchwilydd Seneddol Owen oedd Charlie (*née* Charlotte) Ambeliotis, merch i Roegwr a ddaeth i Gaerdydd i weithio i gwmni llongau ei deulu cyn sefydlu ei gwmni teithio llewyrchus ei hun. Merch o Lanengan ym Mhen Llŷn oedd ei mam, a fu'n athrawes cyn geni'r plant. Addysgwyd Charlie yn ysgolion cynradd a chyfun Cymraeg Caerdydd, Coleg yr Iesu, Rhydychen ac Ysgol Fusnes Prifysgol Havard. Siaradai Roeg, Ffrangeg a Saesneg yn ogystal â Chymraeg. Er ei bod yn Fediterannaidd o ran pryd a gwedd, aur coch, Celtaidd oedd ei gwallt. Roedd Charlie'n ffraeth, yn sinicaidd, yn mwynhau bywyd. Roedd hi bum mlynedd ar hugain yn iau nag Owen Daniels ac yntau wedi mopio arni. Gallwn ddychmygu'r llesmair ar ei wyneb yn ffotograffau gloywon y ditectif preifat.

"Alla i gredu bod yr hen stori'n wir, Arwel, boutu'r bachan sy'n boddi yn gweld 'i fywyd yn rhedeg o flaen 'i lygaid fel ffilm," meddai fy nghyfaill ac yfed peth o'i de. "'Na'r effaith gynta gath y llunie arno i."

Dododd Owen ei gwpan yn ôl ar y soser a syllu'n synfyfyriol ar y nenfwd. "Cwrdd â Non am y tro cynta, y diwrnod cynta dechreuodd hi 'da'r ffyrm. Mynd â hi

gatre at Dad a Mam am y tro cynta. Priodi. Ennill Tre-
lwchwr. Geni Rhodri . . . Y cweryla. Uffern y blynydde
diwetha. Charlie. Weles i 'nyfodol o 'mlaen a chodi i'r
wyneb. Dechre 'to 'da Charlie. Byw 'to. Yn lle bodoli a
bygytan. Gymres i lwnc o'r wisgi a phan ddaeth Non
miwn, o'n i'n barod.

"Eisteddodd Non gyferbyn â fi, lle bydde hi'n arfer.
Hollol *composed*. Synnodd 'na fi. Ond fel ces i wbod,
maes o law, roedd Non wedi bod yn plano hyn ers
wthnose, mor fanwl a thrylwyr â *dinner party* i ugain.
'Wel,' medde hi. 'Beth ŷn ni'n mynd i neud, Owen?'
'Ma'n flin 'da fi taw fel hyn ffindest ti mas,' medde fi.
'Rwy'n gwybod ers ache,' medde hi. ''Ma'r unig ffordd o
ddod â phethe i fwcwl allen i feddwl amdani. Diraddiol
iawn i ni i gyd. Ond bydde cyhuddo heb dystiolaeth ddim
wedi tycio. Fyddet ti wedi esgusodi, gweud celwydd . . .'

"Ac yn y blaen . . . Dechreuodd y ddou ohonon ni
godi'n lleisie wedi 'ny. Y diwedd odd i fi weud wrth Non
bod Charlie a fi'n caru'n gilydd a taw dim ond y parch
odd 'da fi ati hi a 'nheimlade i at Rhodri odd wedi'n
stopo i rhag gofyn am ysgariad ymhell cyn hyn. Nawr
roedd hi wedi neud y dewis 'na drosto i. Wedes i bydden
i'n cysylltu â ti a dyle hi roi gwbod i ti pwy fydde'n 'i
chynrychioli hi.

"Es i lan lofft a dodi 'mhethe 'nôl yn y cês. Ffones i
Charlie a gadael neges bo fi'n dychwelyd i Lunden 'da
newydd da iawn ac y gwelen i hi ymhen rhyw bedair awr.
Ganes i bob cam o'r ffordd o Drelwchwr i ddrws ffrynt y
fflat.

"Ces i groeso cynnes. Nes i fi weud wrth Charlie beth
ddigwyddws yn Llys Aeron. Feddylies i bydde hi wedi
twlu'i breiche am 'y ngwddf i a 'nghusanu. Allet ti gredu
iddi glywed fod 'i theulu i gyd wedi'u lladd mewn dam-
wain. Y cyfan wedodd hi, Arwel, oedd: 'O. 'Na ddiflas i

ti, Owen.' Feddyles i taw becso amdana i odd hi nes jwmpodd hi ar 'i thraed a gweiddi, i'n wyneb i, yn llawn casineb. ''Na fès! 'Na yffach o ffycin mès! Pam nest ti beth mor ddwl? Pam na fyddet ti wedi gweud "Sori, cariad. Ddigwyddith e byth 'to?"'

"Af i ddim i ailadrodd gweddill y sgwrs, Arwel. Ma' bownd o fod meddwl digon isel 'da ti ohono i'n barod."

Ochneidiodd Owen, a chyflymodd ei anadl am rai eiliadau nes iddo lwyddo i reoli ei deimladau, ac meddai: "Wedodd Charlie na fyddai hi erioed wedi dechre *affair* petai hi wedi meddwl am funed gadawen i Non. Bod hi'n 'yn lico i 'lot fowr' a bod hynny'n 'lot fowr, dyddie hyn'. Ges i ganiatâd i aros yn y fflat tan y bore. Aeth hi i sefyll 'da ffrind gan orchymyn i fi adael erbyn canol dydd, pan ddele hi'n ôl o'r Tŷ, wedi cliro'i desg."

Arllwysodd Owen ddŵr o'r botel i'r gwydryn, yfed tipyn ohono a chodi ar ei draed. Cerddodd draw at y ffenestr a syllu ar y ceir yn ymlwybro trwy'r glaw dan oleuadau'r stryd.

"Be fedra i neud, Owen?" gofynnais.

"Rwy wedi gweud wrthot ti, Arwel," atebodd a'i gefn ataf. "Ma'r briodas ar ben. Bydd Non a fi'n ysgaru. Rwy am i ti drefnu pethach fel bod Non a Rhodri'n cael cyn lleied o loes â sy'n bosib."

Rhai blynyddoedd yn ddiweddarach, wedi marwolaeth Owen Daniels, siaradodd ei weddw wrthyf am eu priodas a'r modd y daeth i ben. Er bod atgofion Non Daniels am y drafodaeth derfynol rhyngddi hi ac Owen yn cyd-fynd, ar y cyfan, â'i ddisgrifiad ef, mynnai hi fod ymateb ei gŵr i'r ffotograffau yn fwy emosiynol nag a gyfaddefodd ef; iddo bendilio rhwng bytheirio ymosodol, hunangyf-iawn a dagrau edifeiriol a hunandosturiol.

Dywedodd Non Daniels wrthyf fod Owen wedi olrhain dirywiad eu priodas i'w siomiant hi oherwydd i aflwydd-

iant y Blaid Lafur ei hamddifadu o freiniau a phwysig-
rwydd gwraig i aelod o'r Cabinet. Ac yn ôl Non, amddiffyn-
nodd hi ei record fel gwraig i AS gyda geiriau tebyg i'r
rhain:

"Rwy'n gwybod nagyw'r Parti lleol yn meddwl 'mod
i'n gymwys i fod yn wraig i Aelod Seneddol Llafur.
'Merch i ffermwr o Sir Aberteifi a Liberal mowr. So hi'n
un ohonon ni.' Wedest ti wrthyn nhw erioed, Owen, sut
troiest ti fi yn erbyn fy nghefndir'? A 'nheulu, am sbel'?
Nest ti fi'n sosialydd. Gredes i yn dy weledigaeth di. O'n
i am dy helpu di i newid y byd. O'n i am i ti gael sedd yn
y Cabinet am fod 'da ti shwd dalent. Sa i'n gwadu bydden
i wedi mwynhau'r statws. Ond nage dyna'r unig reswm
o'n i am i ti lwyddo. Dim mwy na taw uchelgais yn unig
odd yn dy yrru di ymlaen. Ble aeth y weledigaeth? Beth
sy'n dy ysbrydoli di nawr? Sosialaeth? Nage sosialaeth
yw *wheelings and dealings* yn y *Masonic Hall* a'r *Loughor
Valley Golf Club*, rhyngt cynghorwyr, swyddogion a dynon
busnes anonest. Na whare gême 'da'r Torïed tua West-
minster. Na'r yfed a'r ciniawa a'r mercheta . . ."

Cyfreithwraig o Gaerfyrddin a ffrind coleg i Non a'i
cynrychiolodd hi yn yr achos ysgariad. Llwyddasom i
gwblhau ein gorchwyl ddigalon heb dynnu mwy na mwy
o sylw'r cyfryngau a'r cyhoedd. Ni chawsom gystal hwyl
ar leddfu'r loes a barodd y rhwyg i Non ac i'w mab,
Rhodri.

Gorchwyl wleidyddol y bu'n rhaid i mi ymgymryd â hi
ar yr un pryd, un astrus a gymhlethwyd ymhellach gan
drafferthion teuluol ein Haelod Seneddol, oedd cymell
Paul Griffiths i ymatal rhag datgelu'r cysylltiadau tros-
eddol rhwng rhai o aelodau etholedig a swyddogion Cyngor
Llwchwr a'r dyn busnes, Gwilym Greaves. Cefais y
maen hwnnw i'r wal heb ei siglo ond y mymryn lleiaf.

Gan ddilyn cyfarwyddyd y "meistr", cefais Sylvia a'i

rhieni i gytuno â mi ar drefn yr oedfa dyngedfennol a gynhaliwyd yn 18, Waunpark Road, wythnos union wedi dechrau'n gofidiau. Cyrhaeddodd Paul am wyth o'r gloch ar ei ben a Sylvia a minnau am chwarter wedi, rhag i'r cynllwynio fod yn rhy amlwg. Roedd Paul am i ni fwrw iddi'n syth bìn, ond mynnodd Mavis ein bod yn aros iddi orffen darparu 'bob o ddished, cwpwl o sangwejes a bisgïen'.

"Ble mae e?" holodd Paul wrth i'w fam arllwys y te. "*Numero uno*. Don Corleowen?"

Eglurais fod gan Owen ddigon ar ei blât, gan ei fod ef a Non wedi penderfynu ysgaru. Dywedais fod Owen yn diolch iddo am roi cyfle i Blaid Lafur Llwchwr gael gwared ar aelodau dylanwadol a fu'n ddraenen yn ei ystlys ef a Havard ers blynyddoedd maith, a'i fod am i mi sicrhau Paul o'i gefnogaeth lwyr i beth bynnag a benderfynid rhyngom.

Cymerodd Mavis ei lle ar y soffa rhwng Havard a Sylvia. Agorais innau'r drafodaeth trwy ategu diolch Owen Daniels i Paul a gofyn iddo ef ailadrodd ei argymhellion ynglŷn â'r modd y dymunai i ni weithredu mewn perthynas â'r dystiolaeth fod rhai o gynghorwyr a swyddogion Llwchwr yn euog o gamymddwyn difrifol.

Atebodd Paul ei fod am i ni gyflwyno'r *dossier* i'r heddlu. Daliai y dylem ddiolch iddo na wnaethai hynny ei hun. Trwy ddangos nad oedd lle yn ei rhengoedd i "crẁcs a dynon sy'n folon elwa o'u cyfeillgarwch â crẁcs", roedd modd i'r Blaid Lafur leihau'r niwed a wneid iddi gan y datgeliadau, a gallai'r aelodau hynny na lygrwyd gan Gwilym Greaves arbed eu crwyn.

"So i'n meddwl bydd Plaid Lafur i gael yn Nhrellwchwr os gnewn ni fel wyt ti'n moyn," ebe Sylvia. "Ewn ni i gyd i lawr 'da'n gilydd. Y *mafiosi* a phobol sy â dim i gynnig i Gwilym Greaves nac i Harcombe a'i glic. Dad, Arwel, fi, ac aelode cyffredin fel Mam. Ewn ni i gyd i lawr 'da nhw."

"Falle bo chi'n haeddu mynd. Am ffaelu stopo'r diawled flynydde'n ôl."

"'Ma'r cyfle cynta rŷn ni wedi'i gael," ebe Havard. "Diolch i ti. Rwy'n browd ohonot ti. Rwy am i ti wybod 'na."

"So crafu'n siwto chi, Dad," glaswenodd y mab.

"So ti'n becso am effeth hyn ar siawns Sylvia – ac Arwel – o fod yn MP? Nag ar dy dad a finne sy wedi dediceto'n bywyde i'r Parti?" gofynnodd Mavis.

"Ma'n bosib y medran ni handlo un sgandal, Paul," meddwn. "Ond ma'n beryg y ceith petha annymunol 'u datgelu ynglŷn â bywyd personol 'yn Haelod Seneddol ni yn ystod yr wsnosa a'r misoedd nesa. Rho di'r ddau beth at 'i gilydd, a mi allsan ni golli'r Cyngor a'r sedd seneddol. Ar hyn o bryd, tydi Plaid Cymru'n ddim llawar mwy na dyrnad o athrawon a dau Gynghorydd, y naill yn dwp a'r llall ddim yn gall. Ond mi fedra dwy sgandal fawr, yr un pryd, newid y sefyllfa'n llwyr."

"Falle taw 'na be sy isie," ebe Paul yn ddirmygus. "Rhoddest ti dy fys ar y broblem, Arwel. Trigen mlynedd o *one-party rule*. Ma' hi'n bryd cael newidieth."

"Gelet ti a phawb fotodd drostyn nhw eich siomi pe bydde criw o *Nats* dibrofiad yn rhedeg y siew, Paul," ymresymodd Havard gan lwyddo i wasgu bron pob diferyn o nawddogaeth o'i lais. "Fel cafodd dynon Merthyr Tudful, Caerffili a Phontypridd. Ta p'un. Ma'r *Nationalists* ishws ym mhoced Gwilym Greaves."

"Odyn nhw?" meddai Paul a'i dymer yn breuo. "'Na'r fath o beth fydden i'n erfyn i chi weud, Dad!"

"Falle bo fi'n annheg," cyfaddefodd Havard yn raslon. "Falle jest achos bod Gwilym yn 'caru Cymru' odd e'n ŵr gwadd yng nghinio Gŵyl Dewi'r *Nationalists* yn y

Loughor Arms, llynedd," awgrymodd yr hen gadno. "Welon ni'r *programme*, on'd do'fe, Mavis? Beth galwon nhw arno fe?"

"'Sa di nawr," ebe Mavis. "Nage 'y diwydiannwr gwlatgarol a diwylliedig'? Wyddet ti, Paul, fod e'n rhoi cannoedd o bunne bob blwyddyn i'r Ysgol Gymraeg, a'r Urdd a phethach fel 'ny?"

Cydiodd Paul yn ei friffces *Wales TUC Cymru* gan wneud osgo codi. "Af i â'r stwff hyn at y polîs 'yn hunan," meddai.

"Gan bwyll, Paul," ebe Sylvia. Edrychodd i wyneb ei brawd ac apelio heb ymgreinio. "Cer di, os taw'r flaen-oriaeth yw cosbi'r 'crŵcs'. Ma'n ddisgrifiad ddigon teg. Ond os ŷt ti am i'r dystiolaeth hyn fod o les parhaol i bobol y dyffryn, grinda ar beth s'da fi i weud."

Cyfunodd amlinelliad Sylvia o'r strategaeth a argymhellwyd gan Owen Daniels, perswâd mamol Mavis, fy ymresymu proffesiynol i, a distawrwydd tactegol Havard, i gymell Paul i gydymffurfio â'r *three line whip* deuluol.

"Ma'r *Party Hierarchy*, tua Caerdydd a Llunden, yn blês iawn 'da ti, Arwel," cyhoeddodd Havard ar ôl swper yn 18 Waunpark Road, rhywbryd tua diwedd 1988. Erbyn hynny roedd cymylau duon yr argyfwng dwbl wedi cilio o ffurfafen wleidyddol Trelwchwr a'r Parti wedi ei arbed rhag ysgelerder mewnol a beirniadaeth allanol. "Bydd hynny'n lot o help i ti a Sylvia i gael y *nominations* chi'n moyn. Nawr bod y drafferth 'na dros-odd, allwn ni ddechre whilo o ddifri am seddi i chi'ch dou. Rhai diogel. Bydda i a Mavis yn siomedig iawn os na fydd 'da ni ddou MP yn y teulu 'rôl y *General Election* nesa."

LECSIYNA

Esgynnais i binacl fy ngyrfa wleidyddol yn Neuadd y Pentref, Aberberw, cwt sinc ym mherfedd gwyrddlas – a brown, melyn a choch yr adeg honno o'r flwyddyn – Ardudwy a Dinmael, y dydd Sadwrn cyntaf ym mis Tachwedd 1991, pan gyhoeddwyd mai fi fyddai ymgeisydd y Blaid Lafur yno yn yr etholiad cyffredinol nesaf.

Er bod llai na phymtheg milltir rhwng Aberberw a Glan-y-Nant, teimlwn ymhell iawn o gartref. Er mor wresog oedd cymeradwyaeth y ffyddloniaid y cyflwynwyd fi iddynt fel "y bachgen lleol fydd yn arwain Ardudwy a Dinmael yn ôl i gorlan Llafur", dieithriaid oeddynt.

Hiraethwn am fy "nyffryn diwydiannol" yn y de, am gynhesrwydd llwythol Llafur Llwchwr ac am Sylvia a'm gwnaeth yn un o'i phobl hi. Yno mae'r Parti'n dylwyth, er nad ydyw bob amser yn deg. Casgliad o unigolion delfrydgar, carfanau a chlics a'm dewisodd i'w harwain i'r gad etholiadol yn Ardudwy a Dinmael: Cymry Cymraeg gwlatgar a rhai gwrth-Gymreig; Saeson trefedigaethol a dysgwyr brwd; gweithwyr wedi ymddeol o'r chwarel, Crosville a'r rheilffordd a swyddogion undeb wedi ymddeol o Loegr; myfyrwyr, darlithwyr a hipis.

Llywyddwyd yr achlysur gan Martin Penrose, Cadeirydd y Blaid Etholaethol. Y gŵr a'm cyflwynodd i gynulleidfa o ryw ddeg ar hugain oed oedd yr Ysgrifennydd,

Bob Davies. Yn gymaint ag y gallai dau feidrolyn, cwmpasai Martin a Bob, rhyngddynt, ystod ac amrywiaeth y safbwyntiau a'r agweddau a geid ymhlith yr aelodaeth.

Perchennog y Quarryman's Arms/Y Chwarelwr, Llangynnwg, oedd Martin Penrose; gŵr tal, llydan o gorffolaeth, bachgennaidd ei wynepryd, oddeutu 55 mlwydd oed. Ac yntau'n fab hoyw i ddiwydiannwr cefnog yn Sir Gaerhirfryn, gwrthryfelodd y Martin ifanc yn erbyn Rhyddfrydiaeth geidwadol ei deulu a'r dynged fasnachol ac anghyfunrywiol a arfaethwyd ar ei gyfer. Cafodd waith y tu ôl i'r llwyfan yn theatrau Lerpwl a Manceinion a dan ddylanwad actorion asgell-chwith, daeth yn aelod o CND a'r Blaid Lafur. Serch hynny, cymodwyd ef â'i rieni, maes o law, a chyda'u cymorth ariannol hwy, daeth Martin yn berchen ar nifer o sinemâu bychain a neuaddau bingo yng ngogledd-orllewin Lloegr. Gwerthodd y rheini i gwmni adloniant enfawr yng nghanol yr wythdegau, prynodd yr hen dafarn rynllyd a'i throi'n gyrchfan poblogaidd i lymeitwyr, bolgwn a *gourmets* ardal eang.

Gŵr bychan, gwydn, llwyd ei wedd a'i ddiwyg oedd Bob Davies, cyn-brifathro ysgol gynradd wedi ymddeol. Ac eithrio'r Aelodau Seneddol, Bob oedd y bwgan a godid ac a felltithid amlaf yn 'Goleufan' yn nyddiau goruchafiaeth seneddol Llafur yng Ngwynedd.

"'Does gan y dyn lais fel rhaw'n rhygnu hyd lawr cwt glo?" fyddai sylw anochel Mam pan glywem Bob Davies yn collfarnu cenedlaetholdeb a chenedlaetholwyr ar y radio, fel y gwnâi'n bur aml y dyddiau hynny. "'Tydi'r mwstás 'na'n gneud iddo fo edrych 'run ffunud â Hitler?" fyddai'r cwestiwn pan welid llun Bob Davies yn y 'Dail Post' (*Daily Pest*) neu'r *Cambrian Muse*, yn gysylltiedig ag adroddiad am gyfarfod cyhoeddus lluosog neu rali lwyddiannus.

Er nad yw llais y brawd gyda'r mwyaf persain a bod ei

fwstás, cyn i hwnnw fritho, yn debyg i un y *Führer*, sylfaen simsan yw hynny i honni eu bod yn frodyr ideolegol, gan i Bob fentro'i fywyd a threulio pedair blynedd o'i oes yn ymladd yn erbyn Hitleriaeth yng ngogledd yr Affrig a'r Eidal. Y profiad hwnnw a'i gwnaeth yn genedlaetholwr Prydeinig. Ni wadai Bob Davies ei Gymreictod. Nid dyn *King and Country* mono, ond Cymro gwerinol a diwylliedig a ymfalchïai yn ei aelodaeth o'r Fyddin Brydeinig a chwaraeodd ran flaenllaw yn ninistr Natsïaeth, ac o'r Mudiad Llafur Prydeinig a sefydlodd, yn ei farn ef, "y wladwriaeth les ora welodd y byd 'ma 'rioed".

Roedd gan Bob Davies feddwl mawr o Havard a Mavis – "halan y ddaear" ac o'r de: "Gwyn dy fyd di'n byw yno, Arwel. Ma' pobol y Sowth yn gwbod be 'di sosialath!"

"Ddim fel y buon nhw, Bob," atebais heb ymhelaethu.

Roeddem newydd ddod oddi ar y llwyfan ar derfyn y gweithgareddau ffurfiol, gan fynd o'n gwaith at wobr o banad a sgonsan, pan ymunodd y Cadeirydd â ni gyda "Klonkuvaarkyadaye inwaith ettoe, Ah-wel!"

Ysgydwodd Martin Penrose fy llaw'n egnïol dan ymddiheuro: "Excuse me for interrupting, comrades. I just want to ensure, Ah-wel, that Bob here has conveyed to you my proposal regarding your accomodation during the Election Campaign? And any time you may be in the constituency prior to that, should you so wish. The Quarryman's Arms/Ee Kwareloor is at your disposal."

"That's a very generous offer, Martin," atebais. "One I can't refuse."

"Iwl bi steing with iôr perynts twneit, Arwel?" holodd Bob.

"Just popping in to see them," meddwn yn ddigalon.

Yr oeddwn wedi ffonio fy rhieni i ddweud y byddwn

143

yn y cyffiniau, "efo rhyw fusnas", ac y galwn i'w gweld ddiwedd y pnawn. Addawodd Mam brysuro adref o siopa ac ymweld â pherthnasau yn Port mewn pryd i'm croesawu. Arhosais i ddim yn y "cyfarfod sefydlu" cyhyd ag y bwriadwn – "I made an excuse and left", chwedl newyddiadurwyr y gwter – a phan gyrhaeddais 'Goleufan', roedd yn wag.

Ac yn llawnach na phetai fy rhieni gartref. Croesais y rhiniog a chael bod "lleisiau a drychiolaethau hyd y lle". Fy rhieni'n ifanc. Fi'n hogyn bach. Pobl y capel. Pobl y pentref. Hogiau, genethod, cefndryd, cyfnitherod. Dic Tom Tramp. Elwyn Parri oedd "ddim 'run fath â phawb arall". Ann Bryngwyn. Taid Dolgella. Taid a Nain Penygroes . . .

Dilynasant fi o stafell i stafell ac i fyny'r grisiau i'm hen lofft.

Stydi Mam rŵan. Twt. Taclus. "Lle i bopeth a phopeth yn ei le". Ffeilia 'Addysg', 'Merched y Wawr', 'Plaid Cymru', 'Yr Eisteddfod'. *Dim posteri Moch Aflan. 'Run ffenast. 'Run 'rar' gefn. Cwt bach. Cwt mawr. Tŷ gwydr. 'Run caea. Ffarm Bryn Eithin. 'Run gwrychoedd. 'Run brynia . . .*

Stydi Nhad. Llyfrgell a desg ynddi. Rhesi o *Y Llenor, Y Genhinen, Y Traethodydd* a chyfnodolion eraill, wedi eu rhwymo. Silffeidiau o lyfrau wedi eu dosbarthu'n drefnus: 'Crefydd', 'Beirniadaeth Lenyddol', 'Drama', 'Gwleidyddiaeth', 'Gwyddoniaeth', 'Hanes' . . .

Dychwelais i'r presennol orau gallwn a phrysuro o'r cysegr sancteiddiolaf, i lawr y grisiau, allan o'r tŷ a lleisiau a wynebau'n fy ymlid.

Cerddais i lawr trwy'r pentref gan ddilyn fy hynt feunyddiol yn ôl a blaen i'r ysgol, chwarter canrif ynghynt.

Tŷ John a Huw. Tŷ Alwen. Tŷ Anti Meri . . . Ma' nhw i gyd mor fach. 'Rysgol. Y Ffeddars – yr unig bỳb lleol ches i rioed beint yn'o fo.

Cyrraedd Llythyrdy a Siop y Pentref. Erstalwm: Glan-y-Nant Post Office and Stores. *Closed* ar bnawn Sadwrn, erstalwm. *Ar Agor* heddiw. 'Rhen Defi Wilias yn ei ofarôl brown y tu ôl i'r cownter, erstalwm. Sais boliog oddeutu'r deg ar hugain, mewn crys Liverpool F.C., heddiw.

"Ga i un o'r rhein, os gwelwch chi'n dda?"

"Chewing gum? Certainly, sir! Just passing through?"

"Visiting. My parents live here."

"You're local then? Originally, I mean?"

"Yes. Originally."

"Hang on. You must be the Reverend and Mrs Williams's son? Lovely people. Very friendly."

Wrth i mi adael daeth gwraig ifanc i mewn dan wthio *buggy* a geneth fach ynddi.

"Good-bye, sir. Hiya, Cynth! Hiya, Hayley!"

"Hiya, George!"

'Blaw bo fi'n byw yn Nhrelwchwr ac yn y Blaid Lafur faswn i'n racist *rhonc.*

Dychwelais i 'Goleufan' a diolch fod car fy rhieni o flaen y tŷ, er mor anodd fyddai'r orchwyl a'm hwynebai.

Ymddangosodd fy nhad yn y lobi gynted ag y trois y goriad yn nhwll y clo:

"Arwel! 'Ngwas i! Tyd i mewn. Welon ni'r Audi tu allan a methu dallt lle'r oeddat ti."

"Sud 'dach chi, Dad? Es i am dro bach i'r pentra."

"Newid dim, nagdi?"

Daeth Mam o'r gegin, gwên glên ar ei hwyneb a ffedog flodeuog dros ei "dillad hel tai", chwedl hithau. Dododd ei dwy law ar fy ysgwyddau a'u gwasgu'n dynn, dynn a chusanu fy moch.

"Gawn ni de bach yn gegin," meddai. "Fydd o'm dau funud. Ewch drwadd i'r parlwr eich dau."

Dychwelodd Mam i'r gegin ac aeth fy nhad a minnau

i'r parlwr ac eistedd ar yr hen gadeiriau *chintz* cysurus o boptu tân newydd ei gynnau. "Wel," holodd fy nhad gydag uniongyrchedd hollol annodweddiadol, "Sut aeth hi? Pnawn 'ma?"

"Yn y cwarfod? Wyddach chi . . .?"

"Siŵr iawn. Dewiswyd chdi?"

"Do."

"Glywon ni ma' hynny fydda'n debygol o ddigwydd."

Syllasom ar ein gilydd yn fud am ysbaid hir, fy nhad yn ymatal rhag beirniadu a minnau rhag ymateb yn amddiffynnol i oslef gyhuddgar ei lais.

"Roedd rhaid i mi alw yma i ddeud wrthach chi'n hun," meddwn yn gymodlon. "I ni gael dŵad i ddealltwriaeth, cyd-ddealltwriaeth, dros y misoedd nesa."

"Fydd hynny ddim yn hawdd," ebe fy nhad, a'i edrychiad yn datgan yn glir pwy oedd i'w feio. "Ma' dy fam wedi cymryd ati'n arw. Ma' hi'n siomedig ofnadwy."

"Dw' inna'n siomedig o glŵad hynny," atebais heb arwydd o gynnwrf, fel petai Nhad yn gleient braidd yn afresymol. "Feddylis i'n bod ni'n dallt 'yn gilydd erbyn hyn. A finna wedi bod yn y Blaid Lafur cyhyd."

"Rydan ni wedi derbyn y llwybr ddewisaist i ti dy hun tua'r de, Arwel," atebodd fy nhad gyda'r awdurdod tawel a'i nodweddai pan fyddai ef a minnau'n anghydweld. "Tydan ni ddim yn ama am funud onestrwydd ac unplygrwydd dy ymrwymiad gwleidyddol di. Ond fedrwn ni yn 'yn byw weld pam fod hwnnw'n dy yrru di'n ôl i'r ardal lle cest di dy fagu, i neud dy ora' i gipio un o seddi prin y Blaid Genedlaethol."

Gwrthryfelais fel y gwnawn yn f'arddegau: "Un rheswm, Dad: tydi hi ddim yn 'blaid genedlaethol'. Plaid Gwynedd ydi hi. Y Blaid Lafur ydi plaid pobol Cymru, ers trigian mlynadd a mwy."

"Digon gwir. Boed hynny er gwell neu er gwaeth. Ond

ma' angan cenedlaetholwyr yn San Steffan fel lladmer-yddion Cymreictod."

"Lladmeryddion y dosbarth canol Cymraeg ma'r iaith yn ffon fara iddo fo. Athrawon a phobol y cyfrynga."

"A phregethwyr?"

Llonnais o'i weld yn gwenu ac ateb yn yr un cywair: "Does 'na ddim llawar o'r rheini ar ôl, Dad. Gwaetha'r modd."

Difrifolodd fy nhad. "Lecian ni i ti alw i'n gweld ni pan fyddi di ar hyd y lle, o rŵan tan yr etholiad. Ond yn ystod yr ymgyrch 'i hun, Arwel, ella bydda hi'n well i ti beidio. Gas gin i ddeud hynny, cofia. Ac os ca i ofyn un gymwynas?"

"Siŵr iawn."

"Mi fasan ni'n wir ddiolchgar tasat ti ddim yn cynnal cwarfod cyhoeddus yn y pentra."

"Digon hawdd cytuno i hynny, dyddia hyn."

Ochneidiodd fy nhad mewn rhyddhad neu siomedig-aeth a chodi o'i gadair. "Tyd i roid rwbath yn dy gylla cyn cychwyn yn d'ôl."

Aethom drwodd i'r gegin ac eistedd yn ddywetwst wrth y bwrdd nes i Mam holi'n gellweirus wrth dywallt y te. "Pam ydw i'n meddwl am Basil Fawlty? Wn i: 'Don't mention the war'. Ddeudodd dy dad wrthat ti sut rydan ni'n teimlo, Arwel? Dwi'n gobeithio'ch bod chi'n dal yn ffrindia. Ydach chi? Ardderchog. Reit. Soniwn ni 'run gair arall am yr etholiad nes bydd y miri Prydeinig hwnnw drosodd."

Ni allwn ymatal rhag plagio: "Ydach chi'n cymharu etholiad democrataidd efo rhyfal?"

"Pwy ddeudodd ma' 'gwleidyddiaeth trwy ddullia eraill ydi rhyfal'?" ebe hithau gan ychwanegu, bron ar yr un gwynt. "Anti Nerys ac Yncl Dei'n cofio atat ti . . ."

Arweiniodd hynny at sgwrsio am helyntion gwahanol

aelodau o'r teulu a rhai o "gymeriadau" y pentref a barodd tan ddiwedd y pryd.

Ysgydwodd fy nhad a minnau law yn y lobi, yn ôl ein harfer. Dododd fy mam ei dwylo ar fy ysgwyddau eto a chusanu fy moch. Cusanais hi ar ei thalcen a sibrydodd hithau'n fy nghlust: "Os enilli di, mi golla i fab."

Sefais fel delw am rai eiliadau, yna trois a cherdded allan o'r tŷ ac at fy nghar. Taflais gip dros fy ysgwydd wrth fynd i mewn i'r cerbyd a gweld mai dim ond fy nhad a safai yn y drws.

Fethodd hi ddal.

Taniais yr injan, rhoi bîb cwta ar y corn a gyrru ymaith. Daliai fy nhad i sefyll yn y drws ond ni chododd ei law.

Gwrandawais ar Radio 4 yr holl ffordd o Glan-y-Nant i Drelwchwr – newyddion, chwaraeon, trafodaeth ar effeithiau'r "chwyldro technolegol", rhaglen ddogfen am Somalia, drama dditectif am lofruddiaeth mewn plasty – heb i hynny lwyddo i f'atal rhag meddwl.

"Siwrne wael?" holodd Sylvia pan gyrhaeddais adref a dodi 'mreichiau amdani. "Ti'n dishgwl yn ofnadw."

"Siwrna ddi-fai. Be ddigwyddodd cyn hynny hambyg-iodd fi," atebais a rhoi crynodeb o ddigwyddiadau, areith-iau a sgyrsiau'r diwrnod.

"Druan o Ari," ebe Sylvia gan fwytho cefn fy mhen. "Ma' Ceinwen a fi'n rhoi shwt amser caled i ti. Rwyt ti fel arwr miwn trasiedi Groegaidd, yn cael 'i rwygo rhyngt 'i fam a'i wejen."

Gwyddai sut i godi 'nghalon.

"Naci," meddwn. "Melodrama Gymraeg. *Fy Machgen Gwyn i*, neu *Y Mab Afradlon.*"

"Ffars gethon ni man hyn," ebe Sylvia gyda chwerthin-iad cwta. "Cer i gael bath. Bydd bwyd ar y ford pan ddoi di lawr a weda i wrthot ti."

Hynny a wnaeth tra claddwn i'r omlet a'r salad a osododd o'm blaen:

"Ffonodd Dad jest wedi i ti madael bore 'ma. Roedd Sue 'co. Wedi galw cyn iddo fe gwpla'i frecwast. 'Problem' 'da hi. 'Da ti syniad beth oedd hi . . .?"

"Owen?"

"Unwaith 'to. Benderfynodd e, achos byddet ti bant, gymryd y *surgery* 'i hunan am unwaith a ffonodd e Sue i ofyn ddele hi i stesion Abertawe i gwrdd â'r trên. Aeth hi, er bod hi wedi trefnu i fynd mas 'da ffrindie a gall Owen fforddo tacsi'n net. Cyrhaeddodd y trên hanner awr yn hwyr ac roedd Owen yn feddw siwps. Gorffod i Sue gael help dau borter, neu beth bynnag ma' nhw'n galw'u hunen dyddie hyn, i'w helpu hi fynd â fe i'r car, a stopo ar ochor yr hewl yn Jersey Marine, iddo fe hwdu. Dros 'i siwt a'i sgidie, fel bod y car yn drewi'n wa'th nag un o lorie Gwilym Greaves.

"Penderfynodd Sue bod shwt stad ar Owen nagodd e'n ffit i'w adael ar ben 'i hunan. Felly aeth hi tua thre gynta, lle'r oedd John yn carco Jason a Kelly, gweud beth oedd y sefyllfa, a gofyn fydde fe'n folon sefyll 'da'r plant dros nos. Feddyliodd hi bydde John yn dwlu. Ond na. 'Rwyt ti am i fi gysgu 'ma, i ti allu cysgu 'da'r bòs?' medde John. Jocan bod e'n jocan. 'Fyddwn ni ddim yn yr un gwely, John,' medde Sue. 'Rwy jest am fod 'na rhag i Owen gwympo lawr staer neu foddi'n 'i 'hwd 'i hunan.' 'Nage jest *secretary* fach wyt ti, ife?' medde John. 'Ti'n *minder* ac yn nyrs iddo fe hefyd?' 'Olreit, os ti am neud shwt ffws,' medde Sue, 'Cer. Rof i Owen yn bedrwm Kelly a gaiff hi ddod ato i.' 'Na,' medde John. Os do fe! Sychodd Sue'r llawr 'dag e. 'Na? Na?' medde hi. 'Pwy yffach wyt ti i weud "Na" wrtho i? So ni wedi bod yn briod ers whech mlynedd. Nagyt ti'n cofio? Nghartre i yw hwn, gwboi. S'da ti na neb arall hawl i weud pwy gaf i i sefyll 'ma.'

"Bactracodd John fel y boi, ac aeth Sue'n ôl i'r car,

lle'r oedd Owen wedi hwdu am ben y *dashboard* a chwympo i gysgu . . . Driodd e grôpo Sue pan gyr-haeddon nhw'r tŷ. 'Na'i gorffennodd hi. Nath Owen rwbeth tebyg, os ti'n cofio, y tro 'ny sefodd hi yn 'i fflat e yn Llunden, ond lot gwa'th. Deffrodd Sue e bore 'ma 'da dished o de a mis o notis. Wedi 'ny, aeth hi i tŷ ni a gweud 'run peth wrth Dad. 'Na pam ffonodd e. Es i draw 'co, a rhyngton ni, gyda llond dram o flacmel moesol, berswadon ni Sue i ddala mlaen tan yr etholiad. Eiff hi wedi 'ny. Ma' Prifathro'r Tec yn whilo am ysgrifenyddes newydd at y flwyddyn academaidd nesa, a wedi cynnig y swydd i Sue."

"Sut fath o 'flacmel moesol'?"

"Atgoffes i Sue shwt helpodd Owen hi pan oedd hi ar 'i thin. So i'n browd o 'na, reit? Ond ma'n well iddi hi gwpla a phawb yn ffrindie na fel arall."

"Tydi hi'n biti fod Owen yn mynnu dal ati'n San Steffan?"

"Yn lle sefyll lawr a rhoi siawns i ti, Ari."

"Neu chdi."

"Af i miwn yn Cardiff South-West."

"A finna'n Ardudwy a Dinefwr. Ha-ha-ha!"

* * *

Ni allaf honni i'm hymgyrch etholiadol fod yn frwd nac yn egnïol. "Cydwybodol" yw fy nisgrifiad i – yr ansodd-air lleiaf addas yn yr iaith Gymraeg mewn perthynas ag Arwel Williams ym marn llawer o genedlaetholwyr. Yn y cyfnod rhwng y cyfarfod mabwysiadu a'r diwrnod y cyhoeddodd John Major y cynhelid Etholiad Cyffredinol ar Ebrill 9fed 1992, anfonwn ddatganiadau a llythyrau'n gyson at y wasg a'r cyfryngau yn y gogledd ac ymwelwn â'r Etholaeth ddwywaith neu dair bob mis i ganfasio, annerch cyfarfodydd, ciniawa gyda phwysigion, ac arolygu ein paratoadau.

Arhoswn yn y Chwarelwr yn ystod yr ymweliadau hynny. Ffoniwn 'Goleufan' oddi yno gydag ymddiheuriad na allwn alw oherwydd byrder f'arhosiad, ac fe'i derbyniwyd yn gwrtais bob tro.

"Meddylia," meddwn unwaith wrth ffarwelio â Sylvia cyn cychwyn am Tibet, "Tasan ni'n byw yn y gogledd . . ."

"*Internal exile* . . ."

"Chditha'n dŵad yn d'ôl i Drelwchwr i sefyll dros y Blaid Fach. Fasa Havard a Mavis byth yn madda i chdi. Byth bythoedd."

"S'da 'na ddim i neud 'da *politics*. Rhai da ŷn ni'r Sionis am ddala dig. Ma' rhai teuluoedd yn pallu siarad â'i gilydd am ddegawde, o achos cweryl ynglŷn ag ewyllys, neu am fod plant y naill whar yn gneud yn well na rhai'r llall, neu bod Dai wedi gweud rhywbeth cas am gar newydd Dic, miwn priodas neu angladd."

"Rydan ni'n bobol neisiach na chi."

"Pam ddest ti lawr 'ma 'te?"

"I ddysgu sut i fod yn fastad."

Nid wyf yn meddwl fod elfen gynhenid ddeheuol yn perthyn i elyniaeth Rhodri Daniels at ei dad. Mae'n enghraifft o anghydfod teuluol sy'n gyffredin ym mhob cwr o'r wlad y dyddiau hyn.

Fel rhan o'r cytuneb ysgariad, gwerthwyd 'Llys Aeron'. Gyda'r arian a ddeilliodd iddynt, prynodd Non dŷ helaeth â thir o'i amgylch ar gyrion Aberteifi, ac Owen dŷ-penrhes yn Llewelyn Street, Trelwchwr, i fod yn droedle cyfyng iddo yn ei etholaeth.

Er mwyn tynnu'n groes, aeth Rhodri i Gaergrawnt i ddilyn cwrs mewn Cyfrifiadureg, gyda hedonistiaeth a cherddoriaeth roc fel pynciau atodol, yn hytrach nag i Rydychen i astudio'r Gyfraith yn hen goleg ei dad a mynychu Cymdeithas Dafydd ap Gwilym a'r Oxford Union. Mynegodd ei deimladau at ei riant yn glir ac yn gyhoeddus y diwrnod y lawnsiwyd ymgyrch seneddol olaf Owen Daniels.

Teithiodd Rhodri Daniels o Gaergrawnt – via Aberteifi, mae'n debyg – i Drelwchwr yn unswydd i godi cywilydd ar ei dad ac i niweidio ei ymgyrch.

Daeth Rhodri i mewn i'r cyfarfod yn y *Welfare*, pan oedd ar ei hanner, gan lusgo'i draed yn swnllyd i dynnu sylw ato'i hun. Ni fu crib yn agos at y mwng ar ei ben ers dyddiau, nac ellyn at y blewiach ar ei wyneb, ers dydd-iau. Gwisgai garpiau budr a fu unwaith yn anorac a jîns, a chrys-T ac arno lun deilen canabis a'r neges *Legalize Pot*.

Eisteddodd Rhodri ar y sedd agosaf at ale ganolog y neuadd, ychydig resi oddi wrth y llwyfan. Tremiodd at y llwyfan gydag atgasedd ac o'i amgylch gyda dirmyg cyn cymryd arno ddarllen copi o'r *Sun*. Pan gyhoeddodd Havard, a gadeiriai'r cyfarfod, barodrwydd yr Ymgeisydd i ateb dau neu dri o gwestiynau, cododd Rhodri ar ei draed a gofyn, yn Saesneg, a gytunai Mr Daniels fod alcohol yn gyffur llawer peryclach na chanabis ac yn gyfrifol am ddrygau cymdeithasol difrifol megis trais yn y cartref, chwalu teuluoedd, a damweiniau ar y ffyrdd ac yn y gwaith? Ac oni ddylid, felly, gwahardd alcohol a chyfreithloni canabis?

Atebodd Owen fel petai dieithryn wedi codi cwestiwn rhesymol a diffuant. Dywedodd ei fod, am unwaith, yn cytuno â'r Democratiaid Rhyddfrydol ac yn pleidio sefydlu Comisiwn Brenhinol i astudio maes mor ddyrys.

Cododd Rhodri ar ei draed, bloeddio "You bloody hypocrite!" ar ei dad a gadael y neuadd mor swnllyd ag y daeth i mewn iddi.

Penderfynodd yr unig newyddiadurwr lleol a oedd yn

bresennol y byddai ewyllys da Aelod Seneddol a Phlaid Lafur Llwchwr yn elwach iddo, yn y tymor hir, na stori dabloid . . .

Daeth yr unig gasineb personol a anelwyd ataf i yn ystod yr ymgyrch o gyfeiriad hen gyfaill a chyn-athro. Ar gwr stad gyngor fechan yn Aberberw y bu hynny, brynhawn Sadwrn cyntaf yr ymgyrch. Fel y safwn ar fin y ffordd, yn trafod tactegau canfasio gyda Martin, Bob a dyrnaid o gefnogwyr eraill, trodd Volvo Estate ac arno gorn siarad a phosteri Plaid Cymru oddi ar y briffordd a gyrru tuag atom. Stopiodd y car gyferbyn â mi, agorodd y gyrrwr ei ffenestr ac arthio:

"Arwel ap Rheinallt. Fel roeddat ti cyn troi dy gôt, y diawl. Mi newidist dy enw mor hawdd â bydd Neil Kinnock yn newid 'i egwyddorion."

"Sut wyt ti, Gruff?" atebais fel petawn i'n falch o'i weld. O sylwi fod wyneb Gruff Richards wedi tewychu a'i wallt a'i fwstás wedi britho ychwanegais: "Mi wyt ti'n edrach yn dda iawn. O styriad d'oedran."

"Trist iawn gweld cyn-aelod o Fudiad Gweriniaethol Sosialaidd Cymru'n ymgeisydd seneddol dros Blaid Lafur Lloegar," sgyrnygodd Gruff.

"Neu'n aelod o Blaid Crachach Gwynedd. Fel byddat ti'n galw'r Blaid Fach."

"O leia mi geith aeloda Plaid Cymru 'u galw'u hunin yn sosialwyr."

"Galwch 'ych hunin be fynnwch chi, Gruff. Newidiwch chi ddim byd. Efo ni ma'r werin. A'r undeba."

"Gath Lebyr sawl cyfla. Newid petha er gwaeth neuthoch chi bob tro."

"Mi wyt ti'n dal yn y 'peiriant llofruddio', Gruff? Sgin ti jans o fod yn 'chwyldroadwr proffesiynol' cyn riteirio?"

"Bradwr!" bloeddiodd Gruff Richards cyn cau'r ffenestr a'i sbydu hi'n ôl am y lôn bost.

"Ar-dderchog, Arwel!" bonllefodd Bob Davies.

"I didn't catch all that, Ah-wel," ebe Martin Penrose, yr un mor frwd, "but I liked the way you handled that nasty Nat. You really shafted him!"

"That's what I'm here for, isn't it? " atebais mor raslon ag y gallwn.

Y nos Wener ganlynol, noson brysur yn y Quarryman, a minnau'n eistedd ger y bar yn darllen adroddiad yn y *Western Mail* am yr heddlu'n cyhuddo "Paul Griffiths, market trader, former NUM militant convicted of disorderly conduct during the Miners' Strike and brother of Sylvia Griffiths, Labour's hopeful in Cardiff South West" o fod â chanabis yn ei feddiant gyda'r bwriad o'i werthu, daeth Gruff Richards i mewn i'r dafarn heb i mi na Martin sylwi arno. Roedd menyw ifanc gydag ef, ac eisteddodd y ddau wrth fwrdd yn y rhan honno o'r bar yr arlwyir bwyd ynddi.

Martin sylwodd gyntaf. "There's that troublemaker and a bit of skirt," murmurodd. Trois a gweld fy hen fentor yn gwenu'n faleisus arnaf.

"Shall I ask them to leave?" gofynnodd Martin yn bryderus.

"Less hassle if I sink this and go up to my room," meddwn gan amneidio at y cwrw yng ngwaelod fy ngwydryn hanner peint. "There's a programme I want to watch later."

Dywedodd Gruff rywbeth wrth y ferch. Trodd hithau ei phen atom a bu bron i mi gwympo oddi ar fy stôl ar y llawr llechog.

Ann Tomos! Ann Bryngwyn! Mor ddel ag erioed! Wedi aeddfedu! Ddim heneiddio fath â'r diawl diflas sy efo hi.

Cofiais i Mam grybwyll, rhyw flwyddyn yn ôl, fod "Ann Bryngwyn a Gruff Richards yn 'ffrindia'. Gaeth ynta ysgariad, ddwy-dair blynadd yn ôl. Aeth 'i wraig o'n ôl i Ffrainc, efo'r plant. Biti drosto fo."

Gwenodd Ann arnaf. Gwenais innau'n ôl, yn syn. Dywedodd Gruff rywbeth a barodd i Ann godi a cherdded at y bar. Sylwais fod ei gwallt fymryn yn fwy euraid na phan oedd yn ferch ysgol, ei chorff yn llawnach ond yr un mor lluniaidd a'r chwaeth a ddewisodd y siwmper a'r jîns du, tyn a'r belt gyda'r bwcwl mawr, arian, mor ddiffael ag erioed.

"Sut wyt ti, Arwel?" holodd Ann a chynhesrwydd yn ei llais a'i llygaid.

"Da iawn. Pan ddo i dros y sioc o dy weld di," atebais, gan obeithio na sylwai fy mod yn gwrido.

"If you'll excuse me . . ." meddai Martin gan droi i weini ar lymeitiwr sychedig. "Give us a shout, should you need me, Ah-wel."

Prin deirgwaith y gwelsai Ann a minnau ein gilydd wedi i ni adael ein gwahanol golegau ond gwnaeth Mam yn siŵr 'mod i'n gyfarwydd â'i hynt a'i helyntion:

Teithio'r byd gyda chyfres o gymdeithion ecsotig, yn fechgyn ac yn ferched, a alwai gyda hi yn 'Bryngwyn' unwaith neu ddwy bob blwyddyn. Priodi un o'r rheini, rhyw David o Seland Newydd, a dechrau busnes crefftau ym Meddgelert. Ganwyd merch iddynt yn 1986 ond methodd David â setlo ac wythnos ar ôl pen-blwydd Siân yn ddwy cododd ei bac. Symudodd Ann a Siân i fwthyn ar dir 'Bryngwyn' a addaswyd ar eu cyfer a gofalodd Mr a Mrs Thomas am Siân tra dilynai ei mam gwrs hyfforddiant ym Mangor. Wedi deunaw mis o gyflenwi, dychwelodd Ann Tomos i'r "academi" lle bu'n ddisgybl, yn athrawes gelf.

"Ga i gynnig rwbath i yfad i chdi a Gruff?" gofynnais.

"Gawn ni rwbath rŵan efo'n bwyd, Arwel," atebodd Ann â chipolwg bryderus dros ei hysgwydd. *Cue* anfwriadol i Gruff Richards ymuno â ni.

"Tydw i ddim wedi dŵad i dorri ar draws sgwrs dau

hen ffrind mynwesol," meddai Gruff gan wenu'n annifyr. "Jest isio gofyn rwbath i'r ymgeisydd Llafur ydw i, Nanw."

"Paid â dechra, Gruff!" rhybuddiodd Ann.

"Dechra be?" ebe yntau'n ddiniwed.

"Dyna pam deuthon ni yma 'ntê? I chdi gael herio Arwel?"

"*Moi*?" chwarddodd Gruff cyn troi'r tu min ataf. "Jest isio gwbod oeddwn i, Arwel, sut ma' dy rieni'n teimlo bo chdi'n sefyll dros y Blaid Lafur, a nhwtha'n gymaint o Bleidwyr? Mi gymron atyn yn arw – do, Nanw? – noson o'r blaen, yn y Pwyllgor Rhanbarth. Amball un yn edliw bo chdi wedi troi dy gôt a bradychu Cymru, am resyma braidd yn amheus . . ."

"Reit! 'Dan ni'n mynd!" gorchmynnodd Ann.

"Howld on, Nanw! Dal dy ddŵr a rho gyfla i'r hogyn atab," protestiodd Gruff.

"Rŵan, Gruff!" mynnodd Ann, a'i hedrychiad yn ei ysu. "'Ta ffonia i am dacsi?"

"Iawn, iawn," cydsyniodd Gruff Richards yn anewyll-ysgar. "Chdi sy'n iawn. Ŵyr dyn ddim lle ma' rwbath fel hwn wedi bod."

"Dos i nôl 'y nghôt i, Gruff."

"Ddrwg gin i am hyn, Arwel," ymddiheurodd Ann tra cyrchai Gruff ei siaced ledr ddu. "Gobeithio cawn ni jans am sgwrs go-iawn rywbryd."

Cyn i mi wneud rhagor na nodio a gwenu, dychwelodd Gruff gyda'r siaced, cipiodd Ann hi o'i ddwylo a brasgamu o'r dafarn a Gruff i'w chanlyn.

"Well done once again, lad," ebe Martin gan dybio mai fy huotledd i a yrrodd y gelyn ar ffo yr eildro. "You should have let me kick him out as soon as he arrived. I'll tell you what – I'll bring the bugger's name up before the Licensed Victuallers, at our next monthly meeting, and have him banned from all pubs within a twenty-five mile radius. D'you know his name, Ah-wel?"

"Saunders Lewis."

"Saunders Lewis? Have I heard that name before?"

"Probably. He's notorious. Give me a large Jamesons to take up to my room, please, Martin."

"I'm a very strong supporter of the Welsh language and culture, as my locals will tell you," ebe Martin wrth arllwys tri joch hael i'm gwydryn. "But I do detest nationalism. All forms of nationalism."

"Including English nationalism?"

"Certainly. Not that it's much of a problem."

"What about the National Front? And English football supporters?"

"A very small minority. On the whole, we English are pretty unconcerned regarding questions of national identity and the like."

"There's a lot of anti-Welshness being directed at Neil from leading Tories and sections of the press . . ."

"Just traditional hustings knock-about, surely? Being Welsh did neither Lloyd George nor Nye Bevan any harm!"

Es i i fyny i'm llofft i orwedd ar fy ngwely a sipian wisgi'n synfyfyriol, bob yn ail â darllen am drafferthion diweddaraf Paul Griffiths a newyddion eraill o'r de. Goleu-ais y teledu yng nghornel y stafell am hanner awr wedi deg er mwyn gwylio trafodaeth rhwng ymgeiswyr y prif bleidiau a ddarlledid o Gaerdydd. Cyfraniadau ystrydebol a gafwyd gan y Pleidiwr a'r ddynes ddi-liw a gynrychiolai'r Democratiaid Rhyddfrydol ond creodd y gwrthdaro rhwng y Tori, Iwan Harries, a'r Lafurwraig, Sylvia Griffiths, ill dau'n ymladd am sedd De-Orllewin Caerdydd, adloniant gwleidyddol o safon, e.e.:

"Plaid trethu'r bobol a gwario'u harian nhw yw Llafur, fel buodd hi erioed."

"Nage ddim. Rŷn ni yn y Blaid Lafur yn bobol gyfrifol iawn. 'Na pam ma' John Smith, y *Shadow Chancellor*, wedi gosod allan yn glir y newidiade mewn yswiriant cenedlaethol rŷn ni'n eu hargymell, a'r codiade mewn treth fydd rhaid i bobol ar incwm uchel 'u talu, fel bod yr etholwyr yn gallu gweld yn union sut rŷn ni'n bwriadu talu am godiade mewn pensiyne a budd-dal i blant."

"Rwy'n folon cyfadde fod Llafur wedi cefnu ar y rhan fwya o'u hegwyddorion er mwyn ennill grym – gwladoli diwydiant a gwaredu arfe niwcliar, er enghraifft, ond ma' nhw'n dala i bregethu '*the politics of envy*' ys gwedan nhw."

"A'r Torïed yn pregethu '*the politics of greed*'."

"Odi Sylvia Griffiths yn sosialydd? So ni wedi cael ateb i'r cwestiwn 'na 'to!"

"Wrth gwrs bo fi'n sosialydd."

"Odi Neil Kinnock yn gwbod 'na, Sylvia? Dyma gwestiwn arall rwy moyn gofyn i ti. Ble ŷt ti'n sefyll ar y teulu? I ni Geidwadwyr, y teulu, ynghyd â'r gwerthoedd Cristnogol traddodiadol, yw conglfaen cymdeithas iach . . ."

Fel y dechreuodd Sylvia ateb y byddai'r Llywodraeth Lafur nesaf yn ymgyrchu'n benderfynol i ddileu tlodi o bob cwr o gymdeithas, canodd y ffôn. Cipiais y derbynnydd o'i grud gan feddwl rhoi ateb swta i *mine host*. Pan glywais lais Ann Tomos, tewais y teledu.

Ffoniai Ann i resynu at "ymddygiad ffiaidd" Gruff Richards ac i ddweud na fyddai wedi dod gydag ef i'r Chwarelwr pe gwyddai fod Gruff â'i fryd ar godi helynt efo fi. Roedd yn falch, serch hynny, o 'ngweld, a gwahoddodd fi i alw yn 'Bryngwyn' am "sgwrs gall" cyn dychwelyd i'r de, petai'r ymgyrchu'n caniatáu. Dywedais y gallwn bicio draw y prynhawn Sul canlynol, gan fod y Blaid Lafur yn parchu'r Saboth yn y Gymru Gymraeg.

"Dwi 'di gaddo i Siân y cawn ni bicnic yn lle cinio

dydd Sul nesa," meddai Ann. "Ma' croeso i chdi ddŵad hefo ni, Arwel . . . Grêt . . : Alwa i heibio 'cw i dy nôl di."

Picniciwyd ar lan goediog afon Lafar, ar dir yn eiddo i gefnder Ann, rhyw wyth milltir i'r de o Glan-y-Nant. Tywynnai'r haul yn wanwynol. Blagurai cangau'r coed. Ni allaswn fod yng nghwmni dwy ddiddanach nag Ann a Siân, na dwy fwy lliwgar eu diwyg yn eu tracwisg-oedd mam-a'i-merch coch, gwyn a gwyrdd. Dotiwn ar ddiniweidrwydd hen ffasiwn Siân a'i Chymraeg naturiol, tlws. Rhyfeddwn fod yr hen gyd-adnabyddiaeth rhwng Ann a minnau'n parhau heb ymdrech ar ein rhan.

Darparodd Ann yr enllyn: ham cartref, *salami*, pasteiod, *couscous*, caws, salad, salad ffrwythau a choffi; minnau botel o *Montepulciano* rhagorol y Quarryman, potel Coke fawr a llwyth o bapurau dydd Sul.

Wedi i ni orffen bwyta, aeth Siân i chwarae gyda phwced a rhaw ar y draethell raenog ar fin y dŵr, ychydig droedfeddi oddi wrthym.

"Tydi hi'n rhyfadd sut ma' petha'n troi allan, Arwel?" ebe Ann, â'i llygaid gwyliadwrus ar y fechan. "Yr hogyn laddodd gymaint ar y Blaid Lafur yn sefyll drosti, yn 'i hen ardal. Yn erbyn y cenedlaetholwr mwya asgell chwith sy gynnon ni."

"Siaradodd Dewi Parri-Jones fel Sosialydd, adag Streic y Glowyr. Ond am nad enillodd hynny bleidleisia'n syth bin i Blaid Cymru, symudodd o i'r dde. 'Chwit-chwat-rwydd nodweddiadol o'r fân-fwrgeisiaeth Gymraeg,' fel bydda dy fêt, Gruff Richards, yn ddeud ers talwm."

"Dy fêt ditha ers talwm. Dy dduw di, Arwel."

"'Rioed."

"Tydan ni 'mond yn cofio be 'dan ni isio, nag'dan? Beth bynnag, ma' Dewi'n siarad yn gleniach amdanat ti nag wyt ti amdano fo."

"Er enghraifft?"

Crychodd Ann ei thalcen, fel y gwnâi, rhwng dau feddwl: "Wel . . ." meddai'n betrus, "Wn i ddim ddylwn i ddeud hyn wrthat ti . . . Dylwn, ma'n debyg. Y rheswm wylltis i efo Gruff echnos, a dy ffonio di wedyn i ymddiheuro, oedd 'i fod o wedi deud petha anfaddeuol yn y Pwyllgor Rhanbarth. Syrthiodd o ar 'i fai, wedyn, pan nes i edliw iddo fo. Ma'n amlwg toedd o'm o ddifri."

"Be ddeudodd o?"

"Trafod tactega etholiadol oeddan ni. Deudodd Dewi betha reit ganmoliaethus wrth sôn amdana chdi . . . 'Gwleidydd deallus a phrofiadol, yn perthyn i asgell wlatgarol y Blaid Lafur . . .' 'Ac yn fradwr,' medda Gruff, ar 'i draws o. Ameniodd rhei be ddeudodd Gruff. Rhei erill yn sbio'n flin arno fo, ac yn teimlo dros dy dad a dy fam, oedd yn edrach fel tasan nhw'n torri'u clonna. Sylwodd Dewi, a medda fo'n reit sarrug: 'A bod yn berffaith onast, Gruff, dda gin i ddim clywad y gair yna'n cael 'i ddefnyddio mewn disgwrs gwleidyddol. Os ydi rhywun yn gadael y Blaid Lafur i ymuno efo ni, mae o'n arwr cenedlaethol. Os eith o i'r cyfeiriad arall, mae o'n Jiwdas . . .' 'Ma' cenedlaetholwr sy'n troi'i gôt, fel y gnaeth Arwel Williams, yn fwy o elyn i Gymru na sglyfath fel Kinnock, fu'n gwisling o'r crud,' medda Gruff, a thorri ar 'i draws o eto. 'Ŵyr Kinnock ddim be mae o'n 'i fradychu. Tydi hynny ddim yn wir am Arwel Williams!' Aeth hi'n dân gwyllt. Gymrodd hi sbel i'r Cadeirydd gael trefn ar y cwarfod ond erbyn hynny, roedd Rheinallt a Ceinwen wedi codi a mynd allan."

"Iesu Grist, Ann! Dwi 'di cael llond bol ar y ffycin etholiad 'ma!" tyngais, gan ymddiheuro pan gododd Siân ei phen: "Sori!"

"Mi glywodd waeth," chwarddodd Ann. "Be am gêm o ffwtbol? Ma' Siani'n sgut am gicio pêl, twyt, cyw?"

Codais oddi ar y gynfas blastig tra ymbalfalai Ann mewn bag glan môr a thynnu ohono ffwtbol fechan, ddu a gwyn. Estynnais fy llaw i helpu Ann i godi ar ei thraed a syrthiasom, rywsut, i freichiau'n gilydd a chusanu. Cusan gwta na sylwodd Siân arni.

"Be fasa Sylvia'n ddeud?" holodd Ann â'i gwên yn gam.

"Be fasa Gruff?"

"Dwn i 'im," atebodd a throi i ofyn i'w merch: "Lychist ti dy draed, Siân?"

Bwriadwn sôn wrth Sylvia am y picnic ond wnes i fyth.

Pan ddychwelasom i *HQ* ddiwedd y pnawn, rhaid oedd i Siân fachu ar y cyfle i arolygu tŷ bach dieithr. Arhosais innau ger eu car, i ddiolch am brynhawn bendigedig cyn ffarwelio. Daeth y ddwy trwy borth llydan y dafarn yng nghwmni Martin Penrose, a chydgerddodd y tri ataf.

"What's this, Ah-wel?" holodd Martin, gan bwyntio at y triban ar gwt y Fiesta coch, newydd, sgleiniog. "Fraternizing with the enemy?"

"Six days shalt thou campaign, and the seventh day, the Sabath, shall be a day of rest," meddwn mor hwyliog ag y gallwn.

Gan na chafodd y Sais gen i ymateb a'i bodlonai, trodd at Ann yn hunangyfiawn: "Seriously, though, young lady, I'd be obliged if you'd tell your bigoted companion of the other evening that he will not be made welcome at the Quarryman's Arms in future."

"I'll do no such thing, Mr Penrose," atebodd Ann gan gynhyrfu. "That'll be your pleasure should he happen to turn up here. Which I doubt."

Trodd Martin yn ôl ataf i a phregethu: "When I told my regulars about the incident, Ah-wel, and how rudely and aggressively that lout spoke to you, they were absolutely disgusted. They said it made them feel ashamed to be Welsh."

Gwyrais fy mhen a sibrwd i glust y tafarnwr eiriau nas clywid gan neb ond ef. Trodd ei wyneb yn biws. Ofnwn am rai eiliadau y câi fy sylw effaith angheuol. Ond yn y man, sadiodd Martin Penrose ei hun ddigon i weiddi i'm hwyneb: "Just you wait till Bob Davies and the CLP hear about this! Just you wait!" Croesodd y maes parcio at y dafarn gydag urddas aelod o'r Gwarchodlu Brenhinol yn dychwelyd i'r barics.

"Be ddeudist ti?" holodd Ann yn ddryslyd.

Sibrydais yr un geiriau yn ei chlust hithau tra craffai Siân arnom a cheisio clustfeinio.

Chwarddodd Ann yn uchel dros y maes parcio. "Be ddeudodd o, Mam?" gofynnodd Siân yn ddiamynedd.

"Dim byd ddyla hogan bach glŵad," ebe Ann, a dodi ei merch i eistedd ar sedd gefn y car a'i gwregysu.

"Diolch i ti am hyn'na, Arwel," ebe Ann a tharo sws glec ar fy moch. Neidiodd i sedd y gyrrwr, tanio'r injan a gyrru ymaith gan chwifio'i llaw drwy'r ffenestr agored cyn y medrwn i ddiolch iddi hi.

Nid oedd angen dyfalu pam fod Bob Davies, oedd ar ddyletswydd corn siarad yn yr Audi fore drannoeth, mor dawedog. Ni ddaeth gair o'i enau nes i ni gyrraedd pen-tref Llangynnwg ac y dechreuodd ddatgan y genadwri: "Dim ond Llafur all ddad-wneud effeithiau trychinebus polisïau'r Torïaid. Mae'r rhagolygon barn yn dangos yn eglur y bydd gan Brydain Lywodraeth Lafur ar ôl y nawfed o Ebrill. Gnewch yn siŵr fod gan Ardudwy a Dinmael lais cryf yn y Llywodraeth honno."

Tawodd Bob wedi i ni adael y pentref a dychwelodd yr olwg flin i'w wyneb ysgythrog fel y dringai'r car y Grib, rhiw serth y tu draw i Langynnwg. Tybiais fy mod ar fin clywed beth oedd ar feddwl fy nghydymaith pan ymddangosodd seicliwr o'n blaenau, yn straffaglio i fyny'r clip.

"Fôt Lebyr in necst Thyrsde's Jeneral Elecshion!" uchelseiniodd fy asiant. "Iw nô ut mêcs sens!"

Cododd y seicliwr fawd cymeradwyol wrth i ni ei oddiweddyd.

Ar gopa'r Grib mae cytir, ac arno bentyrrau mawr o raean, cerrig mân a tharmac, wedi eu gadael yno gan Adran Ffyrdd y Cyngor Sir. "Trowch i mewn, fan 'cw, os gwelwch chi'n dda," gorchmynnodd fy nghydymaith.

Ufuddheais a stopio'r car, heb ddiffodd yr injan. Syllodd Bob trwy'r winsgrin am ysbaid hir heb yngan gair. Nid oedd angen dawn delepathig i amau fod adroddiad Martin Penrose am ein *contretemps* yn ei gorddi. Tarodd fy llygaid ar y drych ar ddrws y car a gweld y seicliwr yn cyrraedd y brig ac yn dynesu atom.

"Ffyc off, iw ffycin whait setlyr!" bytheiriodd Bob a'i eiriau'n diasbedain trwy ddau gwm, gan iddo anghofio diffodd y corn siarad.

Ffugiais syndod: "By . . . be ddeudoch chi, Bob?"

Gwelwn y seicliwr yn pwyso'i feic yn erbyn tomen jipins a phrysuro tua'r car ar goesau ceimion. Roedd oddeutu trigain oed. Yn ei helmet, ei grys coch a glas, a'i drowsus-beicio du, ymdebygai i un o fwncïod yr hysbysebion te.

Dyrnodd y seicliwr fy ffenestr i a gweiddi rhywbeth tebyg i: "There's not much welcome in these hillsides, is there?", yr un pryd ag y taranodd Bob am yr eildro: "Ffyc off, iw ffycin whait setlyr!"

"Fuck you, too!" sgrechiodd y Sais gan waldio to'r car. "I'll never vote Labour again, you fucking Welsh bastards!"

"Beryg bo chi wedi'i ypsetio fo, Bob," awgrymais wrth i'r ymwelydd piwis ddychwelyd at ei feic a reidio ymaith gan chwifio deufys atom.

163

Diffoddodd Bob y corn siarad a rhythu'n gyhuddgar i fyw fy llygaid: "Peidiwch â chymryd arnach nad ydach chi'n dallt," meddai. "Dyna'r geiria hyll sibrydoch chi yng nghlust Martin Penrose pnawn ddoe."

"Naci wir, Bob," atebais yn dalog. "Be ddeudis i oedd, 'Please don't raise your voice, old chap. You're frightening the little girl'."

"Ydach chi'n disgwl i mi gredu hynny?"

"Cewch chi 'nghredu i neu gredu Martin Penrose."

"Twrna ydach chi 'tê," ebe Bob Davies yn chwerw, gan ychwanegu'n chwerwach fyth: "A *Welsh Nash*, o hyd, yn y bôn."

"Taswn i'n *Welsh Nash*," meddwn wrth i ni adael y cytir, "faswn i ddim yma'n gneud job mor ddi-ddiolch!"

*　　　*　　　*

Ac eithrio'r picnic, profiad mwyaf pleserus yr ymgyrch i mi oedd y deuddydd a dreuliais yng nghwmni Gwyn Howells. Gan fy mod yn sefyll yng nghanol annibendod ein prif swyddfa gyfyng pan ffoniodd Gwyn i gynnig "help llaw", bu ond y dim i mi gael y sioc ddiarhebol ar fy nhin.

Eglurodd Gwyn mai apêl Havard Griffiths yng nghyfarfod lawnsio ymgyrch anorchfygol Owen Daniels a'i hysgogodd. Roedd yr asiant wedi apelio ar y selogion a ddymunai roi hwb i'r achos mewn etholaeth lai ffodus, yn hytrach na chyrchu parth â Phowys, yn ôl eu harfer, i droi tua De-Orllewin Caerdydd, gan ychwanegu'n smala: "Falle lice ambell un ohonoch chi fynd cyn belled ag Ardudwy a Dinmael, yn North Wêls, ble mae Arwel Williams yn neud 'i ore i achub eneidie'r *natives*, fel un o'r hen genhadon slawer dydd. Ma'r *scenery* 'co'n sbeshal, alla i weud wrthoch chi."

Braf oedd gweld wyneb rhywun o gartref a chyfathrachu, unwaith eto, gyda brodor o'r un byd. Wrth i ni foduro ar hyd ffyrdd, priffyrdd a lonydd bach yr etholaeth, mwynhawn sôn wrth Gwyn am hanes a hynodion fy nghynefin, fel y gwnaethai ef a Sylvia y tro cyntaf yr es i i Drelwchwr. Ei gymwynas werthfawrocaf oedd gwrando'n gydymdeimladol arnaf yn sôn am y croestyniadau a'm dirdynnai wrth i mi fyw'r gwrthdaro rhwng fy ngorffennol a'm presennol.

Ystyriaf Gwyn Howells, byth er hynny, yn un o'm cyfeillion pennaf. Gresynaf na ddaethom i ymddiried yn ein gilydd yn gynt.

"*The green, green grass of home*," ebe Gwyn, a minnau'n gyrru'n ofalus trwy bentref Glan-y-Nant. Arafais wrth nesu at 'Goleufan' gan stopio, ar gais fy nghyfaill, ger Capel Bethel, y tu draw i'r ffordd ac yn wynebu Tŷ'r Capel, sydd drws nesaf i'n tŷ ni. Dyna pryd, i'r eiliad, y trefnodd Rhagluniaeth i'm rhieni ddod trwy ddrws y ffrynt. Roeddynt â'u bryd ar deithio i rywle yn y Vauxhall llwyd a barciwyd yn y rhodfa, rhwng giât yr ardd a'r garej, a sticeri Dewi Parri-Jones, Plaid Cymru, ar ei ffenestr gefn.

Fe'm parlyswyd am hanner eiliad, eiliad, oes, cyn i banic bwyso 'nhroed ar y sbardun. Trwy lwc, roedd Rhagluniaeth wedi trefnu hefyd nad oedd car arall y tu ôl na'r tu blaen i ni.

Ail noson ymweliad Gwyn, wedi diwrnod o ymgyrchu dyfal a swper rhagorol, cawsom sgwrs hir yn y Residents' Lounge/Lolfa'r Preswylwyr, a photel o Jamesons – "Compliments of the House, gentlemen!" – yn drydydd. (Cyn y ffrae rhwng *mine host* a minnau y bu hyn.)

"Petaen ni heb whare'n y fatsh honno," sylwodd Gwyn, ymhell wedi hanner nos, "ma'n debyg na fyddet ti a Sylvia wedi cwrdd."

Eglurodd pa mor gyndyn i gicio pêl yr oedd y prynhawn Mercher gwlyb hwnnw ym mis Tachwedd 1981.

"Digon gwir," cytunais ac esbonio sut y bu i Sylvia fy achub o fagl yr *agent provocateur* a chrafangau'r gyfraith.

"Whare teg iddi," ebe Gwyn ag edmygedd diffuant yn ei lais. "A fel 'ny ddechreuoch chi fynd mas 'da'ch gilydd?" Ymddwysaodd: "Ges i loes ofnadw pan gwplon ni. Ma'n beth gwael i weud, falle, ond bwrodd e fi fwy na phan golles i Mam. Odd dim allen i neud boutu 'na. Jest gwylio Mam druan yn gadel ni, o ddydd i ddydd. Falle bod Sylvia'n cwpla 'da fi'r un mor anochel. Plant o'n ni pan ddechreuon ni. Falle bydden i wedi cwpla 'da hi, nes 'mla'n."

Arllwysodd Gwyn ragor o'r wisgi i'n gwydrau a gofyn: "Wyt ti a Sylvia'n bwriadu dechre teulu, Arwel?"

Diolchais fod llygaid fy nghyfaill ar y botel, y wirod a'r gwydrau.

"Y tro dwytha cododd y pwnc," atebais gan wyro'n ôl a syllu tua'r nenfwd. "Roeddan ni'n unfrydol o blaid. 'Pryd' sy heb 'i setlo."

"So'r opsiwn yn dala ar agor am byth, cofia," ebe Gwyn a gwthio fy ngwydryn tuag ataf. "Penderfynodd Bethan a fi blanta whap wedi priodi a so ni wedi difaru'r un funed. Y ddou fach 'co, Geraint a Sara, yw'r pethach gore ddigwyddodd i fi erioed. Ar wahân i briodi Bethan." Cododd ei wydryn ac ychwanegu: "Iechyd da, Arwel. A llond tŷ o blant i ti a Sylvia."

"Iechyd da," adleisiais.

Tybiaf fod Gwyn wedi dod i Ardudwy am yr un rheswm ag yr wyf innau'n sgrifennu hyn o druth, sef olrhain hynt ei fywyd; a'i fod yntau'n ceisio nithio'r hyn oedd yn anochel oddi wrth gastiau ffawd, ac yn dyfalu a fuasai pethau wedi bod yn wahanol petai wedi gweithredu fel a'r fel yn hytrach na fel arall, wedi dewis y naill ffordd yn lle'r llall.

*   *   *

Er mai ail a gefais yn Ardudwy a Dinmael, a bod rhagor na chwe mil o bleidleisiau rhwng Dewi Parri-Jones a fi, bodlonwyd yr aelodau lleol a'r arweinyddiaeth yn Llundain a Chaerdydd gan y canlyniad, oblegid daeth *swing* o 4.7% o rywle i 'nghodi ychydig gannoedd yn uwch na'r Tori – yn wahanol i dynged ymgeiswyr Llafur yn etholaethau eraill Gwynedd. Plesiwyd fy rhieni hefyd. Hwy, o bosib, oedd yr unig rai a gredai y gallwn gipio'r sedd.

Ychydig o Gymraeg a fu rhwng Bob Davies a minnau yn ystod wythnos olaf yr ymgyrch, a llai fyth o Saesneg rhyngof i a Martin Penrose. Noson y cyfrif, fodd bynnag, cymodwyd ni gan lwyddiant cymhedrol ein hymdrechion yn Ardudwy a siom enbyd y canlyniad cyffredinol. Llafur yn colli, am y bedwaredd waith o'r bron, yn erbyn Plaid Geidwadol bwdr a dieneiniad dan arweiniad llinyn trôns.

Drannoeth y drin, pan adewais y Quarryman's Arms ar ôl brecwast helaeth, hwyr, mynnodd Martin gario fy nghês at y car.

"Now fuck off back to South Wales, you fucking Hoontoo!" chwarddodd *mine host* wrth i ni ysgwyd llaw.

Siwrnai gythryblus oedd honno o Langynnwg i Drelwchwr. At ddiflastod anorfod y troeadau, y tywydd a'r tractors, ychwanegwyd tryblith mewnol: siom, atgasedd ac anobaith yn gymysg ag ymdeimlad o ryddhad:

Diolch i Dduw bod hyn'na drosodd!

Pryder:

Beryg bod sefyll dros Lafur wedi andwyo 'mherthynas i efo Dad a Mam am byth.

Tosturi:

Druan o Sylvia. Colli o 'chydig gannoedd wedi gweithio mor galad. I'r Tori mwya haerllug. Iwan blydi Harries o bawb!

Pan siaradais am ychydig funudau gyda Sylvia'r noson cynt, *"C'est la vie. That's showbiz,"* oedd ei hymateb stoigaidd, ffwrdd-â-hi i'w methiant. Ond crynai ei llais ar ddiwedd ein sgwrs wrth ymbil: "Dere tua thre, glou, fory, Ari. Cymer ofal. Cymer ofal, cariad. Ond dere gynted galli di."

Petai Iwan Llewellyn Harries (Ceidwadwr) wedi camu i ganol yr A470 o flaen fy nghar, buaswn wedi gyrru drosto'n llawen a wynebu oes o garchar yn ddigwyno. Blaenllymwyd dirmyg at ymgyrch fudr, adweithiol a sinicaidd y Torïaid yn Ne-Orllewin Caerdydd ar faen hogi atgasedd personol.

Wrth ganfasio, manteisiai Harries a'i gefnogwyr i'r eithaf ar y sylw a roddodd y wasg a'r cyfryngau i restio Paul Griffiths. Cyhoeddasant daflen yn galw am ddeddfau llymach yn erbyn cyffuriau, gan gynnwys ynddi ddyfyniadau o anerchiad o blaid cyfreithloni canabis a draddododd Sylvia yn y *Lit & Deb* yn Aberystwyth, ddeng mlynedd ynghynt. Codwyd ei sylwadau o rifyn cyfamserol papur Saesneg y myfyrwyr.

Darganfu'r heddlu dair gram o ddôp mewn siop wedi cau yn y Stryd Fawr, Trelwchwr, lle y storiai Paul y nwyddau a werthai mewn marchnadoedd hyd a lled y de. (Pe gwyddent mai anrheg gan Rhodri Daniels, mab yr Aelod Seneddol Llafur lleol oedd y stwff . . .)

Cyfiawnhad yr heddlu dros archwilio'r stordy oedd *tip-off* annilys gan Anhysbys fod yno geriach wedi ei ladrata. Gollyngwyd y cyhuddiad o fwriadu gwerthu'r cyffur.

Wrth gofio ymweliad boreol y *Special Branch* â'm stafell ym Mhantycelyn, ddeng mlynedd yn gynharach, a'r sibrydion, bryd hynny, fod Iwan Harries yn "gweithio i'r heddlu cudd", ni fuaswn yn synnu petai Harries, trwy gyfrwng ei gysylltiadau cydnabyddedig â'r polîs, wedi cymell y cyrch yn erbyn Paul, er mwyn pardduo Sylvia rywsut.

Cymharai llên Torïaid de-orllewin Caerdydd fuchedd ddilychwin eu hymgeisydd hwy – "happily married for five years to former showjumper Anthea, doting father of Jane and Emily" – ag un anuniongred ei wrthwynebydd Llafur: "Ms Griffiths, unmarried but cohabiting with another Labour parliamentary candidate . . . who once belonged to the extremist Welsh Socialist Republican Movement . . . If you want a Soviet Socialist Cardiff South-West, vote Labour and Red Sylvia. If you prefer Democracy, Christian values, Traditional Morality and the British Way . . ."

Meddyliau fel y rhain a ferwai yn fy mhen tra gyrrwn trwy ddiffeithwch gwyrddlas y canolbarth tua Dyffryn Llwchwr.

Wrth i deiars yr Audi grensian dros y dreif daeth Sylvia i sefyll ar riniog y drws ffrynt. Rhedodd i'm cofleidio pan gamais o'r car a'm helpu i gario 'mhethau i'r tŷ.

"O'r diwedd!" ochneidiodd.

"Ddes i ffwl-sbîd . . ."

"Rwy'n gwbod. Ro'n i'n ofon y celet ti ddamwain," ymddiheurodd Sylvia wrth fy hebrwng, "am bo fi mor daer."

Gynted ag y caeais y drws ar f'ôl, taflodd Sylvia ei hun i 'mreichiau a beichio wylo. "Oh, Arwel, Arwel!" llefodd. "Ma' hi mor ofnadw! Beth sy'n bod ar bobol? Shwt allan nhw fod mor dwp?"

"Tydyn nhw i gyd ddim felly," atebais gan fwytho'i phen ag un llaw a'i chefn â'r llall. "A ma' mwyafrif pobol Cymru yn erbyn y Toris."

"Sdim gwahaniaeth, os yw *marginals* Lloegr yn foto dros y diawled."

"Ma' gin i atab i hynny . . ."

"Rwy'n gwbod. Falle taw ti ac Owen sy'n iawn. Ond rhywbryd 'to, ife?"

Wedi i mi ddadbacio, aethom am de at Havard a Mavis heb aros yno'n hir, gan fod galaru a rhincian dannedd saith gwaeth yn 18 Waunpark Road. Cerddasom law yn llaw dros y Waun Hir gan ddringo i gopa'r Twmp, bryncyn a elwir yn fynydd yn y rhan hwn o'r byd, a syllu'n siomedig ar Drelwchwr yn mwynhau heulwen min nos er gwaethaf buddugoliaeth y Torïaid.

Wedi wythnosau o siarad gwag gyda dieithriaid, braf oedd bod gyda rhywun annwyl heb deimlo rheidrwydd i lefaru oni bai bod gennyf i neu hi rywbeth i'w ddweud. Buom ni'n dau'n bur dawedog nes dychwelyd i'r tŷ a dechrau damio wrth wrando, dros *Indian take-away* a lager, ar wleidyddion a newyddiadurwyr yn adladd yr etholiad. Atgoffwyd fi o'r diflastod yn 'Goleufan' wedi Refferendwm '79. Codais i ddallu'r sgrin a thewi'r doethion gan ddatgan: "Dwi 'di cael llond bol! Dim mwy!"

Dyna eiriau cyntaf ymgom fwyaf arwyddocaol y cyfnod hwn o'm bywyd.

"Ie," cytunodd Sylvia gyda gwên dila, "gewn ni wylie oddi wrth bolitics am sbel."

"Pa mor hir ydi 'sbel', Sylv?"

"Wthnos, mis, deufis . . ."

"Yn ôl i'r hen rwtîn wedyn?"

"Ma' bywyd yn gorffod mynd yn 'i flaen."

"Rhaid bod 'na fwy i fywyd," achwynais, "na phwyllgora, cyfarfodydd diddiwadd, bargeinio, cynllwynio. Gwên deg i gnafon wyt ti'n gasáu. Malu awyr, malu awyr, malu awyr. O fora gwyn tan nos. Ac i be? I be, Sylvia? I gael 'yn siomi. I chwerwi."

"Ma' pawb yn y Parti'n twmlo fel 'na heno, cariad," murmurodd Sylvia.

"Dwi isio bywyd normal, Sylvia," meddwn yn llesg.

"'Sdim shwt beth â 'normal'," cellweiriodd fy nghymar.

Sythais fy nghefn ac edrych i'w hwyneb: "OK," meddwn.

"Deuda i be dwi isio. Rwbath 'dan ni wedi siarad amdano fo o bryd i'w gilydd ers blynyddoedd, a gohirio penderfyniad bob tro. Dwi isio plant, Sylvia. Cyn bo hir. Dim un 'babi aur', pan fyddwn ni'n dau ar drothwy canol oed. Dau neu dri tra 'dan ni'n ddigon ifanc i fwynhau bod yn dad ac yn fam."

"Dau neu dri? Howld on!"

"'Na i'n siâr. Dwi'n gaddo."

"I'w cenhedlu nhw. Diolch yn fowr, syr. Fi fydde'n 'u cario nhw."

"Iawn, iawn. Ond 'swn i ddim isio i'n mab neu'n merch ni fod yn unig blentyn."

"O't ti'n ddigon hapus."

"Fasa waeth gin i fod 'chydig llai hapus er mwyn bod yn llai unig. Pan fydda ffrindia i mi'n cael brawd neu chwaer fach, fyddwn i'n gweddïo ar Dduw a Iesu Grist i roid un i mi. Fasa hi ddim yn deg gadal i'n plentyn ni fod yn unig blentyn, a gorfod cynnal holl faich 'yn cariad a'n disgwyliada ni, dy rieni di, a'n rhieni i."

"Effaith mynd 'nôl at dy wreiddie yw hyn?" awgrymodd Sylvia yn ddilornus.

"Bosib iawn. Ges i sgwrs hir efo Gwyn pan ddaeth o i'n helpu i. Mae o a Bethan wedi gwirioni efo'u teulu."

"So 'na'n gweud bydden ni."

"Be sy'n gneud ni mor wahanol?"

"So i am fod yn *hausfrau*. Bydde fe'n 'yn lladd i."

"Nawn ni ddim newid yn Havard a Mavis, na'n Rheinallt a Ceinwen, os cawn ni blant. Dwi'm yn gofyn i chdi roi'r gora i weithio."

"Dim ond politics?"

"Ma' 'na fwy i bolitics na mynd hyd y wlad i hel enwebiada a chrafu tin dynion bach pwysig."

"Wedes i pan gwrddon ni gynta beth rwy'n moyn neud 'da 'mywyd. So 'na wedi newid. So i am roi lan, Arwel."

171

"Mi wyt titha'n gwbod gymaint dwi isio teulu. Am 'mod i'n dy garu di, Sylvia. Dwi isio i'n plant ni fod yn ganolbwynt i'n perthynas ni. Nid y Parti. Nid politics. Nid syniada. Wyt ti'n 'y ngharu i?"

"Wrth gwrs bo fi!"

"Pam wyt ti'n gwrthod hyn i mi? Rwbath sy mor naturiol?"

"Ti'n blacmeilo fi."

"Nac 'dw, Sylvia. Jest deud be sy ar 'yn meddwl i. Ar 'y nghalon i."

"Ewn ni ymlaen â'r drafodaeth hyn rywbryd 'to, ife?"

"Ia," cydsyniais, gan fod Sylvia ar fin dagrau a'r ddau ohonom, ar ôl wythnosau o lecsiyna di-fudd, wedi blino'n lân, yn gorfforol, yn feddyliol ac yn emosiynol.

Llefarwyd geiriau cyffelyb i'r rhain sawl gwaith yn ystod yr wythnosau canlynol. Wedi dyrchafiad John Smith i'r arweinyddiaeth arferwn ddadlau nad oedd gan Sylvia obaith o gael ei henwebu ar gyfer sedd saff yn y de: "Chefnogith Millbank monat ti am bo chdi'n ddynas y chwith, na'r pleidia lleol, am bo chdi'n ddynas." Gwelai Sylvia hynny fel her ac anogaeth i frwydro'n galetach dros sosialaeth a thros ei hawliau fel menyw.

*   *   *

Roedd gan Sylvia fymryn o newydd da i mi pan ddychwelais o'r gogledd. Yng nghyfrif Dyffryn Llwchwr, rhoddodd Sue Evans wybod i Havard ac Owen na fwriadai adael ei swydd fel Ysgrifenyddes Swyddfa'r Etholaeth.

"Ma' Owen, fel ti'n gwbod, ar y wagen ers cwpwl o fisodd, er pan roddodd Sue 'i notis," ebe Sylvia, "ac yn mynychu clinic tua Llundain, yn gydwybodol iawn. Yn ôl Dad, ma'r holl egni a'r amser odd e'n arfer afradu'n

yfed, bwyta a chwrso menywod yn mynd miwn, unwaith
'to, i'w waith e fel MP. Ond ma'n debyg taw'r *clincher* i
Sue oedd y ffordd handlodd e John, pwy noswaith. Er
bod Sue a John wedi diforso ers whech mlynedd, ma'
John yn dala i fyw miwn gobaith ewn nhw 'nôl at 'i
gilydd. Ma'n debyg bod rhywrai'n y gwaith wedi sôn
wrtho fe shwt odd Sue ac Owen 'da'i gilydd ymhob man,
dyddie hyn, a mor *pally*. Sylwes i ar 'na a synnes i ddim
gyment â 'ny pan dynnodd Sue 'i hymddiswyddiad yn ôl.
Reit. Nos Lun, odd Sue ac Owen yn nhŷ Owen, yn
gwylio Neil yn clowno tua Sheffield . . . Welest ti 'na?
'Well aw'right! Aw'right!' Gollodd Kinnock bob tamed
o'i *statesmanlike gravitas* arwynebol miwn pump eiliad!
Ta p'un. Cnoc ar y drws. John. 'Bach yn feddw. Gynig-
iodd Owen fynd mas o'r stafell. Na, odd John moyn gair
'da'r ddou, Sue ac Owen. Moyn gwbod beth odd yn
mynd 'mlaen rhyngtyn nhw. 'Os wyt ti'n golygu, John,
bod 'mherthynas i a Sue'n rhywbeth mwy na chyflogwr
ac ysgrifenyddes, rwyt ti'n camgymryd,' medde Owen.
'Rwy'n gwbod nagyt ti a Sue'n briod nawr, ond ma'
perthynas dda rhyngtoch chi, a rhyngtoch chi'ch dou
a'r plant. Fel dyn sy wedi bod trwy ysgariad, a'n dala i
deimlo'r effeithie, fi fydde'r ola i neud dim i whalu'r
berthynas 'na. So i'n becso llawer beth ma' pobol yn
feddwl ohono i, bellach, John,' medde fe, 'ond rwy'n
meddwl dylet ti ymddiheuro i Sue. Af i mas i roi cyfle i ti
neud 'ny'."

"Nath John ymddiheuro?" gofynnais.

Siglodd Sylvia ei phen: "Wedodd e wrth Sue bod 'pawb
yn y dyffryn yn gwbod bod *secretary* Owen Daniels yn
gorffod neud rhagor na teipo'i lythyre fe'. Gerddodd e
mas a slamo'r drws. Ma' 'da rhai pobol y ddawn i strywo'u
bywyde'u hunen, on'd oes e? Odd Sue'n meddwl, o ddifri,
gadael i John ddod 'nôl i fyw ati hi a'r plant. Er lles

Jason a Kelly'n benna. Ac achos bod yn flin 'da hi dros John. Meddwl bod e wedi dysgu gwersi caled ysgol profiad. O'n nhw'n dod mlaen mor dda'n ddiweddar. Nage Neil odd yr unig un nath ffŵl o'i hunan y noswaith 'ny."

* * *

Ffoniais 'Goleufan' cyn clwydo'r noson honno ac roedd y ddau'n falch o glywed gennyf. Pan ofynnais a fyddai'n hwylus i mi fwrw'r Sul yno ymhen pythefnos cefais ateb cynnes a chadarnhaol.

"Fydd Sylvia efo chdi?" holodd Mam mewn llais niwtral.

"Dwi'm yn siŵr," atebais, er bod Sylvia a minnau wedi cytuno yr arhosai hi yn Nhrelwchwr am y tro. "Cer di lan i godi'r bont," ebe Sylvia. "Ddof i 'da ti, maes o law, i drotan drosti."

Y penwythnos hwnnw, ni soniodd fy rhieni na minnau nemor ddim am wleidyddiaeth: newyddion ac atgofion teuluol a phentrefol, pynciau diwylliannol, ieithyddol a theledol aeth â'r sgwrs.

"Mi wyddost fod Ann 'Bryngwyn' a Gruff Richards wedi gorffan?" holodd Mam ar ganol *Cefn Gwlad*.

"Sut gwyddwn i beth felly?" atebais yn swta, gan obeithio nad oeddwn yn gwrido, ac na chlywent fy nghalon yn curo.

"Wel," awgrymodd fy mam henffel, "ma' gin ti rwbath i neud efo'r peth?"

Ffugiais ddryswch: "Fi? Sut?"

"Fuo 'na ddim 'trafferth mewn tafarn', tua Llangynnwg?"

"Dyna pam caeth y bwbach hwi gynni hi? Chwara teg i Ann."

"Ia," cytunodd Mam. "Ddeudodd hi wrtha i gymaint

gnath hi a Siân fwynhau'r picnic. Gweld Dai ar lan yr afon 'cw naeth i mi feddwl amdani, ma'n siŵr. Wyt ti am bicio i'w gweld nhw tra byddi di adra?"

"Dim tro 'ma, Mam. Tro nesa, ella. Efo Sylvia."

Wrth deithio tua'r de bythefnos ynghynt, roeddwn wedi penderfynu dadebru fy niddordeb yn y celfyddydau, yn enwedig llenyddiaeth a cherddoriaeth, a threuliais awr go dda, fore Sul, yn dethol o blith y cannoedd o gyfrolau ar silffoedd 'Goleufan', nofelau, casgliadau o straeon a barddoniaeth a llyfrau ar hanes ac archaeoleg. Dyna sut y cefais fy hun yn syllu ar lofnod Mam, a'r dyddiad, Mai 13eg 1958, y tu mewn i glawr casgliad o gerddi W. B. Yeats. Sgrifennwyd *Ceinwen* yn hyderus a *Williams* yn ansicr a phlentynnaidd.

Heb arfar. Tro cynta iddi dorri'i henw newydd.

Agorodd y gyfrol ohoni ei hun, tua'r canol, ddwy dudalen oddi wrth *The Rose Tree* a *Sixteen Dead Men*:

> *O but we talked at large before*
> *The sixteen men were shot . . .*

Yn bymtheg oed, roeddwn wedi dodi llinell bensil yn gyfochrog ag wyth llinell olaf y gerdd flaenorol:

> *I write it out in a verse –*
> *MacDonagh and MacBride*
> *And Connolly and Pearse . . .*

Ac yn y blaen.

> *Cenwch im gân am y llanc nad yw mwy,*
> *Tybed ai fi oedd ef?*

Felly y cenais i yn yr Unawd i Fechgyn dan 12 oed, yn

Eisteddfod y Capel, a chael ail oherwydd nad oedd y beirniad am gael ei gyhuddo o ffafrio mab y gweinidog.

Pan ddarllenais *Easter 1916*, a minnau'n fachgen, nid ymddiddorwn yn yr adrannau lle y disgrifir yr arwyr a'r arwresau cyn y gwrthryfel a weddnewidiodd hwy a'u gwlad, ac ni ddeallwn y llinellau lle y cymherir eu hargyhoeddiad digyfaddawd â'r garreg galed, anghyfnewidiol y llifa dyfroedd bywiol yr afon drosti ac o'i hamgylch:

> *Hearts with one purpose alone*
> *Through summer and winter seem*
> *Enchanted to a stone*
> *To trouble the living stream . . .*

Ddwy flynedd ar bymtheg yn ddiweddarach, cefais fy hun yn meddwl fod caregu emosiynol yn anochel pan yw ymrwymiad rhywun i achos, ideoleg neu grefydd yn llwyr, yn obsesiynol ac yn ddigyfnewid:

> *Too long a sacrifice*
> *Can make a stone of the heart.*

Es i â'r llyfr gyda mi a gofyn i Sylvia ddarllen y gerdd. "Ma' bywyd unigolyn fel afon," ebe Sylvia. "A bywyd y ddynoliaeth hefyd. 'Hanes' yw 'i henw hi. Delwedd adweithiol yw'r garreg, fel byddet ti'n erfyn gan Yeats. Nage trwy wrthod pob newid yn hollol benstiff mae newid cwrs hanes. Ma'n well 'da fi feddwl am bob unigolyn, pan ddaw e i'r byd, yn cael 'i ddodi miwn cwch, ar yr afon. Gall e aros ynddo fe, os yw e'n moyn, gydol 'i oes. Neu gall e ymuno â phobol erill sy'n meddwl 'run fath ag e, miwn cwch mwy, a rhwyfo hwnnw'n gyflymach na llif yr afon. A'i lywio fe tua'r lan whith, neu'r dde, neu lawr y cenol. Dyna'r unig ffordd allwn ni ddylanwadu ar beth sy'n digwdd o'n hamgylch ni. Falle bydd y cwch yn bwrw'n erbyn y creigie ceidwadol sy yn yr afon, a suddo. Ond o leia byddi di wedi trial newid pethach, a bydd cychod erill ddaw ar dy ôl di'n gallu dysgu o dy gamgymeriade di a dy ffrindie. Alli di, os ti'n moyn, Arwel, aros yn dy gwch bach, unigolyddol, a hwylio i ryw Ynys yr Hud, lle nagyt ti'n gorffod becso am neb na dim ond dy bleser di dy hunan nes bydd dŵr yr afon yn codi drosot ti a chario ti bant."

Yr wythnosau'n dilyn Etholiad Cyffredinol 1992 oedd rhai anhapusaf fy mywyd. Rwy'n meddwl y dywedai Sylvia'r un peth o'i phrofiad hi. Troes Eden yn uffern y byddai ei disgrifio'n dasg at ddant rhyw Ellis Wynne cyfoes ac ni lwyddai dyn â chleddyf fy ngorfodi i ail-fyw, mewn geiriau, y rhyfel oer hwnnw a boethid, o bryd i'w gilydd, gan frwydrau creulon, sgarmesoedd pitw a chyplu peiriannol, di-gariad.

Aeth Sylvia i'r arfer o gysgu yn fflat cydweithwraig iddi yn Abertawe, un, dwy a thair noson yr wythnos. Pan ddychwelais i adref o'r gwaith un min nos ar ddechrau mis Gorffennaf, roedd hi'n llwytho cesys a dillad i gefn ei Mazda 626 glas golau.

"Lle wyt ti'n mynd?" gofynnais wrth ddod o 'nghar.

"Nagon i am fynd heb gael gair 'da ti," atebodd Sylvia'n ffurfiol. "Dere miwn i'r tŷ." Dilynais hi trwy'r drws ffrynt a'i gau ar f'ôl.

I'r *lounge* yr aeth Sylvia yn hytrach nag i'r gegin, fel y disgwyliwn, am baned cyn cychwyn ar ei siwrnai annisgwyl. "Ishte," gorchmynnodd. Ufuddheais. Arhosodd hi ar ei thraed.

"Clyw, Arwel," meddai Sylvia mor hyderus ag actores broffesiynol oedd wedi rihyrsio'i llinellau ddegau o weithiau. "Rwy'n meddwl bydde hi'n well i ni fyw ar wahân am sbel, nes sortwn ni'n penne mas." Eglurodd y byddai, i'r perwyl hwnnw, yn lletya gyda chydweith-wraig yn Abertawe am gyfnod amhenodol.

"Dim trafodaeth? Mi wyt ti wedi penderfynu?" ym-osodais.

"Achos bod trafodaeth rhyngton ni wastod yn arwain at ffrae dyddie hyn."

"Pam na gyfaddefi di bo chdi isio 'ngadal i? Ac yn rhy llwfr i ddeud wrtha i, yn fy ngwynab i?"

"Achos nagyw e'n wir, Arwel!" ebe Sylvia â dicter cyfiawn yn ei llygaid a'i llais.

"Os ei di," meddwn innau'n oeraidd a hunanfedd-iannol, "dyna'i diwadd hi."

"S'da ti rywun, Arwel?" gofynnodd Sylvia, gan graffu ar fy wyneb. "Wyt ti'n gweld rhywun arall?"

"Nac 'dw, Sylvia," atebais yn eirwir ond nid yn hollol ddidwyll.

"O, Arwel," llefodd Sylvia'n ddirdynnol, "bydde hi mor hawdd i fi dwlu'n hunan i dy freichie di a ffono'n ffrind i weud bo fi'n sefyll 'ma. Ond allwn ni ddim dala 'mlaen fel hyn. Nagyt ti na fi wedi gallu meddwl yn glir ers wythnose. So i'n cysgu'n iawn. Ma'r cweryla a'r bygytan yn effeithio ar 'ngwaith i. A'n iechyd i. Ma'n stwmog i'n glwme, ddydd a nos."

"Iawn. Dos," meddwn yn ddi-ffrwt gan anwybyddu'r fi arall a ymbiliai arni i aros.

"OK," ebe Sylvia, yr un mor llesg. "Gwrddwn ni. 'Mhen wthnos. Neu gwpwl o wthnose. Am bryd o fwyd. Neu ddrinc."

"Iawn," meddwn heb feiddio edrych arni, rhag ofn.

Camodd Sylvia tuag ataf, fel petai am ddodi cusan ffarwél ar fy moch. Newidiodd ei meddwl, trodd ar ei sawdl a cherdded allan o'r tŷ.

Tybiaf mai tebygrwydd a ddaeth â Sylvia a minnau at ein gilydd, er gwaethaf pob gwahaniaeth barn ac mai

tebygrwydd, yn hytrach na gwahaniaeth barn, a'n gwahan-
odd. Erbyn i ni gyfarfod, ymhen rhyw ddeng niwrnod,
roedd ein safbwyntiau wedi styfnigo, pellhau a chaledu.
Mynnais foratoriwm pum mlynedd ar uchelgais seneddol
Sylvia. Atebodd hi ei bod am ddechrau chwilio am sedd
y tu draw i Glawdd Offa.

Wedi cyfres o drafodaethau cyffelyb yr un mor ddi-
fudd, cytunwyd y cawn i aros yn 36, Maes-y-Dderwen,
gan brynu cyfran Sylvia o'r eiddo ynghyd â'r dodrefn
a.y.b. na fynnai hi.

Lai nag wythnos wedi'r 'ysgariad', ffoniais Ann Tomos
i ddweud y byddwn yn mynd i Fae Colwyn cyn bo hir, i
aros gyda chyfaill o ddyddiau coleg. Gan fy mod yn
bwriadu picio i 'Goleufan' ar y ffordd, holais a fyddai'n
hwylus i mi alw yn 'Bryngwyn' hefyd, i ddweud helô
wrthi hi a Siân.

"Siŵr iawn," atebodd Ann. "Fydd Sylvia efo chdi?"

"Na fydd. Fydda i ar 'mhen fy hun."

"Edrychwn ni ymlaen at dy weld di eto, Arwel."

"Paid â sôn wrth Rheinallt a Ceinwen 'mod i am alw
acw. Eglura i pam pan wela i chdi."

Mynegodd Nhad ei gydymdeimlad diffuant pan glyw-
odd am ddiwedd fy mherthynas i â Sylvia. Geiriodd
Mam ei sylwadau'n fwy ffurfiol.

Ffurfiol hefyd fu sgwrsio Ann a minnau wedi i mi
ddadlennu, mor ddidaro ag y gallwn, fod Sylvia a minnau
wedi gwahanu, hyd nes i Ann awgrymu wrth ei merch ei
bod yn bryd iddi fynd i'w stafell i ddechrau ar ei gwaith
cartref.

Wedi i Siân ein gadael bu saib hir o ddistawrwydd nes
i Ann awgrymu: "Mi wyt ti'n dal mewn cyflwr go fregus,
siŵr gin i, Arwel?"

Amneidiais yn gadarnhaol ac meddai hithau gan led-
wenu: "Fel y gwn i o brofiad."

"Neith un slap arall fawr o wahaniath," meddwn gan 'mochel rhagddi'n fewnol, "felly waeth i mi ddeud yn onast pam alwis i. A be sy ar 'yn meddwl i. Pan fydda i wedi dŵad ata'n hun, faswn i'n lecio i ni gwarfod. Am sgwrs . . ."

"Sut byddi di erbyn Gŵyl y Banc, ddiwadd mis Awst?" gofynnodd Ann yn ddibetrus. "Ma' 'na drip siopa Merched y Wawr yn mynd o'r pen yma i Gaerdydd. Fyddwn ni'n aros yng ngwesty'r Marriott. Fydd Taid a Nain yn gwarchod Siani."

Gadewais 'Bryngwyn' â hen wireb yn canu yn fy mhen a 'nghalon: *Dyma ddiwrnod cynta gweddill dy fywyd.*

*   *   *

Priodwyd Ann Tomos a minnau yng Nghapel Bethel (M.C.) Glan-y-Nant, ddydd Sadwrn, Gorffennaf 3ydd 1993, gyda Nhad yn gweinyddu. Cynhaliwyd y wledd mewn gwesty lleol, gyda 53 o berthnasau a chyfeillion agos yn bresennol. Treuliwyd wythnos o fis mêl ym Mharis. Wedyn, daeth Ann a Siân ataf i Drelwchwr, i'n cartref newydd fel teulu newydd – Llys Aeron.

Pan ysgarodd Owen a Non Daniels, gwerthasant eu cartref i reolwr-gyfarwyddwr ffatri partiau ceir ar Stâd Ddiwydiannol Trelwchwr. Sefydlwyd y gwaith yn 1980 gyda grantiau hael a chefnogaeth ymarferol y Swyddfa Gymreig a'r WDA. Yn 1993 cynigiodd cyrff cyffelyb yng Ngwlad Pŵyl lwgrwobrwyon tebyg a gweithlu rhatach. Cododd y bòs ei bac a dodi'n ôl ar y farchnad, am bris ychydig yn uwch nag a dalodd yn 1989, y tŷ urddasol a chyfforddus â gerddi helaeth o'i amgylch.

*   *   *

Mae'n rhaid i mi gofnodi hefyd briodas Owen Daniels a Sue Evans, mewn defod gwta yn Swyddfa Gofrestru Marylebone, Llundain, gydag Aelod Seneddol arall a'i wraig yn dystion a chinio *intime* yn yr Ivy, Soho, i ddathlu'r achlysur. Temtiwyd Owen a Sue gan delerau ffafriol i ymgartrefu yn 36, Maes-y-Dderwen (a chadw *pied-à-terre* tŷ teras Owen fel swyddfa) ond gan na ddaeth eu cyfeillgarwch â Sylvia a minnau i ben gyda'n 'hysgariad' ni, penderfynasant mai doethach fyddai mynd am dŷ tebyg ar yr un stâd.

*   *   *

Fis Ebrill 1993, torrwyd yr olaf o'r rhwymau materol a chyfreithiol a oedd wedi ymgordeddu am Sylvia a fi yn ystod naw mlynedd o gyd-fyw, trwy i ni rannu'n gyfartal y cyfalaf a ddeilliodd o werthiant ein cyfranddaliadau ar-y-cyd a mân eitemau o eiddo. Erbyn hynny, cawsai Sylvia swydd darlithydd mewn Astudiaethau Undebol ac Ewropeaidd yn y Croydon Institute of Higher Education.

MYNED ADREF

Un o ganlyniadau llesol prin Streic y Glowyr oedd sefydlu Canolfan Gwenllïan, a enwyd ar ôl dynes a ddisgrifir yn y *Cydymaith i Lenyddiaeth Cymru* fel "rhyfelwraig ac arglwyddes Deheubarth".

Ar derfyn yr anghydfod, penderfynodd Pwyllgor Menywod Dyffryn Llwchwr na ddylai'r chwaeroliaeth a grëwyd, na'r profiad o gydweithio a chydymgyrchu i warchod eu cymuned a'u teuloedd, fynd i ddifancoll ac aethant ati i ddatblygu ac ehangu'r sgiliau a ddysgwyd yn ystod y streic.

Dan arweiniad Sue Evans (Daniels, yn ddiweddarach) a gyda chyngor a chyfarwyddyd Sylvia Griffiths ac arbenigwragedd proffesiynol eraill, trefnwyd cyrsiau mewn ystod eang o bynciau, o gyfrifiadureg i goginio, sgiliau swyddfa a chyfrifyddiaeth i lenyddiaeth a chelf a chrefft.

Yn y *Welfare Hall* y cynhelid y dosbarthiadau hyn ar y dechrau ond yn 1990, yn dilyn lobïo penderfynol gan Gyngor Bwrdeistref Llwchwr a'r Aelod Seneddol, trosglwyddodd y Cyngor Sir i Ymddiriedolaeth Gwenllïan yr hen Loughorton County Secondary Modern School, adeilad brics coch rhagorol yng nghanol y dref, a fuasai'n stordy ers degawdau.

Roedd agoriad swyddogol Canolfan Gwenllïan, ddydd Sadwrn, Hydref 2il 1993, yn achlysur o bwys yn hanes y dyffryn yn ogystal ag ym mywydau'r menywod a ymelwai ar y cyfleoedd a'r cyfleusterau a gynigiai'r Ganolfan iddynt. Bu'n drobwynt hefyd ym mywydau nifer o'r gwahodd-edigion; neu'n hytrach, yn drobwll y llifodd sawl cerrynt gwleidyddol a dyhead personol iddo, i'w chwyrlïo a'u poeri allan i gythryblu'r afon am beth amser.

Er i mi wneud mwy, yn ymarferol, nag unrhyw wleid-ydd lleol arall, gan gynnwys yr Aelod Seneddol, i ddod â Chanolfan Gwenllïan i fodolaeth, a bod ei sefydlu wedi rhoi i mi foddhad enfawr, o fod wedi cyflawni rhywbeth buddiol er lles fy nghymdeithas, nid oeddwn wedi edrych ymlaen at y diwrnod hwnnw. Gwyddwn y byddai'n ail-agor briwiau ac yn codi hen grachod.

Hwn oedd y tro cyntaf i Ann a Siân a minnau ym-ddangos gyda'n gilydd fel teulu yn gyhoeddus yn Nhre-lwchwr. Y tro cyntaf hefyd i Sylvia a minnau weld ein gilydd er pan dreuliasom ddwyawr annifyr yn 36, Maes-y-Dderwen, ymron i flwyddyn yn ôl, yn rhannu'r ysbail. Ofnwn y penyd o gyflwyno Ann a Siân i fy nghyn-gymar yng ngŵydd ei rhieni hi a haid o frodorion llygadog a chegog, ond llwyddais i osgoi'r artaith honno, oblegid daeth dros gant i'r agoriad. Yr unig gyfathrach a fu rhwng Sylvia a minnau oedd amneidio a gwenu'n gynnil dros bennau'r dorf pan welsom ein gilydd gyntaf, a syllu o hirbell i lygaid ein gilydd am eiliad, ddwywaith neu dair, yn ystod y cyfarfod.

Er 'mod i'n ymlawenhau ac yn ymfalchïo yn fy mywyd gydag Ann a Siân, teimlwn yn euog, fel petawn yn dadlennu'r rheswm pam y gadewais Sylvia, neu, efallai, sut y cymhellais Sylvia i 'ngadael i, a hynny yng ngŵydd torf o gyfeillion a chydnabod.

Gweinyddwyd y seremoni agoriadol gan Owen Daniels, AS. Daw talpiau o'r anerchiad a draddododd i'm cof yn rhwydd, heb gymorth y nodiadau yn llawysgrifen ddestlus fy nghyfaill, sydd gennyf o 'mlaen. Dyma ychydig ddyfyniadau, wedi eu cofnodi yn arddull gohebydd seneddol, i roi awgrym o naws y cyfarfod ac o'i arwyddocâd yn fy chwedl:

Owen Daniels, AS: So i'n arfer canmol aelode o 'nheulu'n hunan. Ddim yn gyhoeddus, o leia. (*Chwerthin ysgafn, cwrtais*) Ond wrth longyfarch Pwyllgor Menywod Dyffryn Llwchwr am ymgyrchu mor benderfynol o 1985 hyd heddi, dros sefydlu Canolfan Gwenllïan, rwy'n bownd o dalu teyrnged i arweiniad diflino'r Cadeirydd. (*Edrych-odd y siaradwr yn serchus i gyfeiriad ei wraig*) Diolch o galon i ti, Sue. Rwy'n browd ohonot ti. Rŷn ni i gyd yn browd ohonot ti. (*Cymeradwyaeth wresog a gydnabuwyd yn swil gan Mrs Daniels ac a ategwyd yn frwd gan ei phlant, Jason, 15, a Kelly, 13, a eisteddai o boptu iddi*)

Mae'r Ganolfan, wrth gwrs, wedi hen ddechre ar 'i gwaith. Ma' *crêche* 'ma. Ysgol feithrin. Clinic. Cyrsie a dosbarthiade i helpu menywod gael jobs gwell, a dysgu shwt i sefydlu 'u busnese'u hunen. Cyfnewidfa dillad plant. A ma' Lloches Llwchwr, i fame a phlant, yn cael 'i gweinyddu oddi yma.

Ymyrrodd Andrew Moriarty, cyn-löwr, yn awr yn ddi-waith, gyda'r sylwadau canlynol: Ma' popeth sy'n dod i'r dyffryn dyddie hyn yn mynd i'r menywod, Owen. Jobs, 'Canolfan Gwenllïan', Social Services, CPSA. So chi'n meddwl bod ni ddynon yn haeddu 'bach o sylw?

Owen Daniels: Diolch i ti am godi'r pwynt 'na, Andrew. Angen penna'r dyffryn yw swyddi da, i ddynon a menywod. 'Sdim dowt 'da fi taw diweithdra sydd wrth wraidd y probleme cymdeithasol difrifol sy wedi cynyddu gyment yn ystod y blynydde diwetha: cyffurie, fandalieth, torri miwn i gartrefi, dwgyd ceir . . . Dileu diweithdra. 'Na'r ateb tymor hir. Falle bod y lle hyn yn ffafrio'r menywod, ond rŷn ni i gyd, yn wrywod ac yn fenywod, yn hen bobol a phlant, yn elwa o beth sy'n mynd 'mlaen 'ma. (*Cymeradwyaeth*)

Aeth y siaradwr rhagddo: Cwpwl o ddiolchiade i gloi. I'r Cynghorydd Arwel Wiliams, Arweinydd Cyngor Bwrdeistref Llwchwr, am 'i gefnogaeth e a'i gyd-aelode i Broject Gwenllïan. Ac os diolch i Arwel, rhaid diolch i Sylvia annwyl hefyd, wrth gwrs. Diolch yn fawr i tithe, Sylvia. I chi'ch dou.

Daeth sŵn isel, rhwng griddfan ac ebychiad o'r gynulleidfa; gwelwyd pennau'n troi ac yn sibrwd i'w gilydd. Petrusodd y siaradwr am rai eiliadau a golwg dyn ar goll ar ei wyneb a mwngial: Neis iawn dy weld ti'n ôl yn y dyffryn, Sylvia. Pob lwc i ti yn dy jobyn newydd.

Dychwelodd hyder y gwleidydd proffesiynol yn ôl i lais ac osgo Owen Daniels wrth iddo fynd i hwyl a pheri i'r rhan fwyaf o'i wrandawyr anghofio, dros dro, o leiaf, sylw a oedd wedi tramgwyddo rhai ac ennyn difyrrwch maleisus ymhlith eraill: Gwers fawr Canolfan Gwenllïan, ffrindie, yw bod cymuned leol yn gallu gneud pethach drosti hi 'i hunan. Taw pobl ardal fel hon sy'n deall ei phrobleme hi ore, a sut i'w datrys, nage dynion o bant. Ac os yw hyn'na'n wir am Ddyffryn Llwchwr, ma'n wir am Gymru. Mae arweinydd presennol y Blaid Lafur, John Smith, yn daer dros roi Senedd i'w bobl e 'i hunan, yn yr Alban. Senedd fydd yn 'u galluogi i ddatrys probleme'r Alban yn y modd ma' nhw'n moyn gneud – nage dilyn planie dynion dierth yn Llunden. Ac rwy'n falch o weud fod nifer dda o Aelode Seneddol, ac o aelode'n parti ni yma yng Nghymru, yn teimlo'n gwmws fel John Smith . . ."

Pan ymddiheurodd Owen, dros ddished a phice bach, am gyplysu Sylvia a fi, "fel petaech chi'n dala'n eitem", gwadais iddo achosi unrhyw embaras i mi, er nad oedd hynny'n wir. Rwy'n meddwl i mi lwyddo i gelu fy chwithdod oddi wrth bawb ond Ann. Chwerthin wnaeth hi pan soniais, wedi i ni fynd adref, am y croestyniadau a'm blinai yn ystod yr agoriad:

"Fydda i wrth 'y modd os bydd pob cwarfod cyhoeddus yr a' i iddo fo yn Nhrelwchwr mor ddifyr â hwnna," meddai fy ngwraig. "Ma' 'na gymaint o betha'n digwydd yma, Arwel. A ma' nhw'n bobol mor ddramatig, tydyn?"

Yn ôl tystion dibynadwy, ni thramgwyddwyd Sylvia gan sylw Owen, eithr nid felly ei mam. Cymerodd Mavis ati'n arw gan siarsio ei gŵr: "Gwed wrtho fe, Havard! Dyle bod cwilydd arno fe embaraso Sylvia a'i theulu, *in public*!"

"Newch chi ddim shwt beth, Dad," mynnodd Sylvia. "Llithriad odd e. So i'n hunan wastod yn cofio bod Arwel a fi wedi gwahanu."

"Beth halodd fi'n grac odd yr hyn wedodd Owen boutu *devolution*," sgyrnygodd Havard. "Ma' fe'n pallu gollwng yr asgwrn 'na. A nage fe yw'r unig un. Ma' sawl bachan oedd yn stansh yn erbyn y nonsens yn 1979 yn whilia fel Nationalists nawr. 'Sdim ots 'da fi am Sgotland. So i am i bethach fynd mor bell yng Nghymru ag ethon nhw yn '79. Alle fe strywo'r Parti."

Afraid yw atgoffa'r darllenydd fod yr hen anghydweld rhwng Aelod Seneddol Llwchwr a'i asiant ynglŷn â datganoli yn deillio o argyhoeddiad dwfn a diffuant Havard fod ymgyrchoedd pobl fel Owen Daniels a minnau o fewn y Blaid Lafur dros wneud Cynulliad neu Senedd i Gymru yn un o'u blaenoriaethau yn tramgwyddo egwyddorion sylfaenol sosialaeth. Nid achosodd y safbwyntiau gwrthgyferbynus hynny ymliw bach na mawr rhwng 1979 a 1987, ond yn sgil trychinebau etholiadol 1987 a 1992, a datblygiadau cyffrous yn yr Alban,[1] daeth y cadoediad i ben wrth i ddatganoli ddychwelyd i'r agenda wleidyddol, yn unol â phroffwydoliaeth Owen Daniels pan gyfarfûm

---

1. Gw. *Devolution: a process not an event* gan Ron Davies AC (Institute for Welsh Affairs); *Wales says Yes* gan Leighton Andrews (Seren); *Dragons led by Poodles* gan Paul Flynn AS (Politico's).

ag ef gyntaf, yn 1981. Cynddeiriogid Havard gan barod-rwydd Owen i siarad oddi ar lwyfannau'r Ymgyrch Dros Gynulliad Cymreig gydag ASau o bleidiau eraill a chaf-wyd gwrthdaro ffyrnig rhwng yr asiant a minnau yng nghyfarfodydd Pwyllgor Gwaith y Blaid Lafur Gymreig pan drafodwyd cynigion ar ddatganoli i'n Cynhadledd Flynyddol ac adroddiadau'r Commission of Inquiry (1992) a'r Policy Commission (1993) ar y mater.

Lai na phythefnos wedi agoriad swyddogol Canolfan Gwenllïan, fflamiodd y cecru ynglŷn â datganoli yn rhyfel cartref. Ar ddiwedd cyfarfod o Bwyllgor Rheoli'r Blaid Etholaethol, a Gwyn Howells (ISTC) yn y gadair, cyhoedd-odd Havard Griffiths dan A.O.B. ei fod yn ymddiswyddo fel asiant yr Aelod Seneddol. Eglurodd ei benderfyniad fel a ganlyn:

> "Like many of you and most other members of the CLP, I have been both disturbed and disappointed by our Member of Parliament's recent contentious comments regarding devolution and the setting up of a Welsh Assembly or Parliament, and his readi-ness to cooperate publicly with avowed enemies of the Labour Party. We thought that issue had been settled democratically and decisively by the people of Wales in 1979. And we believe that attempts to revive it now by leading, influential Party members can only harm the Party, the Labour Movement and the working people of Wales and Great Britain. I shall therefore resign as Mr Daniels's Constituency and Electoral agent in order to campaign within the local party and nationally against the misguided views on devolution expressed by Mr Daniels and other nationalistically-minded members. I shall also campaign for Mr Daniels's deselection, should he,

as I believe he will, find himself opposed by the majority of Labour Party members in this constituency."

Ymateb cyntaf Owen, Gwyn a minnau, ymhlith ein gilydd, oedd edmygu Havard, er ein gwaethaf, am roi'r gorau i'w swydd er mwyn gweithredu'n unol â'i gydwybod. Fe'n siomwyd ar yr ochr orau, yn y man, pan glywsom fod undeb y GMB, a dalai gyflog yr asiant, wedi dod o hyd i swydd iddo yn y swyddfa leol. Ni phryderem ynglŷn â'r bygythiad i ddad-ddethol gan fod Owen mor boblogaidd ymhlith mwyafrif yr aelodaeth leol a'r etholwyr ag y bu erioed. Perchid ef fel dyn a lwyddodd i "ddodi ei hunan yn ôl ar y reils 'rôl patshyn gwael"; ac yn hytrach nag achosi sgandal, fel y buasai wedi gwneud, ddegawd ynghynt, enynnai ysgariad yr Aelod Seneddol gydymdeimlad nifer fawr o etholwyr; profai fod Owen Daniels yn "un ohonon ni".

Croesawem y dadlau o blaid ac yn erbyn datganoli a fyddai, o hyn ymlaen, yn rhan anorfod o drafodaethau Pwyllgor yr Etholaeth, fel eitem fwy dyrchafol na'r clebran tragwyddol am godi arian, penodiadau i bwyllgorau, a chynrychiolaeth ar fyrddau llywodraethol ysgolion cynradd.

Petai cymhellion greddfol, yn ogystal â rhai ideolegol, yn gyrru Havard Griffiths i geisio disodli'r Aelod Seneddol, a'i fod am ddodi ei ferch ei hun yn ei le, gallai'r ddadl droi'n ffrae dylwythol, wenwynig. Daeth Owen, Gwyn a minnau i'r casgliad mai'r ffordd gyflymaf o ganfod beth oedd amcanion y tad fyddai holi'r ferch. Cytunwyd hefyd mai Gwyn oedd y mwyaf cymwys ohonom i ymgymryd â'r swydd hon ac felly, y tro nesaf yr ymwelodd Gwyn â phrif swyddfa'r ISTC yn Llundain, gwahoddodd Sylvia i giniawa gydag ef. Dychwelodd yn galonnog ac ailadrodd sylwadau mwyaf perthnasol Sylvia wrthym *verbatim*, fel a ganlyn, fwy neu lai:

"Ma' gormod o feddwl o Owen ac o Sue 'da fi i sefyll yn 'i erbyn e. Ma' arna i ddyled fawr i Owen. Allet ti weud taw fe yw ''nhad yn y ffydd'. Heblaw am 'i obsesiwn boutu Senedd i Gymru. Ond so i'n teimlo mor gryf na mor grac â Dad ar y pwnc 'na . . . Ma' Sue a fi'n ffrindie. Ma' edmygedd mawr 'da fi ati. Galle hi fod wedi troi'n rial hen snoben 'rôl cael addysg, priodi MP a symud i'r dosbarth canol. Ma' hi wedi cadw'n driw at 'i gwreiddie a ma' Owen wedi'i ail-eni, dan 'i dylanwad hi, a chystal MP â buodd e 'rioed. Rwy'n falch bod nhw'n hapus 'da'i gilydd a 'naf i ddim i strywo 'na. 'Nes i gamgymeriad mawr pan es i'n ôl i Drelwchwr. Yn wleidyddol ac yn bersonol. Dylen i fod wedi sefyll yn Llunden. Man hyn ma' 'nyfodol i. Gwed wrth Owen a Sue, ta beth naiff Nhad, sefa i ddim yn 'i erbyn e."

Wedi blynyddoedd o ddieithrwch – gelyniaeth, ar adegau, o du Gwyn – arweiniodd y cyfarfyddiad hwnnw at gymod rhyngddo ef a Sylvia. Roedd Gwyn wrth ei fodd, ar y pryd, fod asgwrn y gynnen wedi ei gladdu, ond bu'n edifar ganddo maes o law. Gwn i sicrwydd mai dyna deimlad Sylvia'n ogystal.

Paul Griffiths yw'r un aelod o'r teulu Griffiths na phallodd Cymraeg rhyngddo ef a mi ar unrhyw adeg. Gan fod twrneiod a *market traders* yn tueddu i droi mewn cylchoedd gwahanol, ychydig o gyfathrachu a fu rhyngom er cau Pwll yr Onnen, ac eithrio pan fyddai angen cyngor cyfreithiol rhad ac am ddim ar Paul mewn perthynas â'i fusnes neu â'i fywyd personol. Bryd hynny codai'r ffôn a gwnawn innau fy ngorau i helpu dyn da a rwystrwyd gan gyfundrefn ddiffaith rhag gwneud defnydd llawnach a mwy adeiladol o'i ddoniau. Dyna pam, pan alwodd yn fy swyddfa rhyw fore, ddechrau mis Rhagfyr

1993, y cyfarchais ef â'r geiriau: "S'mai, Paul. Be 'di'r broblam tro 'ma?"

"Rhodri," atebodd wrth eistedd.

"Pwy?"

"Rhodri Daniels. Rwy'n becso amdano fe. Ma' ofan arno i bod e'n mynd off 'i ben, Arwel."

Ni wyddwn fawr mwy o hanes diweddar Rhodri nag iddo adael Caergrawnt gyda gradd siomedig yr haf blaenorol, a'i fod, yn ôl ei dad, 'yn whare boutu 'da rhyw 'fand', tua Llundain. Anarkika! Ieffach gols! Rwy i, hyd yn oed, yn gwybod fod *punk* yn *passé* !"

Pan ddechreuodd Rhodri, yn ei arddegau cynnar, ymddiddori mewn *rock'n'roll*, rhoddodd Paul wersi gitâr i'r bachgen, ar gais y tad. O berthynas athro/disgbyl anffurfiol iawn, datblygodd cyfeillgarwch nad oedd wrth fodd yr AS. "Falle taw *rough diamond* yw Paul Griffiths," meddai, a Rhodri'n dal yn yr ysgol, "ond ma'n mynd yn fwyfwy anodd gweld y garreg dan y fflwcs. Pe bydde mab 'da ti, Arwel, fyddet ti'n dewis e fel *role model* i'r crwt? Ma' gwitho ar y farced bob dydd Sadwrn 'da bachan caled fel Paul Griffiths, a reido boutu'r lle yn 'i hen fan salw e'n rhoi 'bach o *street cred* i fab yr MP. Ac eithrio'i fam, y rodni 'na yw'r unig berson dros ddeg ar hugain ma' 'da Rhodri unrhyw barch ato fe, heb sôn am deimlade."

Wedi i Non Daniels symud i Aberteifi, dychwelai Rhodri i Drelwchwr o bryd i'w gilydd ac aros am noson neu ddwy gyda Paul a'i gariad Christine. Ni wnaethai hynny oddi ar iddo adael Caergrawnt, yn ôl a ddywedai Paul wrthyf yn awr, ond yn ddiweddar bu'n ffonio'i gyfaill ddwywaith neu dair yr wythnos, weithiau berfeddion nos:

"Ma'n swno'n fwy a mwy *paranoid* bob tro, Arwel," ebe Paul yn bryderus. "So i'n gwbod beth mae e'n gymryd, dyddie hyn. Unrhyw beth geiff e, allen i fcddwl. Rocdd e miwn stad ofnadw nithwr. Gweud bod bois erill y band yn trial 'i ladd e. Roedd e'n llefen. 'Saeson ŷn nhw,' medde fe. 'Pwnon nhw fi, Paul. Roddes inne grasfa i'r diawled a nawr ma' nhw'n trial 'ngwenwyno i. Ma' nhw'n canu amdanon ni . . .' Dechreuodd e ganu lawr y ffôn. *Eight-bar blues*. Rhywbeth fel: 'Taffy was a Welshman, Taffy was a thief . . . I got the sheepshagger blues/No more woolly screws . . .' Wherthines i. Os do fe! Sgrechodd Rhodri miwn i'r ffôn digon i hala dyn yn fyddar. 'Dere i'n helpu i, Paul,' medde fe. 'Dim ond ti alla i drysto. Paid gweud wrth Mam. Bydde hi'n gweud wrth Dad. So fe'n becso dam amdano i. Rwy'n 'i gasáu e a'i hwren . . .'"

Pan awgrymodd Paul y byddai'n syniad iddo adael y band a Llundain am gyfnod, cydsyniodd Rhodri'n syth, fel petai hynny'n gyfystyr â chynnig o lety a chynhaliaeth yn Nhrelwchwr am amser amhenodol. "Gewn ni weld, Rhodri," oedd sylw Paul ar y pryd ond rhestrodd wrthyf y rhesymau pam na fyddai trefniant o'r fath yn ymarferol. Nid y lleiaf o'r rhain, yn ei farn ef, oedd fod "angen triniaeth *detox* ar y boi", ac mai cyfrifoldeb y rhieni ddylai hynny fod.

"Wi'n *persona non grata* 'da nhw," meddai Paul. "Rwy'n meddwl bod Non ac Owen yn 'y meio i am y ffordd ma'u mab nhw wedi mynd. Ta p'un. Des i 'ma i ofyn i ti esbonio wrthyn nhw beth yw'r sefyllfa . . ."

Cytunais â Paul mai gorau po gyntaf y dychwelai Rhodri o Lundain, ond bernais mai annoeth fyddai cysylltu â'i rieni cyn medru rhoi asesiad gwrthrychol o'i gyflwr.

Dyna sut y cefais fy hun, rai oriau'n ddiweddarach a hithau'n dechrau nosi, ar stepen drws tŷ mawr siabi, mewn stryd lydan, farwaidd o dai a fu gynt yn fwrgeisaidd barchus, yn Golders Green.

Gwasgodd Paul fotwm golau y fflat uchaf ddwywaith cyn i lais Seisnig, ymosodol ein cyfarch trwy'r tafleisydd bychan: "Who is it?"

"Friends of Rhodri's. From Wales," atebodd Paul. "Happen we're in the area. Thought we'd call in to see him."

Agorodd y drws ohono'i hun a chroesasom y trothwy i gyntedd helaeth, teilsiog, coch a du. Roedd ynddo nifer o ddrysau a grisiau llydan, pren, di-garped. Esgynasom i landin y trydydd llawr. Curodd Paul ar ddrws ac arno gerdyn â'r gair 'Anarkika' ar hwnnw. Agorwyd y drws gan lanc ifanc, tal mewn crys a throwsus du, a'i wallt wedi ei lifo'n glaerwyn. "Come in," gorchmynnodd.

Camodd Paul a minnau i stafell helaeth, gymen ryfeddol, wedi ei dodrefnu'n gysurus ac â phrintiau deniadol ar y parwydydd. Yno eisteddai llanc penwyn arall, *identical twin* y cyntaf, a Siapanëes ifanc, o flaen set deledu enfawr yn gwylio ffilm Sbaenaidd ac yn smygu dôp. Gwisgent hwythau'r un lifrai fietcongaidd, du.

"Hiya," ebe Paul yn hwyliog a chyflwyno ef ei hun a mi i'r bobl ifanc.

"I'm David and these two are Nathan and Suzuki," ebe'r un a agorodd y drws.

"Could you let Rhodri know we're here, Dai?" gofynnodd Paul yn gyfeillgar iawn.

"Tell him yourself," atebodd David yn flin gan bwyntio at ddrws y pen arall i'r stafell. "He'll only communicate with us in Welsh. Which is rather inconsiderate."

Sylwais ar glwt dulas o dan lygad Nathan a gofyn: "What happened to your eye?"

"I bumped into a door," atebodd y gŵr ifanc yn ddigyffro. Gwenodd y ddau arall.

Gwyliodd y tri ni'n croesi at ddrws stafell Rhodri. Cnociodd Paul a hysbysu'r preswylydd pwy ydoedd. Gorfu iddo wneud hynny deirgwaith, yn uwch bob tro, nes i allwedd droi yn y clo ac i'r drws gael ei agor cyn lleted ag y caniatâi'r gadwyn oddi mewn. Syllodd llygad glas, drwgdybus arnom am rai eiliadau, yna agorwyd y drws, am ennyd, i Paul a minnau ymwthio drwyddo i ffau deilwng o *rocker*; hofal llwm o stafell wedi ei charpedu ag anialwch o bapurau newydd a chylchgronau, caniau cwrw, poteli gwin, bocsys a bagiau *take-away*, dillad gwely, matres dyllog, dillad budron, soseri llwch gorlawn . . .

Ynghanol y llanast safai Rhodri, yn yr un dillad â'r tri arall a'i wallt yntau wedi ei lifo'n wyn. Gloywai ei wyneb gwelw â chwys. Dirgrynai ei gorff hirfain fel petai'n rhynnu, er bod sach gysgu aflan fel hugan am ei ysgwyddau.

"Ieffach, Rhodri," ochneidiodd Paul, gan siglo'i ben.

Geiriau cyntaf Rhodri, gan hylldremio ataf i, oedd: "Beth mae e'n neud 'ma?"

"Ma'r Transit wedi torri. Dethon ni lan yng nghar Arwel," atebodd Paul. "Dod dy sgidie am dy draed ac ewn ni."

Amneidiodd Rhodri ataf i ac yna at ddau *hold-all* du a dau gitâr ger y drws. "Gwed wrtho fe am fynd â nhw lawr," meddai wrth Paul. "Tra byddi di a fi'n rhoi crasfa i'r Saeson ac yn rhacso'r fflat."

"So ti miwn stad i wmladd 'da neb, heno, gw'boi," meddai Paul wrth i Rhodri ddodi pâr o sandalau am ei draed noeth. "Ewn ni â ti a'r pethach hyn i'r car. Wedyn dof i 'nôl, esgus bo fi wedi anghofio rhywbeth, a rhoi cwpwl o belts i'r diawled."

"Where are you going, Rodry?" holodd David, neu Nathan, wrth i'r tri ohonom groesi'r ystafell fyw.

"Back to Wales," atebodd Paul.

"He can't!" protestiodd Suzuki. "We've got the studio booked for tomorrow."

"Fuck off!" ebe Paul ac aeth y tri ohonom o'r fflat, i lawr y grisiau ac i'r car heb ragor o helynt.

Cyn gadael Trelwchwr, roeddwn wedi cael gair ar y ffôn gydag Owen i ddweud 'mod i wedi cael fy ngalw i Lundain yn ddirybudd ar fater o bwys yr oeddwn yn awyddus i'w drafod gydag ef. Addawodd ddisgwyl amdanaf yn ei fflat yn Islington.

Fy swydd i'n awr oedd egluro wrth Owen beth oedd y "mater o bwys" a'i berswadio i hebrwng Rhodri gyda ni i Drelwchwr, o leiaf, ac efallai cyn belled ag Aberteifi. Swydd anos Paul oedd cymell Rhodri, ar boen terfynu eu cyfeillgarwch, i dderbyn ei dad fel cydymaith. Buom ein dau yn llwyddiannus.

Pan ddychwelais i'r car gydag Owen, cymerai Rhodri arno ei fod yn cysgu, ac eisteddodd ei dad ar ei bwys, yn y cefn, yn ddiwrthwynebiad. Newidiodd Paul a fi ein seddi a syrthiais i drwmgwsg ymhell cyn cyrraedd yr M4.

Fe'm deffrowyd yng nghyffiniau Reading gan leisiau'n taeru tu ôl i 'mhen:

Owen yn uchel: Rwy'n cytuno, Rhodri. Os oes unrhyw un i'w feio, fi yw e.

Rhodri, fel cyllell: Ie. Ffaelaist ti fel gŵr i Mam a thad i fi.

Owen, â'i natur yn codi: Reit! Sawl gwaith wyt ti'n mynd i weud 'na? (*Ochneidiodd ac ymddiheuro*) Sori. Ma'n flin 'da fi. Os oes rhywbeth alla i neud . . .

Rhodri: Ma'n rhy ddiweddar. Wedes i wrthot ti. Rwy'n ffycd.

Owen, yn dawelach: So hi fyth yn rhy ddiweddar i newid, Rhodri. Fues i mewn cyflwr nid annhebyg i shwt ŷt ti nawr.

Rhodri: A newidiest ti?

Owen: Do. Fe newidies i. Er gwell, bydde rhan fwya'n gweud.

Rhodri: 'Rôl strywo bywyde Mam a fi.

Owen: Ma'n flin 'da fi.

Rhodri: 'Sdim ots. Belled fod pobol yn meddwl bo ti'n foi da unwaith 'to.

Owen, yn stoicaidd ei lais: Allen i feio beth ddigwyddodd i ni fel teulu, fel cynifer o bethe sy wedi mynd o whith, ar Maggie Thatcher. Ond nage hi ddyfeisiodd hunanoldeb. Ma'n flin 'da fi, Rhodri. So i'n disgwyl i ti fadde i fi. Jest derbyn ymddiheuriad gonest, os gelli di.

Saib hir.

Rhodri: Rwy'n falch o un peth. So ti'n llefen, o leia.

Owen: Lwc i ti weud 'na.

Dodais y stereo ymlaen i chwarae casét a adawsai Paul ar ei hanner a llifodd llais Ray Charles a *Georgia on my Mind* fel balm dros ein meddyliau wrth i'r Saab wibio'n llyfn a diymdrech tua'r gorllewin.

*   *   *

Nid er pan oeddwn yn blentyn y cefais Nadolig mor llawen ag un 1993.

Yr atgof pennaf sydd gennyf am yr Ŵyl a'r dyddiau o'i deutu, pan oeddwn i yn fy arddegau, yw f'ymdrechion i gelu effeithiau alcohol oddi wrth fy rhieni, a'u hymdrechion hwythau i gymryd arnynt beidio â sylwi.

Oherwydd nad oedd gan Sylvia na minnau ddiléit mewn glythineb, meddwdod, nwydd-addoliaeth na Christnogaeth, cytunem mai gwastraff amser oedd seguryd diwedd Rhagfyr a dechrau Ionawr. Ildiem i 'Ysbryd yr Ŵyl' cyn hwyred â phosib ac ailgydio yn y bywyd go-iawn cyn gynted ag y byddai modd heb bechu tylwyth a chyfeillion. Ambell flwyddyn byddem yn ffoi dramor – i Brâg, Madrid, a chyn belled â Goa – er mwyn osgoi gloddesta defodol a *bonhomie* llafurus (*sic*) aelwyd Havard a Mavis.

Diolch i Ann a Siân, treuliais Nadolig 1993 – a sawl un wedyn – yn ddiddig dros ben, yn fy nghartref fy hun, mewn tŷ lle'r oedd trimins a chelyn a choeden; lle cynhaliwyd parti i ddeunaw o blant wedi cynhyrfu o'u coeau; lle y cyfnewidiwyd anrhegion a roddai syrpreis a phleser i'r derbynnydd, ymhell cyn toriad gwawr, fore dydd Nadolig.

Ers rhai misoedd, roedd Ann wedi bod yn cynnal dosbarthiadau cynllunio dillad ac arlunio yng Nghanolfan Gwenllïan a chafodd Siân barti gwyllt arall yn fan 'no, ac anrheg gan "Siân Corn".

Treuliasom dridiau rhwng y Nadolig a'r Flwyddyn Newydd yng Nglan-y-Nant, gyda Machreth ac Olwen Thomas, gan adael Siân yn 'Goleufan', i'n dilyn ymhen ychydig ddydddiau, gyda fy rhieni i. Caniataodd hynny i Ann a fi groesawu 1994 ym mharti Calan Owen Daniels a Sue, gyda chyfeillion o'r un anian a'r un gogwydd.

Ymhell wedi hanner nos, pan oedd pawb ond Ann a minnau wedi ymadael, a hithau'n helpu Sue i glirio a llwytho'r peiriant golchi llestri, cefais sgwrs hir ac athronyddol gydag Owen; fi'n sipian wisgi ac yntau lemonêd. Teimlai ef a minnau'n fodlon ar ein byd ac ar droeon diweddaraf yr yrfa.

"Rwy'n fachan ffodus eithriadol, Arwel," meddai Owen Daniels. "Nage un ail-gyfle ges i. Sawl un. Sue oedd y cynta, a'r pwysica. O gyd-fyw 'da menyw dda rwy'n ei charu, sy'n 'y ngharu i, dilynodd popeth arall. Rwy wedi cael 'yn iechyd yn ôl. Rwy'n iachach ac yn ffitach nawr nag o'n i ugen mlynedd yn ôl. Wir i ti. Doedd dim diddordeb miwn sborts 'da fi pan o'n i'n grwt ifanc. 'Studio i fynd i Oxford, fel bod fy rhieni'n falch ohona i, a bo fi'n dod 'mlaen yn y byd – 'na'r unig beth

196

oedd ar 'yn feddwl i bryd 'ny. Rwy'n nofio, nawr, ddwywaith-dair bob wthnos. A bob *week-end* rwy gartre, bydd Sue a finne'n mynd mas i jogan. Diolch i ti a Paul, ma'r mab a fi'n siarad yn weddol deidi 'da'n gilydd am y tro cynta ers blynydde, a ma' cymod o ryw fath rhyngt Non a fi. So ni 'na, o bell ffordd. Ma' lot o waith i neud ar y ddwy ffrynt. Ond ma'n dishgwl yn obeithiol. Addawodd Rhodri ddod 'ma i sefyll 'da Sue a fi, a ma'i fam e'n folon . . .

"Ma'r rhod wleidyddol yn dechre troi o'n plaid ni, o'r diwedd, Arwel. Enillwn ni'r tro nesa. 'Sdim dowt boutu 'ny. 'Da mwyafrif iach. Ma' shwt gasineb at y Torïed galle twpsyn fel Kinnock 'yn harwen ni i fuddugolieth. A ma' John [Smith] yn gawr o'i gymharu ag e. Bydd popeth licet ti a fi weld ar y rhaglen ddim 'na. Un peth fydd 'na yw Senedde i'r Alban ac i Gymru. 'Na pam ma' Cynhadledd Llandrindod, mis Mawrth, mor bwysig . . ."

*　　　*　　　*

Nid aeth Owen i gynhadledd fawr, aml-bleidiol yr Ymgyrch dros Senedd i Gymru, a gynhaliwyd yn Llandrindod, fis Mawrth 1994.

Bu farw Owen Daniels ar Chwefror 16eg 1994, o drawiad ar y galon. Fe'i dioddefodd rai oriau ynghynt, ac yntau'n cymryd rhan mewn dadl yn Nhŷ'r Cyffredin ar y Gwasanaeth Iechyd – pwnc agos iawn at y galon honno. Dyma ddyfyniad cwta o'i araith olaf, fel y'i codwyd o Hansard:

"What causes huge resentment throughout the country is the Conservative Government's attempt to outlaw questioning and criticism of their policies towards the National Health Service by insisting that anyone who disagrees with those policies is attacking the NHS itself . . .

"It cannot be denied that the NHS and all who work within it are under attack . . . from Government ministers and their supporters in the House and in the country . . . Nurses, doctors and ancillary staff are under tremendous pressure to put the interests of the organisation before the interests of the patient; to put the electoral success of the Conservative Party before the well-being of the people of this country."

Pan ofynnodd y Gweinidog Iechyd: "Will the Honourable Gentleman give way?" taniodd yr Aelod Seneddol Llafur dros Lwchwr ei ergyd olaf at y Torïaid:

"I am delighted to give way to the Secretary of State on the subject of the interests of the Conservative Party."

Nid o goegni'n unig y defnyddiwyd y gair "*delighted*". Yn ôl dau AS a eisteddai ar ei bwys, ymollyngodd Owen i'w sedd gan anadlu'n drwm a chrafangu coler ei grys. Dechreuodd ochneidio a griddfan ac fel yr aeth cyfeillion i'w ymgeleddu, llewygodd. Aed ag ef ar frys i adran gofal dwys Ysbyty Hammersmith a'i ddodi ar beiriant cynnal bywyd.

Roedd Ann a minnau'n gwylio *Newsnight* pan ffoniodd ysgrifenyddes seneddol Owen. Atebais yn ddiamynedd, ond diflannodd y tinc hwnnw o'm llais pan glywais y newydd. Dywedodd y ferch fod Owen mewn cyflwr "*serious but stable*" a gofyn i mi hysbysu Sue.

Llwyddais i wneud hynny heb frawychu Sue'n ormodol, yn bennaf am na wyddwn pa mor sâl oedd Owen. Ffon-

iodd Sue'r ysbyty a chlywed nad oedd cyflwr ei gŵr wedi
newid ond mai da o beth fyddai iddi ddod at erchwyn ei
wely gynted ag y gallai.

Diolch byth, nid oedd gan Sue na minnau amcan o
ddifrifoldeb y sefyllfa wrth i ni deithio tua Llundain y
noson honno. Er bod calon Owen wedi achosi pryder yn
y gorffennol, roedd ei iechyd cyffredinol wedi gwella yn
ystod y blynyddoedd diwethaf. Teimlem yn hyderus y
llwyddai i ddod trwy argyfwng y beiai Sue ar flynydd-
oedd o fyw'n afrad cyn derbyn rheolau ei *régime* hi,
ynghyd ag amodau gwaith ac oriau hurt San Steffan.

"Rwy'n meddwl gallen i berswado Owen i sefyll lawr
pe bydde fe'n siŵr taw ti ddilyne fe, Arwel," meddai hi
rywle ar yr M4.

"Sori, Sue," atebais gan chwerthin i guddio fy modd-
had. "Dwi 'di dechra cael blas ar fywyd teuluol. Os ydi
John Smith yn teimlo'n ddigon iach i fod yn Brif
Weinidog ar ôl trawiad, fedar Owen ddal ati fel MP dros
Lwchwr am dymor arall. Ella bydda i'n barod i gymryd
'i le o, wedyn."

Dadrithiwyd ni'n dau o fewn ychydig funudau o gyr-
raedd yr ysbyty. Clywsom fod einioes Owen Daniels yn
ddibynnol ar beiriant a'i feddwl disglair wedi tywyllu am
byth.

Yr argoel cyntaf a gafodd Sue a minnau ein bod wedi
byw am bum awr mewn paradwys ffŵl oedd yr olwg
drychinebus ar wyneb Sylvia. Roedd Sue wedi cysylltu â
hi cyn gadael Trelwchwr a disgwyliai amdanom mewn
lolfa fechan yng nghyffiniau'r ward lle y gorweddai
Owen. Cofleidiodd Sue a Sylvia ei gilydd yn dyner. Yna,
wedi eiliad o betruso, gwnaeth Sylvia a minnau'r un
modd. Adunwyd Sylvia a fi am ychydig eiliadau gan ofid
am Owen, tosturi at Sue a hiraeth am ddeng mlynedd o
gyd-fyw.

Yn y man, safai Sylvia a minnau o boptu i Sue gan rythu'n anghrediniol ar y cyfaill diymadferth, diymwybod, a raffwyd i'r gwely gan wifrau a phibellau. Wedyn, dychwelodd Sylvia a fi i'r stafell aros. Eisteddasom yno am ddwyawr a rhagor, heb yngan nemor air, a'm llaw dde i a llaw chwith Sylvia'n cydio'n dynn yn ei gilydd.

Yn y cyfamser, ffarweliodd Sue Daniels â'i gŵr a chaniatáu i'r meddygon ddiffodd y peiriant a'i cadwai rhwng byw a marw.

"Well i ti ffono Non," awgrymodd Sylvia wedi i feddyg dorri'r newydd i ni. "Bydde fe'n ofnadw iddi glywed e ar y radio."

Pan wnes i hynny, rhoddodd Non gri fechan ingol, fel petai wedi ei thrywanu. Yna bu'r llinell yn dawel hyd nes i mi ddatgan fy nghydymdeimlad ac addo cysylltu â hi eto wedi dychwelyd adref.

"Odych chi'n meddwl dylen i ddeffro Rhodri, Arwel? I weud wrtho fe?" gofynnodd Non.

"Gadal hynny tan y bora faswn i," oedd fy nghyngor. Chwarae'n saff, fel bydd cyfreithwyr.

Cyn marwolaeth annhymig Owen Daniels, nid oeddwn wedi sylweddoli mai efeilliaid anwahanadwy yw bywyd ac angau; dwy elfen hanfodol o'r un broses. Nid oeddwn wedi amgyffred terfynoldeb angau cyn hynny. Nid oeddwn wedi colli neb annwyl o'r blaen. Na gweld corff marw, cyn syllu ar fy nghyfaill yn gorwedd, fel delw ohono ef ei hun, ar wely ysbyty yn Llundain.

Arferai Sylvia a minnau gyfeirio'n wamal at Owen fel ein "tad yn y ffydd" ond i mi bu'n llawer mwy na *guru* gwleidyddol a mentor proffesiynol. Owen Daniels roddodd ystyr a chyfeiriad i'm bywyd pan fethdalodd cenedlaetholdeb. Ef luniodd y patrwm a efelychwn. Rhwng 1983, pan ymunais â Davies, Greene & Daniels, hyd at ei farwolaeth, un mlynedd ar ddeg yn ddiweddarach, trown yn gyson at Owen Daniels am gyngor a chyfarwyddyd mewn byd sy'n mynd yn fwyfwy dieithr ac anesboniadwy i'm tad naturiol.

Drannoeth, wedi ychydig oriau o gwsg anniddig yn yr ysbyty, dychwelodd Sue a minnau i Drelwchwr. Siwrnai ddi-sgwrs ydoedd, heblaw am ambell air ymarferol a dwy drafodaeth fer, un ohonynt megis adlais trist o'n sylwadau gobeithiol ychydig oriau ynghynt:

"Ti oedd Owen yn erfyn i ddilyn e fel MP dros Lwchwr, Arwel."

"Well gin i beidio â meddwl am betha felly rŵan."

"Rhaid i ti. Gelli di fod yn siŵr fod lot o bobol yn cynllwynio ishws."

"Bydd raid i mi siarad efo Ann. Addewis i lai o wleidydda iddi hi, ac i mi'n hun. Dwi 'di gaddo rhoi'r gora i'r Cyngor."

"So i'n gweld bai arnot ti. Ti'n siŵr o fod wedi cael llond bola o *toytown politics*. Rwyt ti'n gwybod beth oedd delfryde Owen. Dim ond ti all 'u gwireddu nhw, Arwel."

"Ga i weld be ddeudith Ann. Cael brawd neu chwaer i Siân ydi'n blaenoriaeth ni ar y funud."

Ni welai Ann fod hynny'n f'anghymwyso i fod yn Aelod Seneddol.

"Dwi a Siani wrth 'yn bodda yn Nhrelwchwr," meddai. "Gynnon ni fwy o ffrindia yma nag yn Glan-y-Nant, diolch i Ganolfan Gwenllïan a'r Ysgol Gymraeg. Dyma dy gyfla di, Arwel, i roid y syniadau sy wedi bod yn dy gorddi di er pan wyt ti'n hogyn ar waith. Bacha fo."

Roedd sgwrs arall Sue a minnau wrth yrru'n ôl o Lundain ynglŷn â rhan Non a Rhodri yn y defodau angladdol a'r galaru. "Gwed wrth Non bo fi am iddyn nhw fod 'na," siarsiodd Sue, "a bo fi'n parchu'u teimlade nhw."

*   *   *

Angladd Owen Daniels oedd y peth tebycaf i *state funeral* a welwyd yn Nhrelwchwr. Daeth cannoedd o gyfeillion ac edmygwyr i dalu'r deyrnged olaf i'r gŵr a fu'n Aelod Seneddol dros Lwchwr er 1970: aelodau o'r *Shadow Cabinet*, ASau o'r meinciau cefn, ysgrifenyddion, phariseaid a sbinfeistri'r Parti, cynrychiolwyr y TUC, TUC Cymru ac undebau unigol, cynghorwyr ac aelodau o'r Blaid Lafur o bob cwr o'r de, *veterans* CND a'r Mudiad Gwrth-Apartheid, ugeiniau o bobl gyffredin y dyffryn a chanddynt reswm i deimlo'n ddiolchgar i Owen Daniels am ei waith drostynt.

Arnaf i, am sawl rheswm, y syrthiodd y ddyletswydd o drefnu'r cynhebrwng. Ac yn unol â chyfarwyddiadau manwl Owen ei hun ynglŷn â "threfn y moddion", fi draddododd yr araith angladdol.

Nid yw'n angenrheidiol i mi gofnodi'r ffeithiau bywgraffyddol a'r sylwadau gwerthfawrogol a draethais, gan y buaswn yn ailadrodd pethau sy'n wybyddus eisoes i'r darllenydd. Digon yw dyfynnu'r frawddeg ganlynol i grisialu'r hyn a deimlwn ac a deimlaf am fy nghyfaill:

"Roedd Owen Daniels, er ei ffaeleddau, yn ddyn da, dwfn ei ddyneiddiaeth; yn sosialydd democrataidd, pybyr; yn Gymro gwlatgar, mawr ei serch at iaith a diwylliant ei wlad ei hun, a gefnogai hawliau'r gorthrymedig a'r anghenus ym mhob cwr o'r byd."

Llywiodd Gwyn Howells y gwasanaeth, a than arweiniad Côr Meibion Llwchwr canodd y gynulleidfa a lenwai gapel yr Amlosgfa at yr ymylon, a'r dorf fwy a'i hamgylchynai: *Rwy'n gweld o bell y dydd yn dod*, *Efengyl Tangnefedd*, *The Red Flag* a *Hen Wlad fy Nhadau*.

Yn ei gyfarwyddiadau ysgrifenedig, cyfiawnhâi'r ymadawedig ei ddewis o'r ddau emyn fel a ganlyn: "Er bo fi'n hen bagan anffyddiol, rwy'n cyfaddef taw Duw piau caneuon gore'r Gymraeg. Rwy'n gobeithio y cenir rhain mewn ysbryd sosialaidd ac y cewch hwyl wrth wneud hynny."

Darparwyd y lluniaeth arferol yn y *Welfare Hall*, lle y bu O.D. yn annerch cyfarfodydd, raliau a phwyllgorau ac yn cynnal *surgeries* dirifedi yn ystod cyfnod o ddeng mlynedd ar hugain. Yno, y ddau bwnc a losgai dafodau galarwyr o bell ac agos oedd:

1. Pwy fyddai'n cynnig am y sedd a phwy fyddai'n debyg o'i chael?
2. Rhyfyg Charlie Ambeliotis, *quondam* feistres y diweddar Aelod Seneddol, a ddaeth i'r angladd mewn gwisg sidan, ddu, feiddgar, a godai gywilydd ar y weddw ifanc, nwyfus sy'n hysbysebu'r cwmni yswiriant, Scottish Widows.

Crybwyllir y ddau fater uchod yn y ddeialog ganlynol, a ailadroddwyd wrthyf gan dri thyst annibynnol a dibyn-adwy a ddigwyddai sefyll ar bwys Charlie Ambeliotis a Trevor Beynon o Rydaman a Millbank, pan ddaeth Mavis Griffiths atynt, yn wên i gyd, "am glonc":

Mavis: A beth yn gwmws ŷt ti'n neud nawr, Charlie?
Charlie: Ymchwilydd 'da chwmni teledu yng Nghaer-dydd.
Mavis: 'Na *exciting*. Ond ti bownd o fod yn colli Llun-den?
Charlie: Ddim fel 'ny.
Mavis: Joiest ti bob muned, gwitho dan Owen?
Charlie: Roedd Owen yn ddyn arbennig iawn.
Mavis: Whare teg. Ddreifest ti lawr?
Charlie: Ges i lifft 'da Trevor.
Mavis, yn cymryd arni wirioni: Shw mai, Trevor? Ti'n fachan lwcus cael menyw mor bert â Charlie'n wejen. Sori. 'Partner' ŷch chi bobl ifenc yn weud, ontefe?

203

Charlie, yn siriol: Gwraig Trevor yw 'i bartner e, Mavis. 'I wejen e odw i.

Mavis, gan chwerthin yn llon: Ti'n jocan! Gwed wrtho i nawr, Trevor, pwy licet ti weld fel MP dros Lwchwr?

Charlie, gan ostwng ei llais yn gyfrinachol: Sylvia chi, Mavis. Ond bydde fe ddim yn *diplomatic* i Trevor weud 'ny man hyn.

Ychydig yn ddiweddarach, er syndod mawr i bawb, gan fy nghynnwys i, gofynnodd Sue Daniels am osteg a datgan ei barn hi ar yr olyniaeth yn groyw, fel a ganlyn:

"Mae'r gystadleuaeth am sedd Owen yn Nhŷ'r Cyffredin eisoes wedi dechre. A gweud y gwir, dechreuodd hi pan oedd e'n fyw. Achosodd hynny loes mawr i Owen ac i mi ac ychwanegu at ei ofalon. Hen hanes yw hynny, bellach. Beth sy'n bwysig nawr yw bod olynydd Owen yn arddel yr un syniade a delfryde ag e. Mae shwt berson yn ein plith ni'r funed hon. Gŵr a fu'n gyfaill ffyddlon ac yn gydweithiwr cydwybodol i Owen Daniels ers blynydde. Rhywun yr odw i a 'nheulu, a Non a Rhodri, yn fawr yn ein dyled iddo. Rŷn ni'n dwy'n falch o weud i ni lwyddo i berswadio'r cyfaill hwn, Arwel Williams, i adael i'w enw fynd ymlaen."

Petai Sue heb lefaru'r geiriau hynny, mae'n bosib na fyddai Sylvia wedi fy herio ac y byddwn innau heddiw'n Aelod Seneddol Llafur dros Ddyffryn Llwchwr. Achwynodd Sylvia ddim ar y pryd – yn wahanol iawn i'w rhieni, oedd ill dau'n gandryll:

"Cywilyddus!" protestiodd Mavis fel y tawodd Sue. "Siarad fel 'na yn angladd 'i gŵr! Cyn i'w gorff e gael siawns i oeri, pŵr dab!"

"Gas e 'i grimeto, bach," atgoffodd Havard hi.

Ychydig ddyddiau wedi'r angladd, cafodd Sue alwad ffôn gan Sylvia a ddywedodd ei bod wedi penderfynu cynnig am sedd seneddol Llwchwr. Gobeithiai na welai ei ffrind hynny fel amharch ar goffadwriaeth Owen nac ymosodiad personol arni hi. Yn ôl Sylvia, fe'i cymhell-wyd i sefyll gan lu o aelodau'r parti lleol a gredai y gwnâi hi well Aelod Seneddol nag Arwel Williams.

Oerodd y berthynas rhwng Sue a Sylvia am beth amser wedi'r sgwrs honno, ac yn fwy fyth wedi i Sylvia feirn-iadu Sue yng nghlyw rhywun y tybiai Sylvia y gallai ymddiried ynddo, gan haeru iddi "iwso'i gweddwdod i benodi MP nesa Llwchwr".

Yn ystod yr wythnosau canlynol, gwireddwyd y ddihareb fod "personol yn gyfystyr â gwleidyddol" mewn modd annymunol iawn i mi, wrth i'm hasiant, Sue Daniels, a minnau, a Sylvia a'i hasiant hi, ei thad, ymweld â changhennau ac â barwniaid undebol, i geisio cefnogaeth ac enwebiadau.

Chwenychid y sedd gan sawl gwleidydd arall, wrth gwrs, ond dim ond dau geffyl oedd yn y ras, Sylvia a fi – a minnau gryn bellter ar y blaen. Cariai Sylvia sawl *handicap*: menyw a fethodd â chipio sedd a ystyrid yn enill-adwy yn etholiad cyffredinol 1992; merch i "ddeinosor", ac yn dal i sôn am sosialaeth ar goedd.

O'm plaid i roedd fy ngwrywdod, fy record fel Cyng-horydd ac Arweinydd Cyngor Llwchwr, fy nghysylltiadau, trwy fy ngwaith â'r undebau, ac arferiad cyfreithiwr o eirio'n ofalus.

Ymgyrchodd Sylvia a fi'n weddol anrhydeddus. Ni ellir dweud yr un peth am bob un o'n cefnogwyr, a rhyngddynt bu llawer o "luchio ymadroddion iselwael ac ensyniadau enllibus", i ddefnyddio geiriau rhyw ohebydd Fictorianaidd mewn hen, hen rifyn o'r *Herald Cymraeg* a ddarllenais yn stydi fy nhad, amser maith yn ôl. Daeth y ffraeo, y seboni a'r ymgreinio i ben – dros dro, fel y tybiem, ar y pryd – ym mis Mai 1994, gyda marwolaeth syfrdanol, drist John Smith.

Yn fuan wedi ethol Tony Blair yn Arweinydd, daeth gorchymyn o Millbank fod cadoediad Llwchwr i barhau; gan nad oedd y *régime* newydd am fentro i'r gad, hyd yn oed yn un o gadarnleoedd y Parti, nes cynnal arolwg trylwyr o'r maes. Achosodd hynny anniddigrwydd cynyddol ymhlith yr ymgeiswyr am yr ymgeisyddiaeth a'u cefnogwyr. Serch hynny, anwybyddwyd pob apêl ar i ryfel yr olyniaeth gael mynd rhagddo a maes o law, daeth Trevor Beynon o Millbank i gyfarfod arbennig o Bwyllgor Rheoli'r CLP yn *Welfare Hall* Trelwchwr, gyda *diktat* mwy gwrthun fyth.

Os bu ymgnawdoliad o Lafur Newydd erioed, Trevor Beynon, 28 oed, oedd hwnnw. Coleddai syniadau newydd, bid siŵr, parthed pwrpas ac amcanion y Blaid Lafur, ac roedd popeth gweladwy ynglŷn ag ef yn newydd sbon danlli grai: crys, tei, esgidiau a siwt Eidalaidd, lliw haul a wejen. Sylwais gyda boddhad na lwyddai'r *accessories* hyn i guddio effeithiau mynychu bwytai mwyaf ffasiynol Llundain, a bod Trevor yn moeli'n ifanc. Dyma grynodeb "newyddiadurol" o'r drafodaeth:

Trevor Beynon: The Loughor by-election will be the New Labour leadership's first test. We'd win, of course, even if we put up the proverbial donkey. That isn't good enough. Our victory must be totally convincing. No blips, no glitches or any significant rise in the number of votes cast for the Nats and the Lib Dems. This can only be achieved if there's total unity within the Party behind our policies and our candidates . . . There must be no hint of disunity within the Constituency Party on personal or ideological grounds . . . Now then, I regret to have to inform you that none of the nominations that have been received so far are completely reassuring on these counts. The leadership, therefore, requires that further nominations be invited.

Havard Griffiths: Through the Chair. What if we, as a CLP, decide that we're quite satisfied with the nominations?

Trevor Beynon: The Party nationally would impose its own candidate – as the rules regarding by-elections permit. *Achosodd y datganiad brotest a grwgnach mewn Cymraeg clywadwy ymhlith y gynulleidfa o ryw gant. Ceisiodd Trevor liniaru'r gwrthwynebiad trwy droi i'w famiaith.* Mae lan i chi, gyfeillion. Gallwch chi ffindo ymgeisydd lleol fydd yn cyfateb i syniade'r *leadership* boutu'r math o berson ddyle gynrychioli'r Blaid Lafur Newydd yn Westminster. Neu gorffod derbyn rhywun o'r tu fas. Rwy'n gweld 'na'n deg iawn.

Arwel Williams: Mr Cadeirydd (*sef Gwyn Howells*), fedar Trevor roi rhyw fath o broffeil i ni o'r fath o ymgeisydd fydda'n dderbyniol gan yr arweinyddiaeth?

Trevor Beynon: Cwestiwn da, Arwel. Dyle'r person hyn fod yn hollol deyrngar i'r Parti ac i'r arweinyddiaeth. Gore oll os nagyw e, neu hi, erioed wedi perthyn i unrhyw barti neu *organisation* arall. Dyle fe, neu hi, ddim bod ag unrhyw ran mewn cwerylon personol neu *ideological* alle beryglu undod y Parti. Rhywun cymedrol . . . (*Gyda choegni maleisus*) *Moderate*, Havard.

Havard Griffiths, wedi ei ddwysbigo: Rwy'n diall beth yw "cymedrol", Trevor.

Trevor Beynon, yn drahaus: Gwd. Alli di ddiall, fel 'ny, shwt *fachan* licen ni weld fel MP dros Lwchwr. Allech chi neud lot gwaeth na dewis yr un sy wedi cadeirio'r cyfarfod hyn mor effeithiol. Dyn cymedrol 'i syniade, miwn swydd uchel 'da un o'r undebe calla, a mwya cymedrol s'da ni.

Troes pethau'n gas wedyn pryd y clywodd Trevor eiriau angharedig amdano ef ei hun ac aelodau o'i deulu a phobl

Rhydaman yn gyffredinol. Ar adegau, codai'r cyhuddiadau i dir uwch a chyhuddid Beynon a'i debyg o wyrdroi'r Blaid Lafur oddi wrth ei hamcanion gwreiddiol trwy eu hymdrechion i gael gwared ar *Clause Four*, torri'r cysylltiad â'r undebau a'i throi'n SDP *Mk.II*.

Nid dyna ddiwedd yr helynt. Cafwyd wythnosau o achwyn, gohebu a lobïo taer cyn i Sylvia a fi, heb ym-gynghori, ildio i bwysau oddi uchod, a thynnu allan o'r ras gan adael tri cheffyl cloff i redeg yn erbyn *Ffefryn Tony*. Derbyniodd y parti lleol yr iau ganolog a dewiswyd Gwyn Howells yn ymgeisydd Llafur yn yr is-etholiad ac yn Aelod Seneddol anochel Dyffryn Llwchwr wedyn.

"Rhyfedd, 'tê?" meddwn wrth Tal Howells dros beint yn y Clwb Caib a Rhaw, y nos Wener wedi'r cyhoeddiad swyddogol mai ei fab fyddai'n sefyll. "O'r tri ohonan ni, Sylvia, Gwyn a fi, yr un soniodd rioed am fod yn MP yn cael 'i ddewis. Yr unig un fydd yn Aelod Seneddol, debyg. 'Sgin i ddim diddordab mewn cynrychioli ethol-aeth arall. Ac mae Sylvia yn *persona non grata* efo criw Millbank a'r hen Blaid Lafur hefyd. Roddodd Gwyn ryw awgrym i ti, cyn y miri yma?"

"Ma'i wraig e wedi achwyn wrth Gwyn ers blynydde nagyw e'n ddigon *ambitious*," meddai Tal. "Wahanol iawn iddi hi – y metron ieuenga'n hanes y *General*. Ma'r syniad o fod yn wraig i MP wedi hurto Bethan yn lân. Yn enwedig gan fod 'i gŵr hi wedi gorffod sarnu traed 'i hen wejen."

Ychydig o ddiddordeb lleol a enynnodd is-etholiad Llwchwr, Tachwedd 17eg 1994, a llai fyth y tu allan i'r dyffryn: ymgeisydd clên ond diargyhoeddiad, â pholisïau diddrwg-didda, yn sefyll dros blaid barchus, sefydliadol, i amddiffyn mwyafrif enfawr yn erbyn gwrthwynebwyr di-ddim.

Mae rhai pethau'n mynnu bod: Ann a fi, er enghraifft,

yn cyrraedd yr orsaf bleidleisio yn Festri Bethania, fel y gadawai Havard a Mavis. Cafwyd mymryn o *rapprochement*, yn deillio o'r hen egwyddor fod "gelyn fy ngelyn yn gyfaill i mi" a thybiaeth rhieni Sylvia fy mod i wedi'm siomi gymaint â'u merch.

"Feddylies i ariôd galle hi fod mor anodd i fi foto dros Lafur, Arwel," cyfaddefodd Havard.

"Gorffod i ni fforso'n hunen i ddod 'ma," ategodd Mavis yn ddwys. Gwenodd yn ddirybudd ac ychwanegu: "'Run ffordd â Mrs Williams fyddi di'n foto heddi, Arwel?"

Gwenais innau wrth ateb: "Naci, Mavis. Fyddwn ni'n pleidleisio 'run ffor â'n gilydd."

Ochneidiodd Havard pan ddechreuodd ei wraig bregethu: "Welen i ddim bai arnot ti am fynd yn ôl at y *Nationalists*, Arwel. Ffordd tretodd *New Labour* ti a Sylvia. 'Rôl popeth nethoch chi 'da'ch gilydd dros y Parti. Rŷt ti a Sylvia lot mwy *qualified* i fod yn MP na Gwyn Howells. Mae e shwt dwpsyn i gymharu â chi'ch dou. A 'sdim personoliaeth 'da fe!"

Trodd Mavis at Ann a thraethu ei pherorasiwn i wyneb y câi ei berchennog anhawster i'w gadw'n syth: "Ffindodd Sylvia'n glou iawn pan aeth hi i Aber gymaint o ionc yw Gwyn Howells, Ann. 'Na pam gwplodd hi 'dag e a mynd 'da Arwel. Och chi'n siwto'ch gilydd gyment gwell, nagoch, Arwel?"

"Dere nawr, iddyn nhw gael foto," meddai Havard gan gydio'n gadarn ym mhenelin ei wraig a'i thywys o'r Festri. Aeth Ann a minnau i bleidleisio dan chwerthin.

Pan gyrhaeddais y swyddfa ychydig wedi deg y bore hwnnw, clywais fod Paul Griffiths wedi ffonio ddwywaith, gan adael neges i mi gysylltu ag ef yn swyddfa'r heddlu, Folkestone, lle y carcharwyd ef a Rhodri Daniels ar ôl cael eu restio yng nghyffiniau'r dref honno, rai oriau'n gynharach, a'u cyhuddo o ddod i mewn i'r wlad â litrau dirifedi o gwrw, gwin a gwirodydd, cilogramau lawer o faco, a channoedd o sigaréts, gyda'r bwriad o werthu eu llwyth yn anghyfreithlon.

Trefnais i gyfreithiwr lleol gynrychioli'r cyhuddiedig gerbron Mainc Ynadon Folkestone ac fe'u rhyddhawyd ar fechnïaeth, i ddychwelyd i'w gwlad eu hunain mewn Transit wag.

Ganol mis Ionawr, 1995, euthum i Folkestone gyda'r dihirod a oedd wedi ymbarchuso'n rhyfeddol ar gyfer yr ymweliad. Daeth Sylvia i'r Llys i gefnogi ei brawd a'i gyfaill. Eisteddodd yn yr oriel gyhoeddus gyda'r dyrnaid arferol o rafins bro a'u menywod tlodaidd yn ystod y gwrandawiad. Gwrthgyferbyniai ei glendid a chwaeth gynnil ei dillad yn drawiadol â'i hamgylchedd.

Llwyddais i argyhoeddi'r ustusiaid – Torïaid rhyddfrydig nad oedd am gael eu cyhuddo o ragfarn wleidyddol – fod Paul a Rhodri'n ddieuog, gydag anerchiad sy'n awgrymu nad wyf yn amddifad o ddoniau ffuglennol:

> "It may appear inconceivable, in this part of the world, your Honours, that the wine, beer and cigarettes which my clients were transporting were intended for consumption at a series of parties to celebrate the election of a Labour Member of Parliament. But may I remind you of the widespread and enthusiastic support which the Labour Party enjoys in the valleys of South Wales? May I remind you also of the strong family ties which bind my clients to the Labour Party – especially Rhodri Daniels, the son of Owen Daniels, the recently deceased Member of Parliament for the Loughor constituency, whose sad and untimely death created the need for a by-election. Paul

Griffiths is the son of Mr Owen Daniels's electoral agent and a close personal friend of his successor, Mr Gwyn Howells, MP . . ."

"Dyna beth oedd *miscarriage of justice!*" meddai Sylvia wrth ein llongyfarch y tu allan i'r Llys.

"Ie," chwarddodd Paul, gan wasgu fy llaw dde'n slwj. "Jail the Trelwchwr Two!"

Carlamodd Paul a Rhodri tua'r dafarn agosaf. Dilynodd Sylvia a fi hwy'n hamddenol, gan fwynhau cwmni'n gilydd a bod ar yr un ochr unwaith eto. Ni ddywedwyd nemor ddim, rhag i air difeddwl godi clicied y dorau a gadwai bedair blynedd ar ddeg o atgofion llon a lleddf dan yr hatsys. Yr unig newydd o bwys oedd gan Sylvia oedd iddi dderbyn gwahoddiad i sefyll yn South Middlesex. Dymunais lwc dda iddi.

"Bydd angen mwy na lwc arno i, Arwel," meddai Sylvia gyda chwerthiniad eironig. "Gwyrth. Ma' cymaint o obaith 'da Tori yn Nhrelwchwr!"

Yn y dafarn, soniodd Sylvia iddi weld AS newydd Llwchwr yn Nhŷ'r Cyffredin yn ddiweddar, pan aeth hi yno ar gyfer *London Candidates' Briefing.*

"Welodd e mono i," meddai Sylvia. "Roedd e'n dod mas o ryw far 'da phump neu whech MP arall. Ma' fe'n ffito mewn 'co lot gwell na fyddet ti neu fi, Arwel. Yn cydymffurfio'n net 'da rheole ac arferion *The Best Gentlemen's Club in London.* So 'na'n golygu bydd e'n well MP na ti neu fi. All e ddim bod. Ieffach, o'n i'n grac. Teimles i fel mynd ato fe a'i shiglo fe a gweud 'na wrtho fe."

Wedi i Paul a Rhodri gael *pub lunch* a chwpwl o beints, a Sylvia a fi frechdanau a dŵr swigod, dychwelais i a'r bechgyn i Drelwchwr ac aeth hithau'n ôl i Croydon. Ni welodd Sylvia a fi ein gilydd wedyn tan fis Mawrth 1997.

TUA'R WAWR

Bu 1997 yn flwyddyn fawr yn hanes y Blaid Lafur, Cymru ac Arwel Williams.

Ddechrau mis Mawrth, bendithiwyd priodas Ann a minnau ymhellach gan y newydd fod fy ngwraig yn feichiog. Cyflymodd hynny broses a fu'n mynd rhagddi er pan ddaethom yn ôl at ein gilydd: dadebru elfennau yn fy mod/*psyche*/enaid yr oeddwn wedi anghofio am eu bodolaeth:

Yr elfen esthetig. Enynnodd fy magwraeth a'm haddysg gynradd ac uwchradd ynof serch at lên, barddoniaeth a cherddoriaeth. Ychydig a wyddwn am y celfyddydau eraill, ond roeddwn yn hoff iawn o ddarllen straeon, nofelau a cherddi yn Gymraeg a Saesneg ac o wrando ar fiwsig o bob math. Edwinodd y diddordebau hynny pan es i i Aberystwyth, fel y cynyddai fy awydd i achub Cymru a newid y byd ynghyd â'r adnabyddiaeth o'r byd a ddaeth i mi wrth ymdrwytho yn y gyfraith.

Mae obsesiwn cyfreithwyr a gwleidyddwyr â "ffeithiau", eu parodrwydd i hollti blew ynglŷn ag ystyr llythrennol y geiriau a ddefnyddiant i gyfleu'r "ffeithiau" hynny i wrandawyr a darllenwyr, neu i'w celu rhagddynt, a'r rheidrwydd proffesiynol sydd ar gyfreithwyr a gwleidyddion i "fyw yn y byd go-iawn", yn siŵr o wneud philistiaid ohonynt. Nid oeddwn i'n eithriad. Âi Sylvia a minnau i'r sinema o bryd i'w gilydd, ond byth i'r theatr, yr opera, y neuadd gyngerdd na'r oriel; diddanwch snobyddlyd pobl fas heb ddim byd gwell i'w wneud oedd pethau felly.

Fel y tywynnai creadigedd Ann arnaf, des yn ymwybodol o rym adferol, gwareiddiol, dyneiddiol celfyddyd. Gyda hi, dechreuais fynychu orielau, theatrau a chyngherddau; pan aem dramor, golygfeydd hyfryd, adeiladau cain eu pensaernïaeth, paentiadau a cherfluniau a'n denai, nid mannau hanesyddol.

Yr elfen ysbrydol. Yn hytrach na chred ofergoelus mewn bywyd tragwyddol, crefydd drosgynnol, Duw hollalluog, hollwybodus ac ati ac yn y blaen, yr hyn a olygaf yw ymwybyddiaeth o werthoedd nad ydynt yn seiliedig ar ddadansoddiad ideolegol na deallusol o drefn y byd a'r bydysawd. Ymdeimlad dwfn fy mod i a'r ddyn-oliaeth yn rhan o natur. Geiriau ystrydebol ac arwynebol, ond dyna'r diffiniad gorau o'r "dimensiwn ysbrydol" y medraf i ei lunio. Nid ffydd nac athroniaeth a ddisgrifiaf yn gymaint â fflachiadau gweledigaethol, ysbeidiol, byrhoedlog. Y rhyfeddod a deimlaf wrth syllu ar fy mhlant yn cysgu, yn hwyr y nos, cyn i mi fy hun fynd i 'ngwely, er enghraifft. Y gorfoledd a'm llenwodd pan ddywedodd Ann ei bod yn disgwyl ein babi ni. Rwy'n meddwl fod Cristnogaeth wedi gwneud mwy o ddrwg nag o les, ond haedda glod am hyrwyddo baban-addoliaeth.

Oni bai fod Ann newydd ddarganfod ei bod yn disgwyl, mae'n beryg y buasai ein hanghydweld ynglŷn â dyfodol Canolfan Gwenllïan wedi troi'n ffrae.

Roedd yn rhaid i Ann brotestio yn erbyn bwriad Cyngor Sir Llwchwr-Afan i ddiddymu grant y Ganolfan. O fewn ychydig wythnosau iddi hi a Siân ymuno â mi yn Nhrelwchwr, roedd Ann yn rhedeg cyrsiau poblogaidd yno ac yn gweithredu fel dirprwy answyddogol ac anghyflogedig i'r Cyfarwyddwr, Sue Daniels. Ni fuasai Ann a

Siân wedi setlo cystal yn Nhrelwchwr, na gwneud cynifer o ffrindiau yno, mewn cyn lleied o amser, oni bai am Ganolfan Gwenllïan.

Roedd yn rhaid i minnau gyd-fynd â'r farn fwyafrifol ymhlith aelodau Pwyllgor Cyllid Cyngor Sir Llwchwr-Afan. O orfod dewis rhwng Canolfan Gwenllïan a dau gartref i'r henoed, penderfynwyd mai cau'r Ganolfan oedd y lleiaf o ddau ddrwg.

Cytunwyd i anghytuno. Diflas iawn, serch hynny, oedd gweld fy ngwraig a nifer o hen gyfeillion yn y dorf a ddaeth i Neuadd y Sir, ddydd Iau, Mawrth 15fed 1997, i wrthdystio yn erbyn argymhelliad y Pwyllgor Cyllid (Cadeirydd: Cyng. A. Williams) fod y cyfyngiadau a osododd y Llywodraeth ganolog ar gyllideb y Cyngor y cyfryw fel na ellid cyfiawnhau parhau i gynnal Canolfan Gwenllïan, ac mai dyletswydd y Cyngor Sir oedd gwneud defnydd mwy effeithiol o'i adnoddau trwy ddarparu'r un gwasanaethau trwy gyfrwng sefydliadau eraill, megis y Citizens' Advice Bureau, Coleg Technegol Trelwchwr, WEA, Adran Allanol y Brifysgol ac yn y blaen.

Petai Ann heb fod yn cario fy mhlentyn, efallai y buasai hithau wedi hwtian a thorri ar fy nhraws pan geisiais gyfiawnhau ein safbwynt fel a ganlyn:

> "In an ideal world, the Council could afford to continue funding Canolfan Gwenllïan at the present generous level. The Conservative Government's vicious constraints on local government spending are a cruel indication that we are not living in such a world . . . Rydw i'n deall pryder a gofid rhai aelodau o'r cyhoedd, ac yn eu sicrhau nhw na fydd cyfleusterau Canolfan Gwenllïan yn cael eu di-ddymu, dim ond eu trosglwyddo i ganolfannau eraill . . ."

Prif wrthwynebydd y cynnig a lladmerydd y protest-wyr ar lawr y siambr oedd y Cynghorydd Steve Davies (Annibynnol), 40+, perchennog siop Bwyd Iach, Stryd Fawr, Trelwchwr; creadur hunandybus, hunangyfiawn sy'n rhoi enw drwg i fwydlysyddiaeth. *Maverick* gwleid-yddol yw Steve *Interesting* Davies, o fath nad yw'n anghyffredin yn y de. Bu'n aelod o'r Blaid Lafur ac o Blaid Cymru am gyfnodau byrion. Parodd ei "dröedigaeth" i'r cenedlaetholwyr gyhoeddi'n dalog, yn ôl eu harfer, eu bod "ar fin torri drwodd yn Llwchwr".

"'Sdim iws i'r Cadeirydd feio'r Torïaid," edliwiodd y Cynghorydd Davies. "Ma' Gordon Brown, y *Shadow Chancellor,* wedi gweud yn glir y bydd e'n dilyn polisïe economaidd y Blaid Geidwadol am ddwy flynedd gynta unrhyw Lywodraeth Lafur. Mae'r Blaid Lafur wedi bradychu menywod Dyffryn Llwchwr a gwerin Cymru unwaith 'to."

Tagais yr awydd i ateb gyda: "Mae'r Cynghorydd Steve Davies allan o drefn. Dylai ddatgan diddordeb yn y mater hwn. Ei unig ddiddordeb. Sef ei fod yn sielffo Cyfarwyddwr Canolfan Gwenllïan, Mrs Sue Daniels, sy'n gwenu'n serchus arno fo o'r oriel gyhoeddus. Rhag ei chywilydd hi! Roedd ei diweddar ŵr, Owen Daniels, yn gawr o'i gymharu efo'r corrach a'r rwdlyn yma!"

Yn lle hynny dywedais: "Digon hawdd i fand un dyn chwara i ba bynnag galeri mae o am 'i phlesio ar y pryd. Rydan ni Gynghorwyr Llafur wedi derbyn y cyfrifoldeb o ofalu am les y gymuned gyfan, fel y bydd y Llywod-raeth Llafur nesa'n gofalu am y wlad yn 'i chrynswth. Mi symudwn ni i bleidlais . . . All those in favour of Resolution 35/4681, please show . . ."

Maddeuais i Ann ei gwên feirniadol gan ddiolch nad oedd wedi codi ar ei thraed gyda Sue a'r menywod eraill i floeddio'i sarhad.

Gohiriais weddill y cyfarfod am ugain munud oher-wydd yr anhrefn ac aeth y protestwyr allan dan lafar-ganu: "Arwel Williams, bradwr! Arwel Williams, traitor! La-la, la, la! La-la, la, la!"

Ychydig ddyddiau'n ddiweddarach agorwyd Digital Valley, siop gyfrifiaduron a gweithdy'n gysylltiedig â hi, yn Stryd Fawr Trelwchwr. Perchnogion y busnes oedd Rhodri Daniels a Paul Griffiths ac fe'i sefydlwyd gyda chymorth ariannol hael Non, mam Rhodri, ynghyd â grantiau sylweddol a chyrsiau hyfforddiant a marchnata a ddarparwyd gan hen Gyngor Bwrdeistref Llwchwr a Chyngor Sir newydd Llwchwr-Afan. Prif westai'r sere-moni agoriadol oedd Gwyn Howells AS. Roeddwn innau'n bresennol yn rhinwedd fy nghysylltiadau â'r cynghorau a fu mor gefnogol i'r fenter. Gorfu i'r ddau ohonom wrando ar ragor o feirniadu ar y penderfyniad i gau Canolfan Gwenllïan, y tro hwn o enau Tal Howells, tad yr Aelod Seneddol, a Sylvia Griffiths, fy nghyn-gymar i.

"Rŷch chi'n bownd o fod yn browd iawn o'ch mab, diwrnod fel heddi, Tal?" awgrymodd Sylvia gyda gwên fach sbeitlyd.

"Wrth gwrs bo fi, Sylvia," cydsyniodd Tal. "Ond so i'n gallu gweud 'run peth am y Parti na'r ffordd mae e'n mynd. Rwy o blaid agor llefydd fel hyn, fel bod cryts fel Paul a Rhodri'n cael siawns. Trueni bo chi ddim yn gallu neud 'ny a chadw llefydd fel Canolfan Gwenllïan ar agor, bois."

Roedd Tal mor ddiystyrllyd o'm dadleuon ag y bu'r protestwyr yng nghyfarfod y Pwyllgor Cyllid ond cefn-ogodd ei fab fi, gan gymeradwyo agwedd garcus, gyfrifol Gordon Brown a minnau at arian y cyhoedd a'n gwrol-deb yn wyneb "penderfyniadau caled".

"Rwy'n siŵr bydde Sylvia, fel pob ymgeisydd Llafur

yn yr etholiad cyffredinol nesa, yn gweud yr un peth," meddai Gwyn gan herio Sylvia i anghydweld ag uniongrededd ariannol Llafur Newydd.

"Y peth diwetha nelen i mewn cwmni fel hyn fydde tynnu'n groes i Tony a Gordon," ebe Sylvia'n siriol cyn troi'r tu min ataf i: "Ond so i'n cytuno â beth ŷch chi'n neud, Arwel. Ma'ch hanner chi'n *unreconstructed valleys misogynists*, nagyn nhw rioed wedi lico'r Ganolfan achos taw menywod sy'n 'i rhedeg hi, a bod hi'n llwyddiant, a'r hanner arall yn pigo ar Gwenllïan achos bod hi'n *soft target*."

Atebais hi'n swta: "Ddylat ti wbod na tydw i'n perthyn i'r naill garfan na'r llall, Sylvia. Digon hawdd i rywun sy 'rioed wedi bod mewn swydd wleidyddol gyfrifol feirniadu'r rheini sydd."

"Odi, sbo," atebodd Sylvia, gan wenu ond â'i llygaid yn culhau. "Siarades i â Sue cyn dod 'ma. Bydd hi'n ymladd chi bob cam o'r ffordd."

Sylwais ar bobl o'n hamgylch yn clustfeinio. "Esgusodwch fi," meddwn wrth Gwyn, Sylvia a Tal. "Dwi'n meddwl bod Non a'r hogia isio gair efo fi."

Er i Sylvia wadu'n ddiweddarach fod a wnelo hi unrhyw beth â'r datblygiad nesaf yn saga Gwenllïan, rwy'n amau iddi fod yn "affeithiwr (*accessory*) rhag ac wedi'r weithred", o leiaf.

COUNCILLOR TO STAND AS INDEPENDENT SOCIALIST . . . GENERAL ELECTION THREAT TO LABOUR IN LLWCHWR . . . DAVIES ACCUSES LABOUR OF 'BETRAYAL' . . . MP's WIDOW SLAMS COUNCIL . . . MRS DANIELS TO CHALLENGE HUSBAND'S SUCCESSOR?

Penawdau fel y rhain a welwyd ym mhapurau'r de

ddiwedd mis Mawrth 1997, uwchben adroddiadau fod y Cynghorydd Steve Davies yn bwriadu sefyll fel Sosial-ydd Annibynnol yn yr etholiad cyffredinol a gynhelid ymhen ychydig wythnosau. Haerai y byddai'n rhoi cyfle i etholwyr Llwchwr ddangos eu cefnogaeth i'r polisïau sosialaidd traddodiadol yr oedd Plaid Lafur Newydd Tony Blair wedi cefnu arnynt er mwyn ymdebygu i'r Torïaid, yn ogystal â datgan eu gwrthwynebiad i ben-derfyniad Cyngor Llafur Llwchwr-Afan i gau Canolfan Gwenllïan – symbol o fradychiad cyffredinol Llafur Newydd. Roedd y diweddar Owen Daniels AS wedi brwydro'n ddygn dros sefydlu Canolfan Gwenllïan ac, er mawr siom i'w weddw, Mrs Sue Daniels, ni lefarodd ei olynydd air o blaid cadw'r adnodd lleol unigryw hwn ar agor. Roedd Mrs Daniels yn rhoi ystyriaeth ddwys i gais y Cynghorydd Steve Davies a Phwyllgor Canolfan Gwenllïan ar iddi hi herio Llafur Newydd yn yr etholiad cyffredinol, oni bai fod y Cyngor Sir yn parhau i ariannu'r Ganolfan yn anrhydeddus. Pe cytunai Mrs Daniels, bydd-ai'r Cynghorydd Davies yn hapus iawn o gael y fraint o weithredu fel ei hasiant.

O fewn deuddydd i ymddangosiad y cyntaf o'r adrodd-iadau hyn, ffoniodd Gwyn Howells fi o Lundain, yn bryderus iawn. Tua deg o'r gloch y nos oedd hi, a minnau'n y stydi, gartref, yn paratoi papur i Bwyllgor Rhanbarthol y T&G ynglŷn â sut y tybiwn i y dylai'r TUC fynd ati i gymell Llywodraeth Lafur i ddiddymu deddfau gwrth-undebol y Torïaid – blaenoriaethau, ymateb tebygol y CBI a chyflogwyr unigol, goblygiadau'r ddeddfwriaeth gyflogaeth Ewropeaidd, ac ati.

"Paid â phoeni," atebais. "Ma'r rhan fwya'n dallt 'yn bod ni'n gorfod dewis rhwng cadw Gwenllïan a thorri'n rwla arall – gwasanaetha i hen bobol, ysgolion, neu wella'r stoc dai. Os caewn ni'r cartrefi hen bobol, dyna'i diwedd hi. Fyddwn ni ddim yn diddymu be ma'r Ganol-fan yn gynnig. Dim ond ad-drefnu."

"So Sue a'i gang yn deall hynny, a so nhw'n moyn deall, Arwel. Ân nhw am *confrontation* oni bai bo chi'n gadael i Ganolfan Gwenllïan fod. Rŷn ni'n becso am y *fall-out* etholiadol, Arwel."

"Sgin *Interesting* ddim gobaith ennill mwy na chant neu ddau. Pawb yn gwbod mai lembo ydi o. Mil, ar y mwya, gâi Sue, tase hi'n sefyll. Os sefith hi, geith hwi o'r Parti ac mi gollith bob mymryn o'i dylanwad a'i *prestige* fel gweddw Owen Daniels."

"Rwy'n clywed beth ti'n weud, Arwel," meddai Gwyn wedi ysbaid hir o dawelwch, fel petai fy ngeiriau wedi cymryd sbel i deithio rhwng Trelwchwr a Llundain. "Ond bydde mil o bleidleisie i Sue'n rhoi'r argraff fod y Parti'n rhanedig. 'Na'r peth ola ni'n moyn yntefe? Nid yn unig hynny, ond bydden ni'n gorffod campeino gatre, ac yn ffili hala dynon tuag Ystalyfera a Chaerdydd."

"Dwi'n clŵad be titha'n ddeud, Gwyn. A dwi'm yn leicio fo."

"Rŷn ni am i chi gadw Gwenllïan ar agor. Diwedd y stori."

" 'Ni'?"

"Ma'n dod o'r top." Saib hirfaith ac awdurdodol. "Reit o'r top, Arwel."

"Iesu Grist, o Millbank Tower! Yr union bobol fynnodd bod ni'n cyllido fel Torïaid yn deud wrthan ni am smalio bod yn sosialwyr!"

"Os bydd rhaid i fi, Arwel, bydda i'n dadgysylltu'n hunan oddi wrth benderfyniad y Cyngor."

"OK. Ond dallt di hyn. Dwi isio rwbath gynnoch chi."
Saib hir.
"OK. Beth ti'n moyn?"

"Wn i ddim eto, ond fyddwn ni'n disgwyl cymwynas fawr iawn gin ti a'r Swyddfa Gymreig . . ."

"Naf i beth alla i . . ."

". . . os enillwn ni."

"Newn ni."

"Ella fotith Saeson yr *Home Counties* dros y Torïaid go-iawn unwaith eto. Nos dawch."

Es i lawr i'r stafell fyw lle'r oedd Ann yn darllen ei nofel wythnosol ac ailadrodd y sgwrs uchod gan ei britho â rhegfeydd.

"Twyt ti ddim yn falch bydd Gwenllïan yn dal ar agor? Tasa hi 'mond am bod hynny'n 'y mhlesio i?" gofynnodd Ann gan fwytho fy nhalcen.

"Gas gin i gael 'y mlacmelio. Yn enwedig gin ffrindia."

"Ddim yn lecio wyt ti bod Gwyn yn deud wrtha chdi be i neud. A hitha wedi arfar bod fel arall."

"Diolch am yr eglurhad, Doctor Freud. Dwi'n teimlo'n llawar gwell."

Rhyw hanner awr yn ddiweddarach, wedi i ragor o fwytho a diliau Glenmorangie gysuro fy ego clwyfedig, edrychwn ar y dewis yn fwy athronyddol:

"Cwestiwn Nhad i'r dosbarth derbyn, erstalwm, erstalwm: 'A yw gweithredu'n gywir am reswm annheilwng yn rhagori ar weithredu'n anghyfiawn o gymhelliad didwyll?' "

Hysbysebodd swyddogion a chynghorwyr dro-pedol arfaethedig y Pwyllgor Cyllid yn helaeth, ond gan fod menywod Gwenllïan yn amau mai un arall o "dricie'r Cownsil" ydoedd, daeth haid ohonynt i'r cyfarfod o'r Cyngor llawn, ddechrau mis Ebrill, dan arweiniad Sue Daniels, corwynt o ddynes a chwythai i'r un cyfeiriad â fi, fel arfer. Y diwrnod hwnnw, roedd wedi rhwymo ei gwallt yn *pony-tail* a gwisgai jîns denim a chrys-T gwyn a "Gwenllïan" yn goch ar ei frest. O'm sedd i yn y siambr, ymddangosai Sue fel petai heb heneiddio ddiwrnod er pan welais i hi gyntaf, dros bymtheg mlynedd ynghynt, yn wraig arddegol i John Ford.

Roedd yr oriel gyhoeddus yn ferw drwgdybus ar unwaith pan alwyd arnaf gan y Cadeirydd, Derek Harcombe – a ddychwelwyd i blith y cadwedig ar ôl tyngu ar ei beth mawr yr ymwrthodai'n dragywydd â Gwilym Greaves a'i holl weithredoedd.

Cadeirydd: Item 13/5f. Councillor Arwel Williams, Chairman of the Finance Committee, to speak to the Committee's recommendation regarding the future of Canolfan Gwenllïan Centre and Mother and Child Clinic. (*Anghymeradwyaeth swnllyd o'r oriel gyhoeddus*) Byddwch yn dawel nawr, os gwelwch chi fod yn dda. (*Mwy o swn drwg o'r oriel gyhoeddus*) So i'n mynd i ofyn 'to. Os na fydd Cownsilor Williams yn cael whare teg, bydda i'n ajyrno'r mitin ac yn galw ar yr offisyrs i gliro'r *chamber*.

Cyng. A. Williams (*wedi i arweinwyr y protestwyr eu tawelu*)*:* Mae'r Blaid Lafur yn blaid gyfrifol iawn. Yn blaid sy'n fodlon derbyn, wrth lywodraethu, boed yn lleol neu'n ganolog, gyfrifoldeb am fudd a lles y gymdeithas gyfan. Mae hynny'n golygu bod yn ddigon dewr i wneud penderfyniadau anodd ar adegau, er mwyn rhannu'n hadnoddau cyllidol yn deg rhwng gwahanol alwadau. Mae'r Blaid Lafur hefyd, wrth gwrs, yn credu mewn democratiaeth.

Cyng. S. Davies: "'Ych democratieth chi", ys gwedodd Dafydd Iwan!

Y protestwyr yn cymeradwyo'n uchel.

Cadeirydd: 'Ma'r rhybudd ola! Rwy'n warno chi! Pidwch chithe, Cownsilor Davies, gweud pethach dwl i hala'r bobol hyn yn benwan. Ewch 'mla'n, Cownsilor Williams.

Cyng. A. Williams: Mae democratiaeth y Blaid Lafur, Mr Cadeirydd, yn golygu'n bod ni'n gwrando ar lais yr etholwyr. Dyna pam yr ydan ni, fel Pwyllgor Cyllid, yn tynnu'n ôl yr argymhelliad i ad-drefnu gwasanaethau Canolfan Gwenllïan. Mi fyddwn ni, erbyn y cyfarfod nesaf, wedi cyhoeddi cynlluniau i barhau gyda'r drefn bresennol.

Cadeirydd: Recommendation withdrawn. We'll now move on to the Report of the Environmental Health Committee. Mr Handel Jenkins, Chief Environmental Health Officer, to speak to his report . . .

Bonllefau o lawenydd o'r oriel gyhoeddus.

Cadeirydd: 'Na fe. Gethoch chi be chi'n moyn. Ewch mas i selibreto.

Cododd y Cyng. S. Davies o'i sedd ac ymuno â'r protestwyr. Cofleidiodd Mrs Sue Daniels a chusanodd hi ac yntau ei gilydd cyn iddynt hwy a'r protestwyr buddugoliaethus dyrru allan o'r siambr.

Bu menywod Gwenllïan a'u cefnogwyr yn dathlu yn y Loughor Arms tan amser cau. Yna aethant ymlaen i gartref y Cyfarwyddwr yn Maes-y-Dderwen. Yn ôl y cymdogion, parhaodd y rhialtwch yno tan oddeutu dau o'r gloch y bore.

Am ddeg munud wedi pedwar y bore hwnnw, cyrhaeddodd Steve Davies *Casualty Ward* Ysbyty Bro Llwchwr a gofyn am driniaeth i archoll dwfn ar gledr ei law dde – canlyniad cydio mewn darnau o botel win a faluriwyd mewn parti, meddai. Nid oedd neb gyda'r Cynghorydd; dywedodd fod "ffrind" wedi rhoi lifft iddo i'r ysbyty. Yn ôl y Prif Swyddog Nyrsio, Bethan Howells, credai'r meddyg a ymgeleddodd y Cynghorydd Steve Davies mai cyllell, nid darn o wydr, a achosodd y clwyf.

Y farn gyffredinol yn Nhrelwchwr oedd fod Sue Daniels wedi rhoi *chuck* i Steve oherwydd nad oedd y gyfathrach o fudd gwleidyddol iddi bellach. Wnes i ddim achub ei cham, er i mi gofio Sylvia'n dweud fod Sue wedi sôn wrthi hi sut y byddai'n "cwato cyllell gig dan y gwely pan fydde John yn mynd mas ar y pop", hyd yn oed pan oeddynt yn hapus gyda'i gilydd; iddi fygwth ei gŵr cyntaf â'r twca, sawl noson, a'i drywanu yn ei ysgwydd, un tro.

*   *   *

Y diwrnod yr agorodd y Blaid Lafur ei Swyddfa Etholiadol yn hen siop esgidiau Olivers yn Stryd Fawr Trelwchwr, aeth Havard a Mavis Griffiths draw i Digital Valley, oedd gyferbyn â'r swyddfa, fwy neu lai, gyda *Blutak* a phedwar o'n posteri – dau o rai mawr â neges gyffredinol, a dau fach yn galw am gefnogaeth i'n hymgeisydd, Gwyn Howells.

"Chi'n folon rhoi rhain lan yn y ffenestri, on'd ych chi, Christine?" ebe Mavis wrth gariad Paul/derbynwraig/ysgrifenyddes Digital Valley.

"So i'n siŵr," atebodd Christine. "Well ichi ofyn i'r bois, Mavis. Ma' Rhodri mas 'da cleient a Paul wedi slipo lan i Vallée Baguette am gwpwl o sangwejes i ni i gino. Bydd e'n ôl whap."

"Fydd dim gwahanieth 'da nhw," cyhoeddodd Havard ac aeth ef a Mavis ati i osod poster bach a phoster mawr ar y brif ffenestr. A hwythau'n trafod lle i ddodi'r ddau boster arall, dychwelodd Paul gyda'r *baguettes*.

"Beth yffach sy'n mynd 'mlaen man hyn?" gofynnodd Paul – mewn syndod, yn ôl ei dystiolaeth ef; yn haerllug ac ymosodol, yn ôl ei dad.

"Rwy'n gwbod nagyt ti a Rhodri'n aelode o'r Parti

rhagor, Paul," meddai Mavis, "ond rŷch chi bownd o fod yn folon helpu cyment â 'na?"

"Busnes yw Digital Valley, Mam," esboniodd Paul. "Ni'n moyn gwerthu compiwters i bobol o bob Parti. Toris, Lib Dems, Plaid Cymru a *Labour*. Ac i bobol sy'n casáu chi i gyd."

"Clyw, Paul," ebe Havard, a'i natur yn codi, "fydde dim busnes i gael 'ma heb yr help gethoch chi 'da'r Cownsil – *Labour-controlled council*."

Ffrwydrodd Paul a bloeddio i wyneb ei dad: "*Labour-controlled Mafia*, chi'n feddwl!"

Aeth hi'n flêr iawn wedyn, gyda Havard yn galw'i fab yn "*entrepreneur* dwy a dime, alle ddim sefyll ar 'i draed 'i hunan am gwarter awr", a Paul yn edliw mai'r Blaid Lafur a wnaeth gyfalafwr ohono trwy "ffaelu sefyll lan droson ni'r coliers adeg y streic. Fydde Thatcher ddim wedi gallu neud beth nath hi i'r wlad pe byddech chi'n fwy o ddynon. A peidiwch gweud pethach cas am *entrepreneurs*, Dad. Ma' *New Labour* yn dwlu arnon ni."

"'Sdim ots 'da fi am y *leadership* s'da ni ar hyn o bryd," gwaeddodd Havard. "Sosialydd odw i. Ti'n gwbod hynny'n net, grwt!"

"Chi yw *Conservative* mwya'r dyffryn!" taniodd Paul yn ôl. "Rwy wedi bod isie gweud 'na wrthoch chi ers ache!"

Dyna pryd, mae'n debyg, y dychwelodd Rhodri, ac yr apeliodd Mavis arno, yn ei dagrau, i gymodi rhwng y tad a'r mab, oedd bron yng ngyddfau ei gilydd.

"Sori, Anti Mavis," ebe Rhodri'n gwrtais, " ond s'da fi ddim i gynnig i'r Blaid Lafur."

"S'da ti ddim parch i goffadwrieth dy dad, Rhodri?" gofynnodd Mavis yn deimladwy.

"Y Blaid Lafur laddodd Dad," dyfarnodd Rhodri.

"Nage ddim," meddai Mavis fel matsien. "Cwrso menywod ac ifed laddodd e."

Dyna pryd y gwthiodd Paul Griffiths ei rieni o'i siop gyda'r un dicter cyfiawn, meddai un llygad-dyst gloywach yn ei Feibl na'r rhelyw o drigolion Trelwchwr, "â'r Iesu'n hala'r cyfnewidwyr arian mas o'r deml".

O fewn eiliadau i droad allan Havard a Mavis, tynnwyd posteri coch a melyn Llafur o ffenestr Digital Valley. O fewn awr gwelid rhai glas Peter Willock-Hayes (Conservative) yn eu lle. Drannoeth, heidiodd newyddiadurwyr o bell ac agos i Drelwchwr, gan ymgynnull yn bennaf yn Digital Valley, swyddfa'r Blaid Lafur, cartref Havard a Mavis Griffiths, a'r Loughor Arms. Codais y dyfyniadau canlynol o adroddiadau a ymddangosodd yn y wasg yn ystod y dyddiau canlynol:

> *"Blood is thicker than water," chuckled Paul Griffiths, 40, co-proprietor of Digital Valley, "and I wish my sister the best of luck in South Middlesex. But like most members of the business community, Rhodri [Daniels, son of Owen Daniels, late Labour MP for Llwchwr] and I are firmly convinced that the Conservatives are better than Labour at running the economy."*
>
> *"I'm naturally rather disappointed," admitted Gwyn Howells, Labour MP for Llwchwr in the last parliament, "that we've failed to get the message across to these two young men, when their more experienced colleagues in large, medium and small enterprises all over the country are recognising that Labour is the most business-friendly of the major parties."*
>
> *Paul Griffiths's parents, Havard, 67, and Mavis, 59, were setting out for the South Middlesex constituency where they will spend the rest of the election period campaigning for their daughter*

Sylvia, 35, the Labour candidate there. "My son isn't the first and won't be the last to be fooled and misled by Tory lies and propaganda," said Mr Griffiths, bitterly disappointed at his son's defection. "I hope that he and other similarily misguided people won't have to admit their mistake as a consequence of the Conservatives being returned to power for a fifth term of office."

Buasai Peter Willcock-Hayes yn gwenu'n haerllug o ffenestri Digital Valley ers pedwar diwrnod pan gafwyd y datblygiad nesaf yn yr helynt. Digwyddwn fod yn y cyffiniau ar y pryd, yn swyddfa'r etholiad, yn dodi *Anerchiad yr Ymgeisydd* mewn amlenni.

Roedd hanner dwsin ohonom wrthi'n plygu ac yn stwffio'n ddygn, ac un, Derek Harcombe, a honnai iddo gael pwl o *repetitive strain injury*, yn sipian coffi ger y ffenestr.

"Ieffach!" ebychodd Derek a chynhyrfu cymaint nes colli coffi am ben ei drowsus, "'Co Sylvia!"

"Sylvia?" holais yn anghrediniol. "Pa Sylvia?"

"Sylvia ti. Sylvia *ex* ti. *Ex*-Sylvia ti. 'Shgwl. Ma' hi newydd ddod mas o'r Mondeo 'co groes i'r hewl . . .'

Cyrhaeddais y ffenestr mewn pryd i weld fod Cadeirydd Cyngor Sir Llwchwr-Afan yn dweud y gwir am unwaith. Gwisgai Sylvia siwt ddu. Roedd ei gwallt wedi ei dorri'n fachgennaidd gwta. Cerddai'n bwrpasol gyda briffces dan ei chesail i mewn i Digital Valley.

"Cer i weld beth sy'n digwdd 'co, Arwel," cynigiodd Derek, a'r lleill yn eilio.

Gwrthodais yn bendant ac yn big: "Fasa hi ddim yn syniad da i mi fynd, Derek."

"Na fydde," cytunodd rhywun meddylgar.

"Gaf i bip 'te," meddai Harcombe a chroesi'r heol

gyda'i urddas swyddogol, hamddenol, arferol. Treuliodd ymron i ddeg munud yn Digital Valley cyn dychwelyd gyda'r newydd fod "y tri, Sylvia, Paul a Rhodri, yn yr offis, yn y bac. Odd lot o goethan. Sylvia glywes i fwya."

Wedi chwarter awr o rythu ar y siop yr ochr draw i'r stryd gwobrwywyd ni gan olygfa a'n llonnodd: y posteri Torïaidd yn cael eu tynnu o'r ffenestr. Wedyn, daeth Sylvia allan i'r stryd gan wneud pelen o'r posteri a'u gwthio i fin sbwriel ar y palmant. Croesodd y Stryd Fawr tuag atom ac aethom ninnau i sefyll o flaen y swyddfa gan guro dwylo i'w llongyfarch a'i chroesawu.

Pan ymunodd Sylvia â ni, gyda'r geiriau, "'Na'r nonsens 'na wedi'i setlo!", bu rhaid i mi ymatal rhag ei chusanu a'i chofleidio.

Cyflwynodd Sylvia ddalen o bapur teipiedig i mi. "'Co ti. Darllen 'na i'r bobol," meddai wrth i ni fynd i mewn i'r swyddfa.

Dyma eiriau allweddol y *Press Release* a anfonwyd o Digital Valley i'r wasg a'r cyfryngau y prynhawn hwnnw:

> . . . *This was a childish wind-up in dubious taste which went disastrously wrong. As a lifelong Labour supporter, I hope sincerely for a Labour victory . . . I hope to visit South Middlesex soon to help my sister Sylvia win the seat for Labour.*

"Beth wedest ti wrth dy frawd a Rhodri, Sylvia?" holodd Derek Harcombe yn llawn edmygedd.

"Dangoses i hwn i'r bois," atebodd Sylvia a thynnu'r rhifyn diweddaraf o'r *Middlesex Courier* o'i briffces. "Roedd 'na'n ddigon." Islaw'r pennawd *LABOUR CAN-DIDATE'S BROTHER SUPPORTS TORIES! SYLVIA SUNK?* roedd ffotograffau o Sylvia a Paul ac adroddiad am ei dröedigaeth Geidwadol.

"Be arall ddeudist ti wrth dy frawd a Rhodri?" gofynnais i Sylvia, ychydig yn ddiweddarach, wrth i mi ei hebrwng at ei char.

"Wedes i . . ." meddai Sylvia a'i hwyneb yn caregu, "wedes i wrth Paul, oni bai bod e'n hala'r datganiad, fydde fe ddim yn frawd i fi rhagor. Siaraden i fyth 'dag e 'to. Mae e'n gwbod bo fi wastod yn cadw 'ngair pan rwy o ddifri. Wedes i wrth Rhodri fod dim dyfodol iddo fe fel dyn busnes yn y rhan hyn o'r byd os odd y Parti yn 'i erbyn e."

"Diawl o ddynas."

"Ti'n gwbod 'na'n well na neb."

"Neith hyn wahaniath yn South Middlesex?"

"Bydd hi'n agos. 'Whant dod 'co i'n helpu i, Ari?"

"A' i i Dde-Orllewin Caerdydd, i gael gwarad ar Iwan Harries. Pob lwc i ti, Sylvia."

"Diolch."

Gan fod o leiaf chwe phâr o lygaid arnom, aeth Sylvia i mewn i'w char a gyrru ymaith heb i ni ysgwyd llaw hyd yn oed.

*　　　*　　　*

Aeth canfaswyr o Lwchwr i Dde-Orllewin Caerdydd nifer o weithiau yn ystod ymgyrch etholiadol 1997. Un min nos, daeth criw ohonom, gan gynnwys Gwyn Howells, wyneb yn wyneb â'r ymgeisydd Ceidwadol, ein hen elyn o ddyddiau coleg. A ninnau ynghanol stad gyngor bron gymaint ei phoblogaeth â hanner Ardudwy, clywsom ei lais yn diasbedain:

"Vote Conservative! Vote Iwan Llewellyn Harries. Keep Britain Great, United and Strong! Save our Country from the Eurofanatics and the Separatists!"

Yn y man, ymddangosodd BMW du a chorn siarad ar

ei do. Chwifiodd yr ymgeisydd Ceidwadol yn wawdlyd atom, nes iddo adnabod Gwyn a fi. Safodd y car a brasgamodd Iwan Harries atom dan wenu fel petaem yn hen gyfeillion mynwesol.

"Whare teg i chi, bois, am ddod lan i ddymuno lwc dda i mi!" chwarddodd Harries wrth i ni ysgwyd llaw.

"Fyddi di allan ar dy din tro 'ma, Harries," atebais.

"So i'n meddwl hynny," ebe'r Tori hyderus. "Ma' pobol ffor' hyn lawer rhy gall."

"So ti'n sôn cyment am 'y teulu' a'r 'gwerthoedd Cristnogol' y tro hyn, Iwan?" sylwodd Gwyn. "S'da hynny rhywbeth i neud â'r stori yn y papure, sbel 'nôl, amdanot ti â'r fenyw oedd yn arfer bod yn asiant i ti? Beth odd 'i henw hi? Dawn, yntefe? '*Dawn of Civilization*', ys gwedodd y *News of the World*. 'Da'r *People* odd y llunie gore. Sbeshal!"

Ciliodd y wên oddi ar wyneb yr ymgeisydd Torïaidd. "So i ariôd wedi rhannu'n wejen 'da'n byti!" meddai'n fileinig.

"Am beth ti'n whilia, Iwan?" holodd Gwyn yn ddryslyd.

"Sylvia Griffiths," crechwenodd Iwan Harries. "Odych chi'ch dou'n dala i sielffo hi? Hiden i ddim cael *go*'n hunan rywbryd. Allech chi'i drefnu fe i fi?"

Trodd y Tori tal ar ei sawdl a dychwelyd i'w gar. Wrth i hwnnw yrru ymaith, clywsom Iwan Harries yn clochdar unwaith eto:

"Say 'No' to Labour Hypocrisy! Say 'Yes' to policies that will keep Britain Great!"

*   *   *

I lawer, siom Michael Portillo pan gollodd, a gorfoledd cefnogwyr Llafur, yw delweddau diffiniol, hanfodol bythgofiadwy buddugoliaeth hanesyddol 1997. Bob tro y meddyliaf i am y noson honno, cofiaf Gwyn Howells yn datgan yn orfoleddus oddi ar lwyfan Neuadd y Sir:

"Mae hon wedi bod yn noson o ryfeddode, gyfeill-ion. Dyma, efallai, y canlyniad mwya rhyfeddol. Un sy'n rhoi'r mwya o lawenydd i ni yma yn Llwchwr, ar ôl ein canlyniad ni'n hunen . . . Mae Sylvia Griffiths wedi ennill South Middlesex i'r Blaid Lafur, am y tro cynta erioed!"

Cofiaf hefyd y llawenydd, a'r dagrau, ar wynebau Sylvia, Havard a Mavis wedi i Swyddog Etholiad South Middlesex gyhoeddi'r canlyniad.

A'r diflastod ar wyneb Iwan Harries, a gollodd De-Orllewin Caerdydd o dros bedair mil o bleidleisiau.

Noson dda iawn.

*   *   *

Aeth llond bws o Lwchwr i Lundain y diwrnod y cymer-odd aelodau'r Senedd newydd eu llw, gan ymuno â chyd-Lafurwyr o South Middlesex mewn gwesty ger San Steffan, fin nos, i ddathlu llwyddiant Gwyn Howells AS a Sylvia Griffiths AS.

Gan sibrwd yn ddramatig yng nghlustiau'r Cymry, atgoffodd Mavis Griffiths ni o gysylltiadau blaenorol asiant Sylvia, Helen Gambini, â'n hetholaeth: "So chi'n cofio honna? Y fenyw fowr, smart 'co? Gas hi *affair* 'da John Ford, gŵr cynta Sue Daniels, adeg y *Miners' Strike.* Dorrodd Sue 'i chalon, ar y pryd, ond falle i Helen neud ffafr â hi. Daeth pethach yn olreit i Sue maes o law, on'd do fe?"

Dyna pryd y cyfarfu Sylvia ac Ann am y tro cynta. Yn

ystod y noson, treuliasant gryn amser yng nghwmni ei gilydd ac roedd yn amlwg fod y gyfathrach yn rhoi pleser cyfartal i'r ddwy.

"'Na neis, Arwel," meddai Mavis gan arllwys Chardonnay i'm gwydryn. "Ma' Sylvia ac Ann fel dwy whar!"

"Am be fuoch chi'n siarad?" gofynnais i Ann wrth i'r bws ein cludo dros bont Hammersmith.

"Amdana chdi, siŵr iawn," atebodd Ann, fel petai'r cwestiwn yn ei synnu. "Be arall sy gynnon ni'n gyffredin?"

Chwarddodd am ben y pryder ar fy wyneb: "Tydach chi ddynion yn ddiawlad egotistaidd!"

Ddechrau mis Mehefin, galwyd Cyfarfod Cyffredinol Arbennig o Blaid Lafur Etholaeth Llwchwr, er mwyn i'r Aelod Seneddol a'r Cadeirydd, Gwyn Howells, a minnau, ddatgan yn ddiamwys wrth yr aelodaeth orchmynion yr arweinyddiaeth mewn perthynas â'r Refferendwm.

Traethodd Gwyn yr Efengyl yn ôl Tony a Ron: "Polisi swyddogol y Parti yw galw ar bobol Cymru i bleidleisio dros sefydlu Cynulliad yng Nghaerdydd fydd yn democrateiddio'r datganoli biwrocrataidd sy'n bod yn barod, cael gwared o'r cwangos Torïaidd sy'n ein llywodraethu ni, a rhoi'r hawl i ni sy'n byw yng Nghymru drefnu materion pwysig fel iechyd, addysg, trafnidiaeth ac yn y blaen, fel ryn ni'n moyn. Rwyf i'n hunan yn cefnogi'r polisi hyn gant y cant, er bo fi, fel Ron Davies, wedi gwrthwynebu datganoli, 'nôl yn 1979."

"Falle gwelwn ni tithe'n y Cabinet cyn bo hir, 'te, Gwyn," sylwodd Mavis.

"Byw mewn gobaith, yntefe, Mavis?" ebe'r Aelod Seneddol yn raslon. "Nawr 'te. Rwy'n sylweddoli nagyw pawb yn y Parti o'r un farn â fi a'r Ysgrifennydd Gwladol. Ond rwy'n gobeithio bo chi i gyd yn cytuno bod rhaid i ni ddod trwy'r wythnose nesa'n unedig. Dim hollt. Dim cecru'n gyhoeddus ymhlith 'yn gilydd. Ar Fai y cyntaf, enillon ni etholiad cyffredinol 'rôl deunaw mlynedd o golli. Mae Tony am i ennill fynd yn arferiad. Dyma'r prawf cyntaf i Lafur Newydd. Allwn ni ddim fforddo methu."

Ychydig o drafod a fu. Siaradodd dau aelod ifanc yn frwdfrydig o blaid Cynulliad a chlywyd Derek Harcombe yn grwgnach:

"So i ariôd wedi cwrdd â neb yn y patshyn hyn sydd â blewyn o *interest* miwn *devolution*, Gwyn. A phwy angen *Assembly* sy arnon ni i hwpo'r Toris 'ddar y cwangos, a'n bois ni yn y *Welsh Office*? *'We are the masters now!'* ys gwedodd rhywun."

Synnwyd cefnogwyr a gwrthwynebwyr datganoli gan sylwadau cymodlon Havard Griffiths: "Rŷch chi i gyd yn gwbod beth yw 'nheimlade i boutu *devolution*, a so i'n bwriadu'ch diflasu chi wrth fynd drostyn nhw 'to. Ond rwy'n gorffod derbyn bod dynon fel Gwyn, Arwel, Ron Davies a Peter Hain â syniade gwahanol i fi. Compromeis yw'r Asembli rhyngtoch chi a sosialwyr traddodiadol fel fi. Bydd e ddim byd tebyg i'r *Parliament* gewn nhw yn Sgotland – os byddan nhw ddigon dwl i foto drosto fe. *No tax-raising or law-making powers.* Gwd. 'Na gytunon ni yn y *Welsh Executive*. So'r *Assembly* hyn yn werth colli cwsg na cholli ffrindie amboutu e."

"Diolch yn fawr, Havard, am y cyfraniad 'na," ebe Gwyn gan ryfeddu. "Geirie doeth iawn, os ca i weud. Nawr 'te. Ma'n Cadeirydd ni wedi cytuno i arwain ym-gyrch y Parti, yn Llwchwr, a lieso 'da'r *Yes Campaign*, ac rwy'n erfyn arnoch chi i gyd roi cefnogaeth lawn i Arwel, fel bod y Parti a'n polisïe ni'n mynd ymlaen o nerth i nerth."

*   *   *

Pan gyhoeddodd Tony Blair, Mehefin 27ain 1996, y cynhelid refferendwm yng Nghymru a'r Alban i benderfynu a ddylid sefydlu Cynulliad yn y naill wlad a Senedd yn y llall, cododd Ysbryd '79 o fynwent fy isymwybod i'm llwfrhau. Eithr wrth i mi "feddwl am fy Nghymru", a'm Plaid Lafur, ciliodd y bwgan i'r cysgodion, er iddo ddychwelyd i'm harswydo, o bryd i'w gilydd, tan oriau mân y bore, Medi 19eg 1997.

Gwelwn fod y wlad wedi newid llawer yn ystod dwy flynedd ar bymtheg, er gwell ac er gwaeth. Er bod Cymru'n llai Cymreig, credai cyfran helaethach o'r boblogaeth fod arni angen rhywfaint o ymreolaeth. Galwodd un hanesydd Margaret Thatcher yn "Fam Datganoli" ac mae gwirionedd yn y gosodiad. Trwy andwyo'r diwydiannau trymion y sylfaenwyd economi Cymru arnynt ers canrif a hanner, ysigo llywodraeth leol a datganoli grym ac awdurdod i *Governor General* estron yn y Swyddfa Gymreig, darostyngodd Mrs Thatcher ein gwlad o fod yn bartner israddol yn *Great Britain plc* i statws trefedigaeth Seisnig. Roedd y *status quo* gwleidyddol, economaidd a diwylliannol cyn 1979 yn dderbyniol gan y rhan fwyaf o'r Cymry a chan eu harweinwyr, yn aelodau o'r Blaid Lafur, y Blaid Ryddfrydol a Phlaid Cymru, mewn cyngor, coleg, capel, eglwys, stiwdio deledu ac undeb – y dosbarth *comprador* hwnnw sy'n cyfryngu rhwng y Wladwriaeth Brydeinig a'r werin bobl, ac yn dihidlo'r ideoleg Brydeinig ar feddyliau'r Cymry. Erbyn canol y 1990au, gwelai aelodau mwyaf effro'r Sefydliad Cymreig y byddent hwy'n afreidiol oni bai fod yng Nghymru iswladwriaeth, corff *quasi*-llywodraethol, i warchod eu rôl fel lladmeryddion y Cymry gerbron cynrychiolwyr y dosbarth llywodraethol Seisnig yn San Steffan a Whitehall, a biwrocratiaid yr egin-wladwriaeth Ewropeaidd ym Mrwsel.

Er bod y Blaid Lafur yn llai sosialaidd ddiwedd y nawdegau nag yr oedd ugain mlynedd ynghynt, roedd ysbryd llawer mwy gwlatgar ynddi'n awr. Daliai cenedlaetholdeb Prydeinig, crach-Farcsiaeth a gwrth-Gymreictod yn gryf eu dylanwad ymhlith ein harweinwyr seneddol a lleol, eithr yr oedd y meddyliau mwyaf goleuedig a blaengar yn arddel gwlatgarwch eangfrydig, iach.

"Biti na fasa Owen yn dal efo ni," meddwn wrth Ann wedi dychwelyd adref o'r cyfarfod y cyfeiriwyd ato uchod. "Fasa gynno fo gymaint o gyfraniad."

"Y ffor ora medri di barchu coffadwriaeth Owen ydi gneud yn siŵr bod ni'n ennill tro 'ma," atebodd fy ngwraig.

Aeth ymgyrch y Cynulliad a beichiogrwydd Ann rhag-ddynt ar y cyd. Gwelwn gyfatebiaeth hynod rhyngddynt. Enynnai'r naill broses a'r llall obaith y gwelwn wireddu dyhead dwfn fy nghalon, ynghyd ag ofn yr âi pethau'n ddychrynllyd o chwith, gan beri galar, nid llawenydd; digalondid, nid hyder.

Cydgymysgai fy ngofal am Ann a'r baban yn ei chroth ag ofn i'r refferendwm esgor ar erthyl arall. Poenydid fi gan y cwestiwn "Be 'di'r pwynt o fagu plentyn yn Gymro neu'n Gymraes ac i siarad Cymraeg, os bydd Cymru'n dewis marw?" Ni ofynnais hynny i Ann.

Wrth i'r ymgyrch fynd yn ei blaen, ac i'r polau piniwn arwyddo fod neges wâr, ddemocrataidd y datganolwyr yn apelio at ganran uwch nag a wnâi negyddiaeth bitw ein gwrthwynebwyr, cynyddai fy ffydd y byddai refferendwm 1997 yn bwrw "Ysbryd '79" o'm henaid i a *psyche* Cymru am byth.

Ymgyrchodd y Blaid Lafur yn gryf ac yn effeithiol iawn yn Llwchwr-Afan. Nid ymunodd y pen-ddeinosoriaid Havard Griffiths a Derek Harcombe a'u clic â ni, ond ni wnaethant, chwaith, hyd y gwyddem, ddim i dan-seilio'n hymdrechion. Cafwyd cydweithrediad cyfeillgar rhyngom a chenedlaetholwyr, Rhyddfrydwyr a Chomiwn-yddion *Ie Dros Gymru!*

Deubeth a'm calonogai'n fawr oedd profion diymwad fod Tony Blair yn benderfynol y câi Cymru Gynulliad, ac arweinyddiaeth Ron Davies, gwleidydd medrus, deallus a digon o gythraul ynddo i sodro Llew Smith styfnig, twp, Trotscïaidd, cyn i hwnnw a'i debyg fedru creu helynt o ddifri. Fel pob arweinydd cenedlaethol o bwys, gall Ron farchogaeth dau geffyl yr un pryd; yn yr achos hwn, dau ddyhead oesol y Cymry, am ryddid cenedlaethol a chyf-iawnder cymdeithasol.

Nid o amharch at y Dywysoges Diana yr es i i'm swyddfa, er ei bod hi'n ddydd Sadwrn, ddiwrnod ei hangladd, ond yn yr un ysbryd gweriniaethol ag y ceis-iwn anwybyddu priodasau a phenblwyddi brenhinol. Pan ddychwelais adref am ginio, eisteddai Ann a Siân o flaen y teledu yn gwylio'r defodau a'r torfeydd galarus a oedd wedi ymgynnull yn Llundain.

"Sut medrwch chi sbio ar hyn'na?" holais yn biwis.

"Mae o'n ddiddorol," mynnodd Ann.

"Fel enghraifft o seicosis torfol."

"Mwy fel diwygiad crefyddol," dadleuodd fy ngwraig. "Neu bererindod ganoloesol. Neu baganiath. Miloedd yn tyrru at allora'r santas neu'r dduwias efo offrwm o floda a gweddïa wedi'u sgriffio ar ddarna o bapur. Ciwio am oria i daro llofnod mewn llyfr, fel act o addoliad. Er mwyn uniaethu efo 'hi'."

"Ma' hyn yn brawf pendant bod Duw yn Sais."

"Wyddwn i ddim bo chdi'n credu yn'o Fo?"

"Mi ydw i rŵan. Ac yn mynd i ddechra addoli'r Diafol."

"Ddim go-iawn, Arwel?" gofynnodd Siân yn bryderus.

"Nac'dw, Siani," atebais yn chwerw. "Ond os effeithith hyn ar y refferendwm, fel ma' gin i ofn y gneith o, fydd raid i ni'n tri, a'r babi, fynd i fyw i Giwba, i wasanaethu Fidel Castro."

"Pwy 'di o?"

"Dyn da sy'n byw ar ynys braf yn y Caribî, lle ma'r haul yn twnnu trw'r dydd, bob dydd. Dwi'n mynd i'r gegin i neud bîns ar dost i mi'n hun."

*   *   *

Bwriodd marwolaeth Diana a hysteria'r dyddiau canlynol drên datganoli oddi ar y cledrau. Nid gwaith hawdd oedd ei ddodi'n ôl ac ailgodi stêm pan ailddechreuodd yr ymgyrchu, Medi'r 8fed. Ychwanegwyd at ein hanawsterau ni yn Llwchwr gan absenoldeb ein Haelod Seneddol, a ddewisodd hedfan i Luxembourg i gymryd rhan mewn cymanfa o seneddwyr y wlad honno a Phrydain Fawr, yn hytrach nag arwain ein hymgyrch leol. Beirniadais ef yn hallt.

"Ma' dimensiwn Ewropeaidd i'r ddadl dros ddat-ganoli," oedd esgus Gwyn Howells. "Gallwn ni ddysgu lot fowr gan wlad fach annibynnol fel Luxembourg. Ma'n bwysig bod ni'n dechre creu cysylltiade nawr."

"Faint elwach fyddwn ni, os na chawn ni Gynulliad?" gofynnais. "Fasa'n ffitiach i chdi fod yma."

Brathais fy nhafod rhag ychwanegu ". . . y *dilettante* diawl!"

Rwy'n amau, mewn gwirionedd, a fuasai presenoldeb Gwyn Howells AS wedi gwella dim ar ganlyniadau rhagorol y refferendwm yn Llwchwr-Afan: 51.2% yn cymryd rhan, 35,330 o blaid, 17,364 yn erbyn.

"Shwt bynnag eiff hi'n unman arall, all y Griffithses a'r Harcombes fyth weud, o hyn ymlaen, taw nhw sy'n gwbod beth ma' pobol ffor hyn yn moyn," sylwodd Bethan Howells, wrth iddi ein gyrru o'r cyfrif yn Neuadd y Sir i'w chartref hi a Gwyn, lle y gwahoddwyd y rhai a ymgyrchodd dros y Cynulliad yn Nhrelwchwr i barti, neu wylnos.

"Fydd gythral o ots gynnyn nhw," meddwn innau'n besimistaidd o'r sedd gefn, "'Bellad â'u bod nhw'n ennill drw Gymru."

"Bydd diawl o le os collwn ni," addawodd Gwyn Howells yn sarrug. Trodd ataf a chasineb ar ei wyneb, yn lle'r addfwynder digyffro, arferol. "Caf i'r ddou 'na, a'u clic, mas o'r Parti. A Sylvia, os galla i."

"Tydi llawenhau bod Cymru wedi gwrthod Cynulliad ddim yn torri rheola'r Parti," atebais. "Gwaetha'r modd."

"Gwed wrtho fe, Gwyn," meddai Bethan.

Trodd Gwyn i'm hwynebu ac meddai, fel petai'n fy nghyhuddo i: "Arwel. Ma' 'da fi brawf buodd Sylvia a Havard yn cynllwynio 'da'r Torïed a'r *No-men*."

"Prawf?"

"Wedodd un o'r Torïed oedd 'da ni mas yn Luxembourg wrtho i. Geoffrey Symmons. *Sir* Geoffrey Symmons. Boi digon ffein, er bod e'n Dori ac yn *Knight of the Shires*. Digwyddes i ishte ar 'i bwys e yn y *VIP Lounge*, cyn hedfan 'nôl. Soniodd e wrtho i am *chat* gas e 'da Iwan Harries, cyn dod mas. 'Your old sparring partner, Iwan Harries,' ys gwedodd e. 'He told me how helpful a certain Labour Member from your part of the world has been, regarding this bloody referendum.'"

"Sylvia oedd e'n feddwl, wrth gwrs," meddai Bethan. "Cer 'mlaen, Gwyn . . ."

Nid ymatebodd Gwyn ar unwaith i anogaeth ei wraig.

"Be nath Sylvia?" holais.

"Yng ngeirie Geoff Symmons," meddai Gwyn yn bwyllog: "'Targeting Welsh Labour MPs for the No

Campaign . . . She and her father have been liaising very effectively between Iwan and several Labour chaps, MPs and councillors, who are more than apprehensive regarding this whole damn devolution issue. Expect some very telling interventions from that quarter between now and D-Day.' "

"Pam ddeudodd o hynny wrthat ti, Gwyn?" gofynnais. "Wydda fo ddim be oedd dy farn di ar y matar?"

"Na wydde, ma'n amlwg," atebodd Gwyn yn bendant iawn. Trodd i syllu drwy'r winsgrin ar oleuadau Trelwchwr yn dynesu, ac ychwanegu, "Ces i'r argraff bod e'n tybied bod pob *South Wales Labour* MP, heblaw Ron a Peter, yn erbyn Asembli, ond bod ofan arnon ni weud hynny'n gyhoeddus."

"Beth wyt ti'n feddwl ddyle ddigwdd i Sylvia, Arwel?" holodd Bethan yn eiddgar.

"Gawn ni weld be fydd y canlyniad," atebais yn ddiffrwt.

"Glywes i bod Ms. Griffiths yn sefyll 'da'i rhieni," meddai Bethan. "Gobeithio byddwch chi'ch dou'n ddigon o ddynon i fynd 'co bore fory, a gweud wrth y lot 'na beth chi'n feddwl ohonyn nhw. Waeth beth fydd y risýlt."

Caeais fy llygaid a gadael i ofn ac anobaith fy meddiannu.

Fe'm llethwyd ganddynt erbyn un o'r gloch y bore, a chan genllysg o ganlyniadau siomedig ac alcohol. Roeddwn yn chwil ac yn dorcalonnus, fel nad y bûm er dyddiau coleg.

"Dwi'n mynd," cyhoeddais wrth Gwyn a Bethan a'r cyfeillion eraill yn y parti digalon. "Ddylwn i ddim bod wedi gadal Ann gyhyd ar 'i phen 'i hun. Ar y fath noson. A hitha fel ma' hi."

"Af i â ti sha thre'n y car," cynigiodd Bethan lwyrymwrthodol.

"Well gin i gerddad, Bethan," atebais. "I glirio 'mhen. Dwi'm isio dechra gweddill 'y mywyd diflas efo cythral o *hangover*."

Gadewais 'Bronllys Villa', cartref newydd Gwyn a Bethan (codwyd c.1910 gan Charles Greene, Ysw., un o sylfaenwyr ein ffyrm ni) ac igamogamu dan belydrau oren lampau'r stryd ddi-bobl, ddi-drafnidiaeth â 'mhen yn fy mhlu, hyd at y Groes, ynghanol y dref. Yno, yn hytrach na mynd yn syth yn fy mlaen am adref, trois i'r dde a dilyn y lôn gordeddog sy'n graddol ddringo llethr gogleddol y dyffryn. Fy mwriad oedd eistedd am dipyn ar un o feinciau'r comin, i sobri ac i ymwroli.

Sut yn y byd ma' byw, a'r byd wedi dŵad i ben?

Efallai mai greddf, neu hen arferiad, a lywiai fy nghamre i fyny Waunpark Road. Ac efallai mai hynny a barodd fod Sylvia'n pwyso ar glwyd rhif 18, fel y cerddwn heibio. Dychrynais, fel petai dyhead a gonsuriwyd o ddyfnderoedd fy enaid wedi ymddangos fel drychiolaeth o'm blaen.

"Iesu! Sylvia!" tyngais o ddecllath.

"Arwel!" llefodd Sylvia. Craffodd yn anghrediniol arnaf. Troes ei syndod yn bryder a holodd: "Ble ti 'di bod, Arwel? 'Shgwl arnot ti!"

Llifodd digwyddiadau blaenorol y noson yn ôl. "Yn angladd Cymru!" poerais. "Mi wyt ti'n hapus iawn heno!"

"Ddim fel 'ny," atebodd Sylvia heb gymryd ati. "Ma' Dad a Mam ar y drydedd botel o *champagne.* 'Na pam ddes i mas. Rwy wedi meddwl tipyn amdanot ti heno, Arwel. Rwy'n gwbod pa mor siomedig ŷt ti. Ma'n flin 'da fi bod ti'n cael shwt loes."

"Biti na fasat ti wedi meddwl am hynny cyn helpu Iwan Harries a'r Torïaid i ladd Cymru!"

Oedodd Sylvia am rai eiliadau cyn gofyn: "Pwy wedodd 'na wrthot ti?"

"Gwyn."

"O . . ."

"Esgusoda fi. Dwi'n mynd i fyny i'r Waun i drio dŵad ata'n hun. Gobaith caneri. Gobaith mul."

"Dof i 'da ti. Allet ti gwympo a chael niwed."

"Be 'di'r otsh? 'Beth yw'r ots gennyf i am Gymru?' Be 'di'r otsh gin i amdana chdi? 'Pwy yw Sylvia? Beth yw hi?' Bradwr!"

Trois a chychwyn tua'r comin. Dilynodd Sylvia fi a cherdded wrth f'ochr nes i ni gyrraedd mainc fetel. Eisteddasom ar hon ddegau o weithiau i syllu i lawr ar strydoedd Trelwchwr a'i phobl, liw dydd, a'i mwclis blith-draphlith o lampau, liw nos. Eisteddais. Gwnaeth Sylvia'r un modd.

Caeais fy llygaid a phlethu 'mreichiau, yn benderfynol o anwybyddu Sylvia ac unrhyw sylw a wnâi.

Y peth ola dwi isio rŵan, os dwi ddim i golli arna fi'n hun, ydi ffrae efo hi, o bawb.

Ond pan glywais Sylvia'n igian a throi a gweld y dagrau'n llifo i lawr ei gruddiau ni fedrwn ymatal rhag holi'n ddirmygus: "Pam wyt ti'n blydi crio, Sylvia? Fi ddyla grio! Dagra o lawenydd ydyn nhw?"

"Ma'n flin 'da fi drosot ti," ebe hi a'r dagrau'n dal i lifo.

"Sylvia! Fuost ti rioed yn rhagrithiwr . . ."

"Ma'n flin 'da fi drosto i'n hunan. 'Na pam rwy'n llefen."

"Pam? Dwi'm yn dallt. Gest ti bob dim wyt ti isio. Bod yn MP. Dim Cynulliad."

Sychodd Sylvia ei dagrau a chwythu ei thrwyn. "Allen i fod wedi 'caru Cymru', fel ŷt ti'n neud, Arwel," meddai. "Ond bydde hynny wedi golygu newid a rhoi miwn i ti. A feddylies i bod *creative friction* rhyngton ni'n beth da."

"Be 'di pwynt deud hyn rŵan?"

240

"Achos s'da fi neb arall alla i weud wrtho fe!" gwaeddodd Sylvia. "Neb alla i weud wrtho fe beth sy'n becso'n enaid i. Dim ond 'da ti alla i siarad. Alla i weud shwt rwy wedi 'strywo 'mywyd. Alla i weud shwt ffŵl 'nes i o'n hunan 'da Gwyn Howells!"

"Efo Gwyn? Be wyt ti'n feddwl? Yn Aber?" holais, wedi sobri'n sant am ennyd.

Oedodd Sylvia ac ymdawelu'n raddol cyn ateb:

"Geson ni *affair*," meddai a syllu'n heriol i fyw fy llygaid. "Dechreuodd hi ddiwrnod y parti, yn Llunden, 'rôl i chi fynd 'nôl i Drelwchwr. Daeth hi i ben pan wedodd rhywun wrth Gwyn bo fi wedi rhoi 'bach o help i'r *No Campaign*."

"Sir Geoffrey rwbath . . .?"

"Wedodd Gwyn wrthot ti am 'yn trip ni i Luxembourg?"

"Do, heno 'ma. Ddeudodd o ddim bo chdi efo fo. Roedd Bethan yn y car ar y pryd."

Rheolais fy natur orau gallwn wrth ychwanegu: "Benderfynis i faswn i ddim yn edliw i chdi, heno . . . Ond rhaid i mi ofyn, Sylvia. Sut medrist ti gydweitho efo'r Torïaid? Efo Iwan blydi Harries!"

Roedd ei hateb yn ddiedifar heb fod yn ymosodol: "Achos bo fi ddim yn lico'r ffordd ma' Blair – a Ron Davies – yn bwlian y Parti, yn enwedig ni'r MPs. Waeth beth arall odw i, Arwel, fydda i byth yn un o *Blair's Babes*. Dyna pam."

"Pam est ti efo Gwyn eto? 'Hawdd cynna tân'? Dal 'i garu o?"

"'Bach o'r ddau," cyfaddefodd Sylvia gan ochneidio. "Odd rhaid i fi ddweud wrtho. Am yr erthyliad . . ."

Dechreuodd Sylvia wylo eto, yn ddistaw y tro hwn.

"Be ddeudodd o?" gofynnais.

"Bydde fe ddim wedi trial stopo fi. Achos bod e'n 'y ngharu i."

"Ydi o'n dal i dy garu di?"

"Sa i'n meddwl bod e nawr."

"Be amdana chdi?"

Sychodd Sylvia ei dagrau a chwythu ei thrwyn. "Paid becso, Arwel," meddai, a cheisio gwenu. "Ti yw'r un. Odd yr un. Fydd yr un."

Ar yr un gwynt, ychwanegodd yn chwyrn, "'Mhroblem i, Arwel, fel ti'n gwbod, yw bo fi mor ffycin glefer. Meddwl bo fi, ta p'un. Diall popeth. Wastod yn ffindo ffordd gall a rhesymol i ddatrys unrhyw broblem. Berswades i'n hunan, a Gwyn, bydde'n well i ni ga'l *affair* 'da'n gilydd na mynd 'da cyfres o bobol nagodd yn golygu llawer . . ."

"Syniad da," crechwenais. "Gewch chi ailgynna'r fflam pan fydd miri'r refferendwm wedi tawelu. Am fod Blair wedi penderfynu dyle Cymru gael Cynulliad roedd Gwyn mor cîn. Ddim o argyhoeddiad."

"Na. Byth. So i am neud shwt ffŵl o'n hunan fel 'na 'to."

Yn ddiarwybod i mi'n hun dodais fy mreichiau am Sylvia a'i chusanu. Ymatebodd hithau a gloddestodd ein gwefusau'n awchus ar ei gilydd wedi'r ympryd maith.

Yn y man, gwthiodd Sylvia fi oddi wrthi. "Na, na, na!" llefodd. "So i am neud ffŵl o'n hunan 'da ti 'fyd!"

Cododd Sylvia oddi ar farrau oer y fainc. Gwenodd ac estyn ei llaw ataf.

"Dere," meddai. "So'r dyfodol yn addawol iawn i ti nac i fi. Ond rhaid 'i wynebu e."

Cerddasom law yn llaw nes cyrraedd cartref ei rhieni. Gwasgodd Sylvia fy llaw, trodd ataf gan wenu a sibrwd: "Cymer ofal, cariad." Tarodd gusan ar fy ngheg a rhedeg i'r tŷ.

Cerddais innau'n gyflym am adref. Llwyddais i ddiddymu, dileu a difodi digwyddiadau, meddyliau a theimladau'r oriau diwethaf hyd nes y troediwn lôn goed 'Llys

Aeron'. Dyna pryd y dychwelodd soriant a siom ac, ar eu cefnau, faich ychwanegol o euogrwydd a chywilydd.

Agorais y drws ffrynt mawr, derw a'i gau ar fy ôl cyn ddistawed â byrglar proffesiynol. Sefais yn y cyntedd a oleuid gan un lamp ddiymhongar ar y ddresel dduloyw. Anadlais ddistawrwydd y tŷ a gwrando ar dipiadau cloc Llanrwst. Tri o'r gloch ar ei ben.

Es i mewn i'r stafell fyw, oedd â'i golau mor gynnil â'r cyntedd, a gorwedd ar y soffa. Cydiais yn ddifeddwl yn y pell-newidiwr ar fraich y soffa a'i ddodi'n ôl ar unwaith. Cydiais ynddo'r eildro a goleuo'r teledu. I gosbi fy hun. I orfodi fy hun i "yfed y cwpan i'r gwaelod". I ddrachtio gwaddod gwrthun fy nghenedl druenus. I dderbyn fy haeddiant. I anghofio.

Gwelais ddreigiau'n chwifio. Bechgyn a merched yn mynd o'u coeau. Yn cusanu ac yn cofleidio'i gilydd. Pobol yn chwerthin, yn crio, yn canu ac yn bloeddio. Newyddiadurwyr yn perlesmeirio wrth gyhoeddi fod Cymru wedi pleidleisio, gyda phrin chwe mil o fwyafrif, dros sefydlu Cynulliad yng Nghaerdydd.

Mi dafla 'maich oddi ar fy ngwar! Haleliwia!

"Mi 'dan ni wedi ennill! 'Dan ni wedi blydi ennill!" gwaeddais nerth fy mhen a charlamu nerth fy nhraed i fyny'r grisiau. "Deffrwch! Deffrwch!" bloeddais. "'Dan ni wedi ennill. Cael a chael! Ond 'dan ni wedi ennill!"

Rhuthrais i mewn i'n llofft ni a'i goleuo, gan ddisgwyl croeso a chael cerydd.

"Arwel! Be sy'n bod arna chdi?" cwynodd Ann a'i hwyneb chwyslyd, crwn yn wridog gan flinder a beichiogrwydd. "Hen dric cas. Wn i bod ni wedi colli. Wyt ti wedi meddwi?"

"Ydw. Nac 'dw. Tydan ni ddim wedi colli!"

"Be 'dan ni heb golli?" holodd Siân wrth ddod i mewn i'r llofft gan rwbio'i llygaid.

"Cymru, cariad bach!" bloeddais a'i chodi i'r awyr. "Helpa dy fam a dowch lawr i ninna gael dathlu."

Ehedais i'r gegin i 'nôl potelaid o rywbeth tebyg i siampaen a ddodwyd yn y ffrij, rhag ofn i ni ennill. Wedi i Ann a Siân ymuno â mi yn y stafell fyw, eisteddodd y tri ohonom ar y soffa, Siân yn y canol, rhwng beichiog-rwydd ei mam a minnau, yn llymeitian ac yn llawenhau, wrth wylio a gwrando ar ein cydwladwyr yn gorfoleddu.

"Fydd dim raid i ni fynd i Giwba rŵan, Arwel?" hol-odd Siân.

"Dim ond am holides," atebais. "Pan fydd y babi'n ddigon mawr."

Ychydig yn ddiweddarach, dechreuodd Ann anesmwytho. "Dwi'n meddwl 'i fod o neu hi wedi'n clŵad ni'n cael hwyl, ac isio dŵad atan ni," meddai, a'i llaw ar ei bol-chwydd mawreddog. "Helpa fi 'nôl i'r llofft, cyw. Arwel, ffonia am ambiwlans. A Sue, cofia."

Roedd Sue wedi addo dod i warchod Siân tra byddai Ann yn yr ysbyty. Gan i'r parafeddygon benderfynu mai doethach fyddai i'r enedigaeth ddigwydd yn y cartref ni fu raid i'n ffrind wneud rhagor na bod yn gwmni i'r fechan tra oeddwn i yn y llofft, yn cydio'n dynn yn llaw fy ngwraig, ac yn y fan a'r lle i groesawu fy merch, Gwawr Medi, i'n gwely ac i'r byd.

Noson fythgofiadwy.

Y FRWYDR OLAF, AM Y TRO

Bu'r ugain mis rhwng y refferendwm a'r etholiad cyntaf ar gyfer y Cynulliad Cenedlaethol yn gyfnod anodd a chythryblus yn hanes y Blaid Lafur Gymreig ac yn fy hanes innau.

Ddydd Gwener, Medi 18fed 1997, deffrais yn y Gymru Newydd gyda chur arteithiol yn fy mhen ac awydd i fod yn AC yn fy nghalon.

Ychydig yn ddiweddarach, darganfu'r meddygon nam bychan ar un o falfiau calon Gwawr. Dywedwyd wrthym i beidio â phryderu, gan nad oedd y cyflwr yn peryglu einioes y fechan ac y gellid, ymhen blwyddyn, unioni'r diffyg â llawdriniaeth pur ddidrafferth. Hynny a fu, ond poeni wnaeth Ann a fi ar y pryd, wrth gwrs, ynghyd â'r teidiau a'r neiniau yng Nglan-y-Nant. Pylodd fy uchelgais. Penderfynias, er mwyn rhoi fy holl fryd ar sicrhau y câi fy merch y sylw a'r gofal gorau, beidio â gwneud cais am gael bod yn un o ddarpar-ymgeiswyr y Blaid Lafur. Darbwyllodd Ann fi i newid fy meddwl.

"Mi geith Gwawr bob sylw a gofal fydd hi'i angen gynnon ni a'r doctoriad a mi fydd yn beth da i chdi gael rwbath arall i feddwl amdano fo. Faint elwach fydd yr hogan am fod 'i thad hi'n aberthu cyfla i wireddu uchelgais hollol anrhydeddus, fu yn'o fo er pan oedd o'n hogyn bach? Ma' raid i chdi fod yn aelod o'r Cynulliad, Arwel, tasa hi ddim ond er mwyn dyfodol Gwawr a Siân."

Ategwyd dadleuon fy ngwraig gan fy rhieni. Byrlymai arial y Celt yn eu gwaed oddi ar y noson y cawsant hwy wyres a Chymru Gynulliad.

"Os byddwch chi angan unrhyw help, unrhyw bryd, fyddwn ni'n dau ond yn rhy falch o ddŵad i lawr 'cw," ebe Mam pan godwyd y mater yn ystod ymweliad cyntaf Gwawr ag Ardudwy.

"Ia, cofiwch!" adleisiodd fy nhad. "Fydd hi'n fraint ac yn blesar gin dy fam a fi'ch cefnogi chi bob ffor gallwn ni. Ma' hi'n ddyletswydd arnan ni. Fel taid a nain. Fel dy rieni di, Arwel. Fel Cymry!"

"Y cam cynta fydd cael 'yn enw ar y rhestr," meddwn i. "Tydi hynny ddim yn sicr."

"Gei di, siŵr iawn!" ebe Mam. "Cwilydd mawr i'r Blaid Lafur os na chei di. A chditha wedi bod dros ddatganoli erioed."

"Ma' hynny'n fy anghymwyso i yng ngolwg rhei pobol bwerus yn 'yn plaid ni," cyfaddefais. "Ddylach chi, o bawb, ddim synnu clŵad hynny, Mam."

Ond roedd hefyd yn ein plaid arweinwyr dylanwadol, gan gynnwys Ron Davies, a oedd yn awyddus i mi fod yn aelod o'r Cynulliad; undebwyr amlwg y gwneuthum gymwynasau proffesiynol a phersonol â hwy; arweinwyr llywodraeth leol ledled de Cymru y bûm yn cydweithio, yn cyd-drafod ac yn cyd-gynadledda â hwy ers pymtheg mlynedd; a nifer fawr o aelodau cyffredin a swyddogion canghennau; sosialwyr gwlatgar sydd, fel fi, am weld y Blaid Lafur yn cael gwared ar ei hen arferion llwgr, unbenaethol a'i Phrydeingarwch, tra'n dal gafael yn yr egwyddorion, y gwerthoedd a'r cynhesrwydd dyneiddiol a ysbrydolodd ei goreuon ers canrif a mwy, ac yn dod yn Blaid Pobol Cymru mewn gwirionedd.

Er pan ymunais gyntaf â'r Blaid Lafur, nid wyf wedi cuddio fy argyhoeddiad fod gan Gymru hawl i'w senedd ei hun. Gydol y nawdegau, fel aelod o Bwyllgor Gwaith y Blaid Gymreig ac o'r gwahanol gomisiynau a sefydlwyd i lunio ein polisi ar ddatganoli, cefnogais arweiniad Ron Davies yn ddigymrodedd. Wnes i ddim ymrestru gyda gwroniaid Welsh Labour Action, na rhoi'r argraff, wrth ddadlau o blaid Cynulliad â hawliau cyllidol a deddfwriaethol, mai dyna'r unig fater oedd ar fy agenda wleidyddol. A thra oeddwn i'n gwrthsefyll y pwysau cynyddol o Lundain i wthio'r blaid fwyfwy i'r dde, ni fûm erioed yn gignoeth fy meirniadaeth, mewn pwyllgor na chynhadledd, o'r moderneiddwyr asgell-dde sy'n ein harwain – yn wahanol iawn i Sylvia, er enghraifft.

"Tipical twrna," ebe Ann. "Dan din a phump wynebog!"

Petaswn i wedi fy ngeni i deulu Llafur o hil gerdd, mae'n debyg y busawn innau wedi dadlau mor daer ac mor gyhoeddus â Sylvia dros fy naliadau. Fel cyn-aelod o Blaid Cymru a Mudiad Sosialaidd Gweriniaethol Cymru, rwyf wedi ceisio osgoi rhoi cyfle i elfennau adweithiol daflu ataf y cyhuddiad mai *"Nationalist and ultra-left entryist"* wyf.

Hoffwn gredu fod rheswm mwy sylfaenol dros fy agwedd gymrodeddus at rai nad wyf yn cytuno â hwy ar bynciau llosg, sef na allaf, a minnau wedi troi fy nghôt/ newid sylfeini fy myd-olwg a'm daliadau, daeru'n ddogmatig dros yr hyn y digwyddaf ei gredu ar y pryd. Er y gall y ffin rhwng "cenedlaetholwr asgell-chwith" a "sosialydd gwlatgarol" ymddangos yn un amwys ac annelwig, mae'r gwahaniaeth yn un sylfaenol. Y genedl yw'r uned gymdeithasol sy'n hawlio teyrngarwch hanfodol y cenedlaetholwr sosialaidd, er ei fod ef neu hi'n cydnabod ymrwymiadau eraill. Yn achos y sosialydd gwlatgar, ymgyrcha ef neu hi'n bennaf dros ymryddhad y dosbarth gweithiol ar bum cyfandir, gan ddechrau gartref.

Gobeithiai rhai delfrydwyr o blith y darpar-ymgeiswyr

y byddem, yn y gynhadledd a gynhaliwyd i'n hyfforddi, ac yn ein cyfweliadau gyda'r paneli a benderfynai pwy a gâi sefyll, yn trafod sut i fanteisio ar ddatganoli i ddat-blygu "Sosialaeth â Gwedd Gymreig" a llunio polisïau fyddai'n trawsnewid ein gwlad er gwell. Fe'u siomwyd. Un o brif amcanion y cyfarfodydd hynny oedd sicrhau na chynrychiolid y Blaid Lafur yn y Cynulliad gan bersonau rhy annibynnol eu barn. Gorchwyl hollbwysig arall oedd ein cynghori ni ynglŷn â gwisg a thoriad y gwallt a sut i ddelio â chwestiynau anodd gan newyddiadurwyr a hol-wyr y cyfryngau.

"Beth ma' nhw'n moyn yw bois miwn siwts, teis a chryse teidi sy'n gallu gwenu wrth weud celwydd o flaen camera teledu," cwynodd cyn-aelod amlwg o'r NUM. Gadawodd y gynhadledd hyfforddi ymhell cyn iddi orffen. Ni ddewiswyd ef na'r undebwr arall hwnnw a wnaeth smonach llwyr o'i ffug-gyfweliad:

Holwr: Sut allwch chi gyfiawnhau penderfyniad Tony Blair a Harriet Harman i anfon eu plant i ysgolion sy'n dethol disgyblion?

Undebwr: So i am drial gneud 'ny. Bydd rhaid i chi ofyn y cwestiwn 'na iddyn nhw. Ma' ysgolion fel'ny'n hollol groes i egwyddorion sylfaenol y Blaid Lafur ac i'n traddodiad addysgiadol ni yng Nghymru. Hoffen i weld y Cynulliad Cenedlaethol yn ei gwneud hi'n anodd iawn i ysgolion preifat barhau ac yn mynd ati i greu gwasanaeth addysg penigamp i holl blant Cymru.

Ateb anghywir. Dyma beth y dylai'r brawd fod wedi ei ddweud:

"Mae'r Blaid Lafur yn cefnogi, gant-y-cant, hawl rhieni i ddewis yr addysg orau bosib i'w plant. Yn anffodus, oherwydd deunaw mlynedd o gamlywodraethu gan y Torïaid, ac o ddiffyg buddsoddiad yn y gyfundrefn addysg, mae rhai o'n hysgolion cyfun ymhell o fod yn darparu addysg sy'n dderbyniol gan rieni a'u plant. Ein nod ni fel Llywodraeth, yng Nghaerdydd yn ogystal ag yn San Steffan, yw codi safon pob ysgol i fod gyfuwch â'r hyn a geir yn ysgolion preifat gorau'r wlad. Rhaid i ni beidio â gadael i ideoleg liwio'n barn ni at addysg, nac un-rhyw bwnc cymdeithasol, a chydnabod fod gan y sector gyhoeddus lawer i'w ddysgu oddi wrth y sector breifat."

Ymateb darpar-ymgeisydd aflwyddiannus arall i'r modd y dewiswyd ymgeiswyr oedd : "Ma'r *centralists* yn Millbank ac yn y *British Establishment* wedi llacio'u gafel yng Nghymru a'r Parti am gwpwl o eiliade er mwyn cydio'n dynnach wedi 'ny."

Un a fu, fel fi, yn llwyddiannus, oedd Sue Daniels. Clywais rai'n edliw na fuasai ei henw ar y rhestr oni bai fod y panelwyr gwrywaidd yn ei ffansïo a "clic o *feminists* tua Caerdydd ac Abertawe" wedi lobïo'n ben-derfynol ar ei rhan. Mae'n wir fod Sue yn ddynes ddel iawn ac i'r ffeministiaid ddyrchafu Cyfarwyddwr Canol-fan Gwenllïan yn eicon fenywaidd-werinol – mam sengl, gweddw ifanc yn arwain ei chymuned – ond ffactorau eraill o'i phlaid oedd llu o ddoniau cynhenid, egni ac ymroddiad diflino, a phersonoliaeth atyniadol.

Roedd Sue a minnau'n falch o weld ein gilydd, etifedd-ion Owen Daniels, ymhlith yr ymgeiswyr, yn enwedig gan fod "gefeillio", y drefn a ddyfeisiwyd i sicrhau y byddai nifer yr ymgeiswyr benywaidd a gwrywaidd yn gyfartal, yn golygu na fyddem yn cystadlu am seddi.

Cefnogem geffylau gwahanol yn y ras rhwng Ron a Rhodri am yr arweinyddiaeth. Roeddwn i'n bleidiol i Ron oherwydd fy edmygedd ohono a'r hyn yr oedd eisoes wedi ei gyflawni. Gwnaeth briddfeini'r Cynulliad heb fawr ddim ond gwellt, tra oedd haid o'i gyd-Israeliaid yn ei bledu â cherrig ac enllibion i blesio'r Eifftiaid. Credwn fod ynddo ddeunydd arweinydd cenedlaethol o bwys hanesyddol.

Cefnogai Sue Rhodri Morgan oherwydd ei chyfeill-garwch â Julie, ei wraig, a'r merched eraill a ymgyrchai dros efeillio etholaethau. Er 'mod i'n hoffi Rhodri, yn edmygu ei dalentau, yn chwerthin am ben ei jôcs ac yn credu iddo gael cam gan Tony Blair pan nas gwnaed yn weinidog yn y Swyddfa Gymreig, rwy'n meddwl fod Ron ben ac ysgwyddau yn uwch nag ef – yn ffigurol – fel Arweinydd y Blaid Lafur Gymreig a Chymru. Perthyn Rhodri, fel fi, i'r dosbarth canol proffesiynol Cymraeg. Er bod y dosbarth hwnnw wedi chwarae rhan bwysig iawn yn hanes ein gwlad, credaf mai dim ond arweinydd cenedlaethol â'i wreiddiau'n ddwfn yng ngwerin weithiol y de all berswadio mwyafrif ei gydwladwyr i gefnogi ei ymdrechion i greu yng Nghymru sefydliadau fydd yn diogelu ein parhad fel cenedl.

Beth bynnag a ddigwyddodd ar Gomin Clapham, bu'r canlyniadau'n enbyd i'r Blaid Lafur ac i Gymru. Collwyd cyfle, am y tro, i wneud Cymru'n wlad wahanol iawn i Loegr mewn modd blaengar a fyddai'n dylanwadu'n llesol ar wleidyddiaeth y Deyrnas Gyfunol benbaladr. Eithr ni ellir beio ffawd am chwarae tro gwael ar Gymru gan iddi ddod yn amlwg, erbyn hyn, nad ar hap y digwydd-odd yr "ennyd o wallgofrwydd".

Rwy'n amau'n fawr a fawrygid Ron Davies heddiw fel "pensaer datganoli" oni bai am ei ddeurywioldeb. Heb honni bod yn seicolegydd na hyd yn oed yn Leo Abse, daliaf mai hynny a ryddhaodd Ron o hualau union-grededd *macho* Sosialaeth y Cymoedd, ei alluogi i arddel byd-olwg amgen, ac i farchogaeth sosialaeth, cenedlaeth-oldeb a'r bwldog Prydeinig ar yr un pryd.

Gwnaeth Ron ddefnydd creadigol o'i gyflwr – yn wahanol i George Thomas, gwleidydd arall y bu sôn am ei rywioldeb yn ddiweddar. Enghraifft yw George o deip y deuthum yn gyfarwydd ag ef yn ystod fy arhosiad yn y de: gwrywgydiwr mewn cymdeithas lle caiff dynion o'r fath eu ffieiddio a'u dirmygu; yn casáu ei hun o'r herwydd, ac yna'n projectio'r casineb hwnnw at garfanau cymdeithasol sy'n ei dramgwyddo – cenedlaetholwyr a charedigion y Gymraeg, yn achos George; Saeson a'r Blaid Lafur yn achos rhai cenedlaetholwyr amlwg a adwaenaf.

Yn yr ornest chwerw, *post-Clapham Common* a ddaeth ag anghlod mawr i'r Blaid Lafur, parhaodd Sue i gefnogi Rhodri tra plediwn i achos Alun Michael. Nid wyf am geisio cyfiawnhau'r ysgelerderau a ddisgrifir mor ffraeth yn llyfr Paul Flynn, ond ar y pryd, yn absenoldeb arweinydd o galibr Ron Davies, tybiwn y byddai gan y Cynulliad well gobaith o lwyddo â gwleidydd yr ymddiriedai Tony Blair ynddo wrth y llyw.

Alun Michael yw un o'r Cymry Cymraeg prin hynny y mae'n well gennyf siarad Saesneg ag ef ond edmygaf ei ddelfrydiaeth, ei natur ddiymhongar a'i ymroddiad llwyr i ba dasg bynnag yr ymgymera â hi. Gan y bydd fy ngwraig yn darllen hyn o lith cyn bo hir, gwell i mi gyfaddef hefyd i Alun gynnig portffolio llywodraeth leol i mi yn ei Gabinet.

Pan ailagorwyd rhestr y darpar-ymgeiswyr er mwyn Alun, caniatawyd i rai nas gwrthodwyd y tro cyntaf i anfon eu henwau i mewn. Dyna wnaeth Derek Harcombe, Cadeirydd Cyngor Sir Llwchwr-Afan, a dodwyd ei enw yntau i lawr.

Ers rhai blynyddoedd, buasai Derek Harcombe a Havard Griffiths yn gynghreiriaid, nid yn unig yn Llwchwr, ond ym Mhwyllgor Gwaith y Blaid Gymreig hefyd, lle y buasant hwy a henwyr o gyffelyb anian yn dyfal-doncio'n polisïau ar ddatganoli, fel y byddai gan y Cynulliad arfaethedig gyn lleied o bwerau â Chyngor Sir, ac y câi ei wrthod fel siop siarad gostus a diangenrhaid gan yr etholwyr.

Wedi colli'r frwydr honno, a'r refferendwm, o drwch blewyn, gwrthwynebasant gyda'r un dycnwch a dyfeisgarwch y cynllun gefeillio a'r bwriad i ethol aelodau'r Cynulliad yn rhannol trwy bleidlais gyfrannol.

Yn y cyswllt hwnnw, y darlun arferol o "Hen Lafurwyr" fel Havard Griffiths a Derek Harcombe yw "deinosoriaid" gwrth-fenywaidd a gwrth-ddemocrataidd, wedi eu hargyhoeddi o ddwyfol ordeiniad y Blaid Lafur i lywodraethu de Cymru'n dragwydd. Mae'r cyhuddiad olaf yn ddilys. Eithr annheg, yn achos Havard, yw'r honiad mai gelyniaeth at fenywod a democratiaeth a ysgogodd ei wrthwynebiad i PR a gefeillio. Sêl dros hawliau'r Blaid Etholaethol ac ewyllys gadarn i lesteirio pob cam tuag at Lib-Labiaeth a barodd iddo ef ymgyrchu a chynllwynio yn erbyn y diwygiadau. Gan fod mwyafrif aelodau Plaid Lafur Llwchwr, yn ddatganolwyr ac yn wrth-ddatganolwyr, o'r un farn ag ef ar y materion hynny, gwrthodai'n hetholaeth ni ystyried gefeillio â neb hyd nes y'i gorfodwyd.

Addefais wrth Havard 'mod i'n deall ac yn cydymdeimlo â'i gymhellion i gefnogi'r polisïau a wrthwynebai ef mor ffyrnig. A hithau dan ddylanwad edmygwyr o'r tu allan i'r dyffryn, o bosib, nid oedd Sue mor gymrodeddus. Mewn un cyfarfod bythgofiadwy o Bwyllgor yr Etholaeth, mis Hydref neu Dachwedd 1998, a Havard a Derek a'u carfan fwyafrifol wedi pleidleisio, unwaith eto, yn erbyn cysylltu ag etholaethau eraill i gynnig cyplu, aeth hi dros ben llestri'n llwyr:

"Y gwir amdani yw hyn, Havard. Nagyt ti am weld unrhyw fenyw'n dod 'mlaen yn y parti, heblaw dy ferch di dy hunan. Bydde neb yn fwy cefnogol i *twinning* pe bydde Sylvia'n whilo am sedd yn yr *Assembly*. A so i wedi madde i ti am beth nest ti a dy gronis i Owen druan. Nage jest 'i erlid e am gefnogi datganoli, sydd wedi dod nawr, fel bydd *twinning* a PR, ond am bo chi'n griw mor dwp a diflas a *dictatorial*. Dim rhyfedd bod well 'da fe sefyll lan yn Llunden i yfed na dod 'nôl man hyn i wrando arnoch chi'n conan a'n cintachu a beirniadu!"

Talodd Sue'n ddrud am yr ymosodiad. Dyma'r hanes, fel y cefais ef gan Ann, a gymerodd le Sylvia fel *confidante* Sue Daniels yn ogystal â'm cymar i.

Y nos Sadwrn olaf ym mis Tachwedd 1998, bu Sue Daniels mewn cyngerdd o fiwsig clasurol am y tro cyntaf erioed. Cynhaliwyd hwnnw yn Neuadd Dewi Sant, Caerdydd, a'r pianydd, Gwion Arthur, yn perfformio gyda Cherddorfa Gymreig y BBC. Aeth Sue ar wahoddiad cariad newydd y cerddor, Sylvia Griffiths. Bu Sylvia'n awyddus i'r ddau gwrdd ers peth amser a gwelai ymddangosiad cyntaf Gwion ar un o brif lwyfannau'r brifddinas yn achlysur delfrydol i'w gyflwyno ef a'i ddoniau i'w ffrind.

Gwrthododd Havard a Mavis yr un gwahoddiad oherwydd y ffrae rhwng Havard a Sue.

Mwynhaodd Sue'r gerddoriaeth, er mawr syndod iddi hi ei hun. Rhoddodd awyrgylch wefreiddiol y Neuadd, cyffro'r bar yn ystod yr egwyl a bonllefau cymeradwyol y gynulleidfa wrth ymateb i athrylith sboner ei ffrind fwy fyth o bleser iddi. Ond uchafbwynt y noson i Sue, hyd at hynny, oedd yfed *champagne*, wedi'r cyngerdd, yn ystafell newid seren y noson, Gwion Arthur, gydag ef a Sylvia.

Ychydig funudau wedi i Sylvia a Sue gyrraedd, clywyd cnoc ar y drws ac i mewn yn dalog daeth gŵr ifanc pryd tywyll, golygus, main, canolig o daldra, oddeutu deg ar hugain mlwydd oed. Dylan Edwards oedd hwn, cefnder Gwion; Monwysyn, fel Gwion, ond o leiaf bymtheg mlynedd yn iau. Gweithiai Dylan ers dwy flynedd i Gyngor Dinas Caerdydd fel Swyddog Datblygu Econom-aidd.

Llanwyd gwydryn i Dylan a ymunodd yn y dathlu gyda'r fath afiaith fel y'i gwahoddwyd i swpera gyda'r cwmni mewn bwyty Ffrengig yn Canton – ar un amod y mynnai Gwion fod y tri arall yn ymrwymo i'w barchu: "Dim politics!"

Er nad yw'r pianydd yn hollol anwleidyddol – mae'n aelod o MANA (Musicians Against Nuclear Armaments) ac wedi perfformio'n ddi-dâl i hyrwyddo amcanion Cymdeithas y Cenhedloedd Unedig – nid oedd am i'w noson fawr gael ei difetha gan gecru sectyddol rhwng dwy Lafurwraig ronc a chenedlatholwr chwilboeth.

Wedi pryd hyfryd, oriau o sgwrsio difyr a digonedd o win, roedd Gwion a Sylvia, ar derfyn diwrnod a fu'n llawn cynnwrf, yn fwy na pharod i ddychwelyd i westy'r Angel. Siomwyd Sue, a edliwiai fod ei ffrind wedi addo "elen ni i ddanso". Gwadodd Sylvia iddi gytuno i'r fath beth. Rhag i'r noson ddiweddu mewn cywair ansoniarus, cynigiodd Dylan, yn garedig iawn, fynd â Sue "am ryw awran" i glwb nid nepell o'r bwyty, yr oedd ef yn aelod ohono.

Pan ddaeth y rhialtwch yno i ben, rai oriau'n ddiweddarach, nid oedd tacsi ar gael. Yn naturiol ddigon, felly, fe wnaeth Dylan hebrwng Sue'n ôl i'w gwesty. Nid oedd mo'r galon gan Sue i adael iddo gerdded y pum milltir (*sic*) o ganol y ddinas i'w gartref yn yr Eglwys Newydd, a'r creadur yn *knackered* ar ôl cerdded mor bell eisoes, heb sôn am y dawnsio a'r yfed, a chynigiodd hi wely iddo am hynny bach oedd yn weddill o'r nos.

Deffrowyd y ddau fore trannoeth gan alwad ffôn Sylvia.

Chwarddodd Sue wrth addo y byddai hi a Dylan yn cydfrecwesta â Sylvia a Gwion ymhen hanner awr. Sŵn gwahanol iawn ddaeth o'i genau rai munudau'n ddiweddarach.

"Ddeudis i ddim neithiwr, gan fod Gwion wedi stopio ni sôn am betha felly," ebe ei chywely. "Ma'r Blaid wedi gofyn i mi sefyll yn Llwchwr, yn etholiada'r Cynulliad. Ma'n debyg gna i, gan fod fawr neb arall awydd . . ."

"Ti'n jocan," oedd ymateb anghrediniol Sue.

"Wir-yr," mynnodd Dylan.

Gwthiodd Sue ef allan o'r gwely dan sgrechian:

"Cer! Cer! Anghofia bo ti wedi cwrdd â fi. So ti wedi cwrdd â fi. Reit? So i'n gwbod pwy ŷt ti. So ti'n gwbod pwy odw i. Cer! Cer o'ma!"

"Iesu, Sue! Tydi hi ddim fel tasa gin i *HIV* !"

"Mae'n waeth! Mae'n waeth!" gwaeddodd Sue.

"Bod yn Bleidiwr yn waeth na *HIV* ?"

"Bod ti'n sefyll yn Llwchwr dros Blaid Ffycin Cymru! Rwy'n erfyn neud 'ny dros y Blaid Lafur! Nawr cer!"

Ufuddhaodd Dylan a gadael yr Angel fel y ci lladd defaid diarhebol.

Pan ymunodd Sue â Sylvia a Gwion wrth y bwrdd brecwast, gwadodd iddi hyd yn oed awgrymu wrth Sylvia bod Dylan gyda hi – "Rhaid bod ti wedi camddeall. Nagon i na ti wedi deffro'n iawn." Gan na thyciodd hynny, cyfaddefodd y gwir, gan fynnu eu bod yn addo "peidio gweud gair wrth neb". Cytunodd Sylvia a Gwion, ond nid heb lawer o herio a chellwair masweddus.

Cyn gadael yr Angel, ffoniodd Gwion ei gefnder i roi gwybod iddo am ofid Sue. Dywedodd Dylan nad oedd raid iddi bryderu. Ni wnâi ac ni ddywedai dim i achosi embaras personol na gwleidyddol iddi.

Erbyn i Sue, Sylvia a Gwion gychwyn am Drelwchwr yng nghar Sue – y diwrnod hwnnw y cyflwynodd Sylvia ei *young man* i'w rhieni am y tro cyntaf – roedd Sue yn ei hwyliau gorau unwaith eto, yn chwerthin wrth ail-fyw'r anturiaeth ac yn datgan na chawsai "gystal sbri ers ache".

Ymhen ychydig ddyddiau, roedd rhagor o drigolion y dyffryn yn gyfarwydd ag enw a wyneb Dylan Edwards. Ymddangosodd adroddiadau yn y wasg leol am gyfarfod cyhoeddus a gynhaliwyd i'w fabwysiadu'n ymgeisydd Plaid Cymru yn yr etholiad ar gyfer y Cynulliad y mis Mai canlynol.

Dichon i Havard a Mavis Griffiths ymddiddori'n fwy na'r rhelyw o ddarllenwyr yn y llithoedd a'r lluniau. Cyf-eiriodd Mavis atynt mewn ffordd ffwrdd-â-hi pan alwodd yng Nghanolfan Gwenllïan:

"Jest galw am glonc fach, Sue, a gweld shwt chi'n dod 'mlaen . . . Jiw, bydde Owen yn browd o beth ti wedi'i neud 'ma. Nawr 'te, gwed wrtho i, beth ŷt ti'n feddwl o'r Dylan Edwards hyn?"

Teimlai Sue ei gwaed yn fferru ac yna'n berwi. Gwyddai fod ei hwyneb yn fflamgoch wrth iddi holi'n fyngus: "Dylan Edwards, wedoch chi, Mavis?"

"Ie. So ti wedi gweld 'i *photos* e yn y papure i gyd wthnos hyn? Wedodd Sylvia a Gwion bod ti a Dylan wedi gneud *foursome* 'da nhw i fynd mas am swper wedi'r gyngerdd a bo chi wedi joio mas draw. Beth ŷt ti'n feddwl ohono fe? Wyt ti'n meddwl ddylen ni fecso? Fel Parti, rwy'n feddwl . . ."

Dywedodd Sue fod Dylan i'w weld yn "fachan neis iawn", ond na fyddai hynny'n ddigon, yn ei barn hi, i beryglu gafael y Blaid Lafur ar yr etholaeth – oni bai fod styfnigrwydd Havard a Derek mewn perthynas â gefeill-io'n ein hatal rhag dewis ymgeisydd gwryw na benyw.

Parodd hynny i Mavis amddiffyn egwyddorion sosial-aidd ei gŵr ac i ladd ar "y dynon sy'n hala Keir Hardie a

Jim Griffiths droi yn 'u bedde" ond dadlennodd, unwaith eto, cyn ymadael, yr hyn a'i cymhellodd i alw.

"Rwy'n ame bod *fatal attraction* rhyngt Sylvia ni a Northmyn," ebe Mavis wrth i Sue ei hebrwng at brif fynedfa'r Ganolfan. "So ti'n mynd 'run ffordd, ŷt ti, bach?"

"Ladden i ambell foi o Drelwchwr gynta, Mavis," atebodd Sue heb wên ar ei hwyneb.

Wedi i Mavis ffarwelio'n ffuantus, brasgamodd Sue i'w swyddfa, codi'r ffôn a deialu ffôn symudol Sylvia a oedd, ar y pryd, yn traddodi darlith mewn Poli-a-ddyrchafwyd-yn-brifysgol yn Croydon.

"Beth wedest ti wrth dy fam amdano i a Dylan?" bytheiriodd Sue.

Cymerodd Sylvia rai eiliadau i newid byd, newid iaith, deall y cwestiwn ac amgyffred ei arwyddocâd. Pan wnaeth, cyfaddefodd fod Gwion, tra oedd yn sgwrsio gyda'i mam, wedi cyfeirio, trwy amryfusedd – llithriad hollol anfwriadol – at y swper yn y bwyty Ffrengig yng Nghaerdydd. Dyna i gyd.

"'Na i gyd? 'Na pam dath hi lawr 'ma fel *Spanish fucking Inquisition* ife?"

Cyfaddefodd Sylvia y gallasai ei hymdrechion trwsgl hi a Gwion i ddarbwyllo ei mam na "ddigwyddodd dim byd rhyngot ti a Dylan" fod wedi ennyn ei chwilfrydedd. Cynigiodd "ffono Mam i weud mor grac odw i bod hi'n busnesan, ac iddi giad 'i cheg . . ."

"Paid gweud dim, Sylvia! Agorest ti dy geg fawr ormod ishws!" gwaeddodd Sue a waldio'r derbynnydd yn ôl yn ei grud.

Yr ymwelydd annisgwyl nesaf â Chanolfan Gwenllïan – os annisgwyl hefyd – oedd y dyn ei hun. Mynnai Dylan iddo ddod yn rhinwedd ei ymgeisyddiaeth ar ran Plaid Cymru. Byddai iddo gadw draw o adnodd cymdeithasol mor bwysig ac mor enwog yn ymddangos yn od, meddai.

Ymateb cyntaf Sue, ym mhreifatrwydd ei swyddfa, oedd rhoi ram-tam i'r gŵr ifanc. Maddeuodd iddo yn y man, fodd bynnag, a chyn i'r Pleidiwr lwcus adael y Ganolfan ymhen rhyw hanner awr, a gwên ar ei wyneb, roeddynt wedi gwneud oed i gyfarfod mewn gwesty moethus, *discreet*, yn ardal Thornhill, Caerdydd. Cyfarfu Sue a Dylan yno deirgwaith yn ystod y pythefnos nesaf.

Ychydig cyn y Nadolig, daeth newyddiadurwraig a ffotograffydd i'r Ganolfan; hi'n Saesnes ifanc glên ac yntau'n Gymro surbwch, canol oed yn gwisgo siaced ledr ddu statudol ei broffesiwn. Dywedodd y ferch, Anna, wrth Sue mai asiantaeth o Lundain a'u hanfonodd, i lunio *feature* ar Ganolfan Gwenllïan yr oedd nifer o bapurau dyddiol ac wythnosolion enwog yn fodlon ystyried ei gyhoeddi. Mae cyhoeddusrwydd o'r fath wastad yn dderbyniol a rhoddwyd caniatâd parod i'r ddau grwydro'n rhydd o amgylch y Ganolfan gan dynnu lluniau a holi Kelly, merch ddwy ar bymtheg oed Sue, ac aelodau o'r Pwyllgor, a oedd wrthi'n addurno ac yn paratoi danteithion ar gyfer parti'r plant, drannoeth. Dangosodd Anna ddiddordeb ym mwriad Kelly i fynd i Brifysgol Bryste i astudio Cyfrifiadureg, ac yn hynt ei brawd, Jason, 19, ym Mhrifysgol Caerdydd, lle y gobeithiai raddio'n gyfreithiwr.

Yna daeth tro Sue i gael ei chyf-weld. Holodd Anna hi am waith Canolfan Gwenllïan a'i huchelgais wleidyddol cyn troi at faterion mwy personol, megis ei pherthynas â'i phlant ac â'i diweddar ŵr, Owen Daniels AS, a'i gŵr cyntaf, John Ford. Dechreuodd Sue deimlo'n anesmwyth a cheisiodd ddirwyn y cyfweliad i ben. Dyna pryd y gofynnodd Anna iddi pa mor ffyddiog oedd hi, pe câi ei dewis i sefyll dros y Blaid Lafur am sedd Llwchwr yn y Cynulliad Cenedlaethol, y trechai ymgeisydd deniadol iawn Plaid Cymru, Dylan Edwards.

Atebodd Sue mai cwestiwn damcaniaethol oedd hwnnw, gan nad oedd Llafur wedi enwebu ymgeisydd eto ond hyderai mai ei phlaid hi a enillai'r sedd. Yna gofynnodd Anna gwestiwn y gwyddai'r ddwy yr ateb iddo: "It's true, isn't it, that you and Mr Edwards spent three nights together recently at a Cardiff hotel?"

Gorchmynnodd Sue yr ymwelwyr i adael yr adeilad a phan ddechreuodd Anna ymliw, gofynnodd i aelodau'r Pwyllgor, rhai ohonynt yn fenywod nobl iawn, i ddangos y ffordd mas i'r *paparazzi*, tra galwai hi'r heddlu. Ciliodd Anna a'r ffotograffydd heb ragor o gymell, yn fwy na bodlon.

Roedd Sue wedi ffonio Caerdydd i dynnu ei henw oddi ar y rhestr ymgeiswyr ac i'w rhybuddio fod sgandal arall ar y ffordd, cyn i benawdau fel a ganlyn ymddangos yn y papurau:

LABOUR IN BED WITH PLAID – WE ASK: IS THIS
THE NEW INCLUSIVE POLITICS?
SEXY SUE AND DISHY DYLAN
IN SECRET LOVE NEST!
INSIDE: EXCLUSIVE PHOTOS OF LABOUR'S
MERRY WIDOW AND HER NAT TOYBOY

Gwrthododd Dylan Edwards wneud unrhyw sylw ar y mater ond yn ôl gwasg y gwter roedd rhyw "*senior Plaid figure*" o'r farn fod y cyhoeddusrwydd a ddeilliodd o'r *affair* yn werth "*at least 5,000 votes*" i'r *Party of Wales*.

"Ma' raid 'i fod o'n dipyn o foi, i chdi risgio cymaint?" awgrymodd Ann wrth Sue, ar ôl clywed ei stori hi.

"Odi, ma' fe," cytunodd Sue. "Mae'n annwyl, yn garedig, yn ddoniol – a deg mlynedd yn ifancach na fi. Rwy wedi cael cwpwl o fflings 'ddar i fi golli Owen. Well 'da fi beidio meddwl amdanyn nhw. Steve Davies. Ych-a-fi. Fydde

c'wilydd 'da fi weud 'thot ti shwt cwples i 'da fe. Ma'
Dylan yn fachan ffein. Ond rwy'n meddwl taw achos y
risg, y danjer, es i 'da fe i'r hotel. Rwy wedi cael llond
bola ar fod yn dda, Ann. Pawb yn gweud bo fi mor dda.
Wedi gwneud shwt jobyn dda o gwnnu 'mhlant. "Arwain
fy nghymuned". Bo fi'n *role model* mor ffantastig i
grotesi. Ma' mwy i fywyd, on'd o's e?"

"Fydda llawar yn deud bod hynny'n hen ddigon,"
chwarddodd Ann.

"Twll!"

Gwadai Havard a Mavis, hyd yn oed wrth Sylvia – yn
enwedig wrth Sylvia – iddynt hwy anfon y wasg ar
drywydd Sue a Dylan. Sylw cyhoeddus, arferol Havard
ar y mater oedd: "Os nagyw Sue'n meddwl bod hi wedi
neud rhywbeth o le, dyle hi ddim bod wedi riseino. Os
yw hi'n meddwl bod hi, dyle hi fod wedi riseino cyn
jwmpo i'r gwely 'da'r *Nationalist*."

"Os yw Sue fach gyment o *feminist* â ma' nhw'n
gweud 'i bod hi, dyle hi erfyn i Dylan Edwards dynnu
mas hefyd," dyfarnai Mavis. "'Na beth fydde 'cydraddol-
deb', ontefe?"

Fel llawer ohonom, roedd Sue wedi ei dadrithio gan y
cynllwynio a'r cynhennu a ferwinai ein plaid, o'r bôn
i'r brig, yn y cyfnod rhwng y refferendwm a'r etholiad.
Haerai, wedi i'r wasg a'r cyfryngau golli diddordeb yn ei
pherthynas hi a Dylan, ei bod yn "falch o fod mas o'r
ras".

Nid oedd agwedd ein Haelod Seneddol mor athron-
yddol. "Sgandal arall yw'r peth dwetha rŷn ni'n moyn,
'rôl *Clapham Common*," taranodd. "Bydd pobol yn gweud
nag ŷn ni damed gwell na'r Torïed!"

Roedd Gwyn wedi newid yn arw er pan aeth i San
Steffan. Cyn hynny, nid oedd neb addfwynach, mwy
diymhongar a chymodlon nag ef. Difyr iawn oedd bod yn

ei gwmni gan iddo etifeddu hiwmor direidus, difalais Tal, a'i fod, fel ei dad, yn greadur mor straegar. Anaml y gwelwn y Gwyn hwnnw mwyach. Dyn blin yw Aelod Seneddol Dyffryn Llwchwr; Fi Fawr, hawdd ei bechu, ac araf i faddau i'r sawl sy'n tramgwyddo.

Pencampwyr y pechaduriaid, oddeutu Calan 1999, oedd Havard Griffiths a Derek Harcombe. Bu Sue Daniels ar y brig am ychydig ddyddiau, ond wedi iddi hi gwympo ar ei chledd er lles y Parti, cyfeiriodd ein Haelod Seneddol holl rym ei ddialedd at y ddau a ddrwgdybiai o fod wedi tynnu sylw'r byd a'r betws at anniweirdeb gweddw ei ragflaenydd: y ddau a barai fod gwrit Tony Blair yn ddirym yn Llwchwr.

Ddechrau'r flwyddyn newydd, gofynnodd Gwyn i mi alw yn ei gartref rhyw fin nos, am *"showdown* 'da'r ddou racsyn 'na"*. Gwysiwyd hwythau i ymddangos ger ei fron yr un pryd. Cyrhaeddais i'n brydlon a'r cyhuddiedig hanner awr yn hwyr.

"Licech chi gyd ddished?" holodd Bethan wrth dywys Havard a Derek atom i'r lolfa.

"Dim diolch, cariad," meddai ei gŵr. "Fydd e ddim yn gyfarfod hir."

Prin fod Havard a Derek wedi eistedd cyn i Gwyn ddatgan wrthynt: "Weda i pam gofynnes i i chi ddod 'ma miwn 'chydig iawn o eirie. Oni bai bo chi'ch dou a'ch clic yn rhoi'r gore i floco'r *twinning*, ffindwn ni *fast-track* i hwpo chi o'r Parti. Ewn ni mor bell â syspendo'r CLP, neu 'i gïad e lawr, os bydd raid."

"Nage hon yw'r Blaid Lafur joines i, Gwyn," protestiodd Harcombe yn hunandosturiol. "Ma' hi fel *dictatorship*."

"Chlywes i monot ti'n conan pan o't ti'n *dictator*, Derek," atebodd Gwyn gyda gwên ddirmygus a throi i herio'i brif elyn: "Beth ti'n weud, Havard? Ie neu nage? Miwn neu mas?"

"Leiciwn i mo dy weld di'n cael cicowt, Havard," meddwn i. "Wyddost ti 'mod i'n nes atat ti, ar rei polisïa, nag ydw i at Gwyn."

"Rwy'n falch clywed ti'n gweud 'na, Arwel," ebe Havard fel petai'n credu'r hyn a ddywedai. "So i am weld y *Nationalists* yn elwa achos bod ni'n cwympo mas. Rŷn ni wedi cael digon o *bad press* ishws, a ma'r diawled yn campeino fel y diain boutu'r lle."

"Rwy'n falch o dy glywed dithe'n siarad mor gall, Havard," ebe Gwyn, yn ddiplomataidd yn ei dyb ei hun, mae'n siŵr.

"Rwy'n meddwl cewn ni ddêl," meddai Havard.

"Dêl? So i'n siarad am ddêl!" arthiodd Gwyn.

"Clyw nawr, Gwyn," ebe Havard yn bwyllog, yn addfwyn ac yn dadol. "Pan o't ti'n *union negotiator*, roddest ti ariôd ddim i'r ochor arall heb erfyn cael rhywbeth 'nôl – oni bai bod ti a'r bois ar 'ych tine. So ni yn y safle 'na, fel ti'n gwbod. Rŷt ti'n gwbod hefyd mor gry yw'n teimlade ni boutu'r *twinning* hyn. Sgêm menywod dosbarth cenol i ga'l mantais annheg yw e, yn fy marn i. Dylet ti fod yn falch o glywed bod dêl i ga'l."

Ofnais y tagai Gwyn ar ei gynddaredd ac er mwyn iddo gael ei wynt ato'n ddiogel, gofynnais i Havard: "Be 'dach chi isio, Havard?"

"Bod Derek man hyn ar dop y *West South Wales regional list*."

"Byth!" ebychodd Gwyn. "So i am roi miwn i *blackmail*."

"Os rhyfel ŷch chi'n moyn, bois, rhyfel gewch chi," addawodd Havard mewn llais peryglus o dawel. "Ymladdwn ni chi yn yr *High Court* a'r *House of Lords* os bydd angen. Beth s'da ti i weud ar y mater, Arwel? Fel cyfrithwr? Ma' achos teidi 'da ni, on'd oes e?"

"Dda gin inna ddim ildio i flacmel, Gwyn," meddwn

gan droi ato ef. "Ond o ddau ddrwg, gweld enw Derek ar ben y rhestr ydi'r lleia. A gan fod ni'n disgwl ennill y seddi i gyd, neith hynny ddim gwahaniaeth."

"Allen i fyth drefnu'r peth," haerodd Gwyn.

"Gad dy gelwdd," ebe Havard dan wenu. "Fficsoch chi bod Ron yn trechu Rhodri a bod Alun yn cael bod ar y *list*. A fficswch chi hi iddo fe drechu Rhodri hefyd. Falle nagyt ti'n meddwl bod Derek yn ddigon pwysig? Ti'n rong. Mae e'n cynrychioli barn cannoedd o aelode cyffredin y Parti . . . So'r Parti'n siŵr o *overall majority* yn yr *Assembly* 'da'r PR hyn. Bydde achos llys ddim yn helpu. Ond os 'na beth ti'n ddewis . . ."

"Wela i beth alla i 'i neud," ebe Gwyn yn anewyllysgar.

"Gwd," ebe Havard yn gwrtais gan godi oddi ar y soffa ac annog Derek i wneud yr un modd. "Whap glywa i bod 'na wedi'i drefnu, ffona i Gerry O'Brien, *North Gwent* CLP, oboutu'r *twinning*. Rŷn ni'n hen bartners a byddwn ni'n gallu symud pethach ymlaen yn glou. *United front* o hyn ymlaen, ontefe? A chrasfa arall i'r *Nationalists*."

"Havard," meddai Gwyn, "falle bydde'n werth gadael i'r *Nats* ennill Llwchwr, jest i gael dy wared di!"

"Diawl, ti'n gweud pethach digri, Gwyn," ebe Havard dan wenu. "Gwmws fel dy dad."

Wedi i'r ddau *taffioso* ymadael, llyncodd Gwyn a minnau hanner potelaid o *single malt* mewn byr o amser.

Roedd hi'n fis Mawrth erbyn i Llwchwr a Gogledd Gwent, ar y cyd, ddewis ymgeiswyr. Des i ar ben y "rhestr wrywaidd", gan ennill rhagor o bleidleisiau na'r fenyw fuddugol, a hawlio sefyll yn Llwchwr o'r herwydd. Dyna fuasai wedi digwydd hyd yn oed petai Janet Gresty wedi 'nghuro i, gan ei bod hi'n swyddog cyllid gyda'r Ymddiriedolaeth Iechyd lleol ac yn ferch i Gerry O'Brien, Arweinydd Cyngor Bwrdeistref Sirol Gogledd Gwent, un

o Wyddelod Pabyddol, Prydeinig, gwrth-Gymreig cym-
oedd y de.

Breuddwydiwn, er yn fachgen, am sefyll mewn Ethol-
iad Cyffredinol Cymreig, gan gaboli areithiau a miniogi
dadleuon a sloganau ar gyfer hynny yn fy meddwl ers
blynyddoedd. Fel rheol, byddaf yn mwynhau'r cyffro
etholiadol: cnocio ar ddrysau, hel tai, sgwrsio, trafod a
dadlau, tynnu ar wrthwynebwyr, chwerthin am ben troeon
trwstan, y cyfrodedd a geir ymhlith cyd-ymgyrchwyr.
Penyd fu fy ymgyrch i gynrychioli Llwchwr yn y Cynull-
iad Cenedlaethol, y mwyaf poenus o sawl un a ddaeth
i'm rhan fel aelod o'r Blaid Lafur.

Tybiais y buasai'r aelodau hynny a weithiodd mor
galed dros sefydlu Cynulliad yr un mor eiddgar i sicrhau
mai ein plaid ni a'i hymgeisydd a elwai ar lwyddiant ein
polisïau. Nid felly y bu. Diflaswyd y rhan fwyaf ohonynt
gan y cynhennu a'r ymrannu cyhoeddus ymhlith y ceffylau
blaen, siniciaeth yr undebwyr amlwg a drefnodd fod y
Blaid Lafur Gymreig yn dewis arweinwyr a fyddai'n
dderbyniol gan Tony Blair, a phropaganda Millbank a
roddodd hwb aruthrol i Blaid Cymru trwy ymosod yn
ffyrnig ac yn anwybodus ar y cenedlaetholwyr.

Ni fedrwn droi am gymorth at rai a fu'n cyd-wasan-
aethu â mi ar Gyngor Sir Llwchwr-Afan, a hen Gyngor
Bwrdeistref Llwchwr, gan fod etholiadau sirol i'w cynnal
ar Fai 6ed hefyd, a'r cenedlaetholwyr, am y tro cyntaf
erioed, yn bygwth wardiau a fuasai'n deyrngar i Lafur
am drigain mlynedd.

Craidd hynny o dîm a feddwn oedd Ann a rhai o
fenywod Gwenllïan, a fu'n ffôn-ganfasio'n ddiwyd, a Tal
Howells a Paul Griffiths. Nid yn ddigymell y daeth y
ddau hyn ataf i'r adwy – Gwyn berswadiodd y naill a
Sylvia'r llall – ond gwnaethant gyfraniad arwrol.

Un noswaith, aeth Paul a fi â'n cenadwri i gartref ei
rieni yn Waunpark Road.

"Rŷch chi'n siŵr o'n fôts ni, bois," ebe Mavis yn fêl i gyd wrth ein tywys i'r *lounge*, lle y gwyliai Havard y newyddion chwech ar y teledu, a'i getyn cwta, drewllyd yn ei geg.

"Rwy'n falch o glywed 'ny," ebe Paul gyda winc arnaf fi wrth droi at ei dad. "Achos ma'ch byti chi, Derek Harcombe, yn mynd boutu'r lle'n gweud wrth bobl am foto i'r *Nationalist*, fel bod e 'i hunan yn mynd miwn dan PR."

"Odi e?" holodd Mavis yn ddiniwed.

"Nagyw e ddim!" ffrwydrodd Havard. "Paid grando arno fe. A phaid ti siarad shwt ddwli, grwt!"

Ni welswn Havard Griffiths yn colli ei limpyn yn anfwriadol o'r blaen.

Buasai Dylan Edwards a'i fyddin ifanc, frwd wrthi'n ddygn ers deufis erbyn i mi a 'nghriw gyrraedd maes y gad, ddechrau mis Mawrth. Ategid catrodau curo drysau'r cenedlaetholwyr gan "fyddin gudd" o ganfaswyr teleffon a oedd wedi meistroli'r grefft yn ystod ymgyrch y Cynulliad. Mantais ychwanegol i'r rhain oedd rhestrau etholwyr y Blaid Lafur, a fenthycwyd i'r Ymgyrch Ie Dros Gymru yn 1997.

Gwyddem fod Plaid Cymru'n mynd i wneud yn dda, ond i ennill y sedd buasai arni angen *swing* o dros 30%. Amhosib. Ond dyna ddigwyddodd. Bachodd yr etholwyr ar gyfle unigryw i gosbi'r Blaid Lafur am ei diffyg undod a phechodau hysbys eraill, heb galonogi'r Torïaid.

Er chwerwed fu "colli Llwchwr", colli Tal Howells oedd yr ergyd greulonaf i'm bwrw i, fis Mai 1997. Bu farw Tal, fy nghyfaill cyntaf yn Nhrelwchwr, ddydd Sadwrn Mai 29ain, yn 65 mlwydd oed, o ganlyniad i "ddamwain" y bu ynddi rai wythnosau ynghynt.

Y noswaith honno, roedd rhyw hanner dwsin ohonom, yn ôl ein harfer, wedi ymgynnull yn y Clwb Caib a Rhaw am beint ar derfyn sesiwn o ganfasio a dosbarthu taflenni. Teimlem yn lled galonnog. Gwyddem na chawn i'r mynydd o bleidleisiau a dderbyniai Aelodau Seneddol Llwchwr ac y byddai cyfanswm Dylan Edwards dipyn yn uwch na phentwr truenus ei blaid yn yr Etholiad Cyffredinol; ond roeddem yn ffyddiog mai fi fyddai'n ennill.

Am hanner awr wedi deg, cyhoeddodd Tal ei fod am gychwyn am adref gan alw yn y Loughor Arms, *HQ* Plaid Cymru, ar y ffordd, "am 'bach o sbri", h.y., tynnu'r cenedlaetholwyr yn ei ben.

Rhyw ugain munud wedi iddo fynd, daeth gŵr ifanc i mewn i'r bar, wedi cynhyrfu drwyddo wrth gyhoeddi fod damwain ofnadwy wedi digwydd lai na chwarter milltir o'r clwb, yn Pencerrig Street, heol gul, hir sy'n diweddu ar y Groes ynghanol y dref. Clywsom fod rhywrai wedi eu clwyfo'n ddifrifol, efallai'n angheuol, a bod y stryd wedi ei chau gan gerbydau'r polîs, y Gwasanaeth Ambiwlans a'r Frigâd Dân, a degau o swyddogion yr asiantaethau hynny. Fel y siaradai, clywem seirenau cerbydau eraill yn prysuro tua'r fan.

Gadawodd Ann a minnau'r *Welfare Hall* ychydig yn ddiweddarach a chael nad oedd Mégane fy ngwraig o flaen y neuadd, lle y parciwyd ef. Gan fod lladrata ceir yn bla yn yr ardal, fe wnaethom amau ar unwaith fod cysylltiad rhwng diflaniad y car a'r ddamwain. Wrth i ni gerdded i lawr Pencerrig Street clywem leisiau'n crochlefain a gwelem belydrau glas ac oren yn fflachio ar doeau'r tai. Ofnem y gwaethaf heb amgyffred pa mor erchyll yr ydoedd.

Golygfa o *Inferno* gyfoes. Torf hurt yn rhythu ar blismyn, dynion tân a chriwiau ambiwlans, mewn siacedi melyn, llachar, yn gwau trwy ei gilydd a rhwng cerbydau dan lafnau'r llifoleuadau ac yn bloeddio nerth eu pennau dros sgrechiadau'r offer torri metal a ddefnyddiai tri o'u cymrodyr i ryddhau rhywrai a ddaliwyd mewn car a orweddai'n sindrins ar ei do ar ganol y lôn.

Car Ann ydoedd. Hysbysais un o'r plismyn a rhoi ein henwau a'u cyfeiriad iddo cyn troi am adref wedi'n harswydo.

Pan ganodd y ffôn, ychydig wedi wyth, drannoeth a ninnau ar ein brecwast, tybiais mai'r heddlu oedd eisiau siarad am y car. Llais tawel Bethan Howells a glywais, yn dweud fod Tal yn Ysbyty Trelwchwr mewn cyflwr difrifol – torrwyd clun a braich ac roedd peth gwaedu mewnol – wedi i gar a yrrwyd gan *joyriders* ei fwrw'r noson cynt.

Codais oddi wrth y bwrdd a gyrru i'r ysbyty, lle'r arhosais yn gwmni i Bethan – rhyfedd ei gweld yno yn ei dillad ei hun – nes y cyrhaeddodd Gwyn o Lundain, ychydig wedi deg. Nid oedd Gwyn a fi erioed wedi cofleidio'n gilydd o'r blaen. Dyna wnaethom yn awr, yn hollol naturiol, fel petaem yn frodyr yn gofidio am eu tad.

Cofiais un o'r troeon yr es gyda Tal i'r Vetch, i weld Abertawe'n chwarae, a chyfaill iddo o Bontarddulais a darodd arnom yn holi:

"Dy grwt di yw hwn, Tal?"

"Ddim cweit," atebodd Tal. "Bachgen bach amddifad o North Wêls rwy wedi'i adopto yw e."

Ategais innau'r sylw.

Erbyn i Gwyn gyrraedd, dywedid fod Tal mewn "cyflwr sefydlog". Cawsom gip arno, rhwng triniaethau, yn beipiau a gwifrau drosto ac yn lled-ymwybodol. Arhosodd Gwyn yn yr ysbyty am weddill y diwrnod. Es innau adref at Ann a Gwawr ac aros yno. Anwybyddais alwadau gwaith a gwleidyddiaeth am weddill y dydd.

Dyna ddiwedd fy ymgyrch i. A'n cyfaill yn ymladd am ei fywyd, nid oedd gan Paul na minnau'r stumog i siglo llaw, seboni a malu awyr.

Erbyn diwrnod y bleidlais, ddydd Iau Mai 4ydd, roedd Tal wedi dod ato'i hun yn rhyfeddol ac fe'i symudwyd i ward fechan un-gwely, ger y ward gofal-dwys. Aeth Paul a minnau i ymweld ag ef a'n *rosettes* ar ein mynwesau, fi efo tusw mawr o flodau a Paul efo pedwar can o Felin-foel. Croesawodd Tal ni â gwên a chyfarchiad doniol. Gwnaethom ein gorau i ymateb yr un mor hwyliog a cheisio anwybyddu'r cleisiau amryliw ar ei wyneb a chrygni ei lais.

Gan siarad yn araf iawn, dywedodd Tal wrthym beth fu ei hynt er y tro diwethaf y gwelsom ein gilydd.

Pan gamodd Tal Howells trwy ddrws ffrynt y *Welfare Hall* allan i'r stryd, gwelodd ddau fachgen yn eu harddegau'n ceisio agor drysau car a barciwyd o flaen yr adeilad. Adwaenodd Tal y cerbyd ar unwaith fel un Ann. Ceryddodd y bechgyn yn Gymraeg a bygwth galw'r heddlu. "*Fuck off*, Bamper!" ebe un o'r llanciau a chil-iodd y ddau i'r maes parcio y tu cefn i'r neuadd.

Rai munudau'n ddiweddarach, a Tal hanner ffordd rhwng y *Welfare* a'r Loughor Arms, chwyrnellodd car – car Ann! – heibio iddo ar wib i lawr Pencerrig Street. Cerddodd Tal yn ei flaen. O gyfeiriad y Groes, clywodd deiars yn gwichian ac injan yn rhuo. Yn y man, ymddangosodd yr un car eto, yn rhuthro tuag ato ar gyflymdra enbyd.

"'Nes i beth dwl," sibrydodd Tal. "Games i i'r hewl, a chodi 'nwrn ar y diawled bach. O'n i mor grac bod nhw wedi dwgyd car Ann. A bod nhw'n peryglu bywyde pobol, yn dreifo ar shwt sbîd boutu'r lle . . . Pe bydden i heb neud 'ny, fydden i ddim fan hyn, a'r ddou grwt 'na'n fyw heddi."

Tawodd ein hen gyfaill. Gostyngodd Paul a minnau ein pennau wrth weld y dagrau'n llifo i lawr ei ddwyfoch amryliw.

Dylan Edwards (Plaid Cymru), un fil ar ddeg, naw cant, saith deg tair o bleidleisiau, a enillodd sedd Llwchwr yn y Cynulliad; gydag Arwel Williams (Y Blaid Lafur), un fil ar ddeg, dau gant, wyth deg un o bleidleisiau'n ail. Buaswn wedi galw'r canlyniad yn un "trychinebus" i'r ymgeisydd ac i Lafur petai bywyd heb ddangos nad i'r categori hwnnw y perthyn clec i ego, uchelgais personol a llwyddiant plaid.

Medrais wenu – glaswenu, o leiaf – pan glywais fod Derek Harcombe, fel canlyniad uniongyrchol i'm methiant i, wedi ei ethol yn aelod o'r Cynulliad, ac y byddai Iwan Harries, gelyn anghymodlon arall i ddatganoli, y bleidlais gyfrannol a hawliau menywod, wedi ei ethol hefyd, oherwydd ei fod ar restr y Torïaid. Recordiodd Paul gyfweliad teledu gyda'r ddau adyn a ddarlledwyd ar y pryd:

Holwr: Gyda mi'n awr mae dau fu'n llwyddiannus dan system y bleidlais gyfrannol, er iddyn nhw ei gwrth-wynebu hi'n ffyrnig, sef Derek Harcombe o'r Blaid Lafur a'r Ceidwadwr, Iwan Harries. Tydach chi ddim braidd yn rhagrithiol wrth lawenhau yn eich buddugoliaeth, Derek Harcombe?

Derek Harcombe: Ddim o gwbwl, Dewi. Fel politishan, rwy wastod wedi cadw at y rheole. Hyd yn oed pan nagwy'n meddwl bod y rheole'n rhai da. Pan ti'n ennill miwn *situation* fel 'ny, ma'n *bonus*, on'd yw hi?

Holwr: Iwan Harries, fe wrthwyneboch chi a'ch plaid sefydlu'r Cynulliad. Fyddwch chi'n awr yn ceisio'i danseilio o'r tu mewn?

Iwan Harries: Mae'r Cynulliad Cenedlaethol yn ffaith. Wedi'i sefydlu – o drwch blewyn, mae'n wir – gan farn ddemocrataidd y bobol. Fy rôl i a'r Blaid Geidwadol Gymreig fydd rhoi llais i ddyheade'r Cymry sy'n gwerthfawrogi bendithion y Farchnad Rydd ac yn casáu'r sosialaeth Stalinaidd, hen-ffasiwn ac aneffeithiol mae'r pleidiau eraill i gyd yn ei harddel.

Ni fedrai fy ngofid a'm galar am Tal, na'm pryder ynglŷn â iechyd Gwawr, leddfu'r siom o fethu â chael fy ethol i'r Cynulliad. Tybiaf, yn gam neu'n gymwys, fod gennyf fwy o hawl i fod yno nag ambell un – e.e., y Bonwr D. Harcombe ac Iwan Llewellyn Harries, a'r Fones Janet Gresty (a enillodd sedd Gogledd Gwent gyda mil o fwyafrif dros Blaid Cymru) – ac y gwnawn gyfraniad mwy creadigol ac adeiladol na rhai o'r gwŷr a'r gwragedd sydd â swyddi cyfrifol ym Mae Caerdydd ar hyn o bryd. Derbyniaf, serch hynny, fod fy aflwyddiant yn anorfod a bod rhaid i mi gymryd fy nghweir yn ddirwgnach.

A oes rhaid derbyn hefyd fod pob hap a damwain, pa mor hurt a disynnwyr y bo, yn anochel? Petaem ni i gyd wedi mynd yn griw am beint i'r Loughor Arms, fel y dymunai Tal . . . Petai Ann a fi wedi llwyddo i'w berswadio i aros yn y *Welfare* a chymryd pàs adref . . . Petai Gwyn heb annog ei dad i 'ngefnogi i . . . Petai Tal a fi ddim yn gymaint o lawiau . . .

O fewn ychydig ddyddiau i'r anghaffael, troes Tal at wella, gan ymgryfhau'n feunyddiol. Un o gastiau'r Gelyn oedd yr adferiad byrhoedlog; ystryw i'n pryfocio trwy godi'n gobeithion a'u dymchwel; modd iddo arddangos ei arglwyddiaeth trosom.

Brynhawn Gwener, Mai 28, ar ganol sgwrs hwyliog gyda Gwyn a Bethan, a eisteddai wrth erchwyn ei wely, dododd Tal ei law ar ei dalcen ac meddai: "Rwy wedi blino'n siwps, bois." Cwympodd ei ben yn ôl ar y gobennydd. Daeth gwrid afiach i'w wyneb ac ochenaid gras o'i frest.

Llwyddodd Bethan a'i chyd-weinyddesau i adfer ei anadlu a churiad ei galon. Nid allent hwy na'r doctoriaid wneud dim i wrthweithio canlyniadau'r trawiad enfawr a oedd wedi atal y galon fawr honno am ysbaid. Drannoeth, rhoes Gwyn ei ganiatâd iddynt ddiffodd y peiriant a gynhaliai einioes ei dad.

Y "ddamwain" a'i heffeithiau a laddodd Tal, ond rhwystrodd ffactorau eraill ef rhag eu gwrthsefyll. Yn ei breim, roedd yn ddyn cryf a heini. Mwynhâi galedwaith y ffwrnais ddur bron cymaint â noson ar y cwrw gyda chriw o'i gymrodyr, a ffeit dda cyn mynd tua thre, un ai gyda dieithriaid a edrychodd yn gam i'w cyfeiriad, gelynion traddodiadol o gwmwd cyfagos, neu ymhlith ei gilydd. Ychydig o ddrwg a wnaeth y "clatsio" i Tal ond nid felly blynyddoedd o ymlafnio corfforol, o yfed fel ych ac o 'smygu fel un o simneiau Margam. Buasai gan athro, meddyg, neu gyfreithiwr 65 mlwydd oed a fu'n byw'n gymhedrol ac yn bwyta'n gall, siawns dda o ddod ato'i hun wedi derbyn yr un anafiadau. Ysigwyd corff bregus Tal gan sgil-effeithiau'r llawdriniaeth a'r cyffuriau a'i gwnaeth yn bosib, ar ben y ffisig a gymerai eisoes at ostwng pwysedd ei waed a lleddfu'r gwyniau yn ei gefn. (Os bu anwireb erioed, "Wnaeth gwaith caled erioed niwed i neb" yw hwnnw.)

"Tal Howells yw dy gydwybod proletaraidd di, y *petit bourgeois intellectual* ag ŷt ti," honnai Sylvia.

"'Na gyhuddiad ofnadw!" ebe Tal, pan ddywedais hynny wrtho. "'Sdim cydwybod 'da fi i fi'n hunan, heb sôn am neb arall. Rwy'n ddyn drwg iawn."

Yr hyn a roddai Tal i mi oedd adnabyddiaeth well o fywyd y dosbarth gweithiol, yn y cartref a'r gweithle, ac o deithi'r meddwl gwerinol, ei werthoedd a'i argyhoeddiadau, sydd, mewn llawer dull a modd, yn dra gwahanol i rai'r dosbarth y perthynaf i iddo. Bu hynny o werth amhrisiadwy i mi fel lladmerydd undebau ac undebwyr gerbron llysoedd barn a thribiwnlysoedd, yn ogystal â fel gwleidydd sosialaidd.

Yr enghraifft fwyaf trawiadol o feddylfryd gwrthgyferbyniol pobl fel Tal a phobl fel fi ynglŷn â mater o bwys, yw'r gwahaniaeth sylfaenol yn ein hagwedd at angau. Eglurodd Tal hynny wrthyf ger y bar yn y Clwb Caib a Rhaw, rai blynyddoedd yn ôl, rhyw noswaith pan alwais yno am un peint ar fy ffordd adref, wedi awr dda o "sboncio" egnïol yn y Ganolfan Hamdden.

Rwy'n amau mod i'n annioddefol o hunangyfiawn ar y pryd, a chwe mis union wedi mynd heibio oddi ar i mi lyncu mwg baco o'm gwirfodd am y tro olaf, ac yn bur ddirmygus o'r *untermenschen* a ddaliai yn gaeth i nicotîn.

"Byddi di fyw ddeng mlynadd yn hwy os rhoi di'r gora iddi, Tal," haerais.

"'Na pam rwy'n smoco," ebe'r cyfaill. "A'r ffaith bo fi'n joio, wrth reswm."

"'Sgin ti'm isio byw'n hen?"

"Ddim fel 'ny, os na chaf i fwyta beth rwy'n moyn, yfed faint rwy am, a smoco'r pethach hyn sy'n rhoi gyment o bleser i fi. So i am roi lan popeth sy'n neud bywyd yn werth 'i fyw! A wasto'n amser, fel ti, yn whare geme plentynnedd a reido beic nagyw'n mynd i unman. I beth, Arwel? Er mwyn treulio deg neu bymtheg mlynedd fel cabej miwn cartre hen bobol, yn faich ariannol ac emosiynol ar Gwyn a Bethan? Well 'da fi fynd cyn bod yn dwlali, tra bo fi'n dal i joio bywyd."

Sylvia sylwodd gyntaf ar y paradocs fod Gwyn yn feirniadol iawn o hedonistiaeth ei dad, tra 'mod i, a wrthryfelai yn erbyn piwritaniaeth fy nghartref, yn cael fy hudo ganddi.

Trefnodd Tal Howells ei angladd ei hun. Wrth aelodau ei deulu a'i gyfeillion i gyd ond un, siaradai'n hyderus am ei gynlluniau ar gyfer yr amser wedi iddo adael yr ysbyty. Wrth Paul Griffiths, cyfaddefodd nad oedd yn meddwl y byddai yn ein plith fawr hwy, hyd yn oed pe câi fynd adref yng nghar ei fab ac nid mewn hers. Ymddiriedodd i Paul y gorchwyl o sicrhau y byddai "trefn y moddion" yn unol â dymuniadau'r gwrthrych.

Roedd angladd Tal yn un mawr i "ddyn cyffredin". Yn ogystal â Gwyn a Bethan a'r plant, Geraint a Sara, a chwiorydd Gwyn a'u teuluoedd, ymgynullodd oddeutu trichant ym mynwent Llethr Dywyll – enw addas hyd yn oed ar brynhawn braf o Fehefin. Daeth yno lu o berthnasau a chyfeillion, gan gynnwys nifer a fu'n gweithio gydag ef ym Margam a chyn hynny ym Mhwll yr Onnen, ynghyd â chynrychiolwyr y gwahanol gyrff a sefydliadau lleol y bu ganddo gysylltiad â hwy – undeb yr ISTC, y Blaid Lafur, Clwb Rygbi Trelwchwr, y Clwb Caib a Rhaw, Jack Beynon (*Bookmaker*), Côr Meibion Llwchwr a.y.b.

Roedd Dylan Edwards AC yn y dorf ar lan y bedd. Gerllaw iddo safai Sue Daniels a'i phlant, Jason a Kelly.

Cafwyd datganiad o *Bugeilio'r Gwenith Gwyn* a *Myfanwy* gan garfan o ryw ugain aelod o'r Côr Meibion a oedd yn bresennol. Ymunodd y gweddill ohonom â hwy i ganu *O Fryniau Caersalem* ar derfyn defod ddirodres.

Traddododd Paul Griffiths anerchiad teyrnged i Tal. Canmolodd ef fel gŵr, tad, tad-cu, cydweithiwr, cymydog a chyfaill y gellid dibynnu arno, ac fel undebwr cydwybodol a ymgyrchodd yn erbyn pob annhegwch a godai ei ben yn ei gymdeithas.

Deil yr adran o araith Paul sydd fwyaf perthnasol i mi yn fyw yn fy nghof:

"Gofynnodd Tal i fi roi neges ar ei ran i'r rhai ohonoch chi sy'n ymhél â pholitics. Roedd Tal am i fi'ch atgoffa chi taw gwerin Cymru sy wedi'n creu ni i gyd, waeth faint s'da ni yn 'yn penne, neu yn y banc. Gwasanaethu gwerin Cymru yw'ch braint a'ch dyletswydd chi sy'n gweud 'ych bod chi'n 'i chynrychioli hi mewn senedd, cynulliad neu gyngor. 'Ma' llawer o sôn dyddie hyn am Lafur Newydd a Chymru Newydd,' medde Tal wrtho i, ychydig cyn iddo fe'n gadael ni. 'Ond ma' lot fowr o bethe gall yr Hen Lafur a'r Hen Gymru fod yn browd ohonyn nhw hefyd . . .'

"Gofynnodd Tal i fi weud gair am y ddau grwtyn gollodd 'u bywyde, a'u teuluoedd . . . 'Dyle fod cwilydd arnon ni', medde fe, 'i fyw mewn cymdeithas lle mae dou fywyd ifanc yn diweddu fel 'na'."

Wedi'r angladd, aeth y rhan fwyaf o'r galarwyr i'r *Welfare Hall*, lle y darparwyd ar eu cyfer y bwffe arferol o frechdanau ham, caws, caws a thomato, tiwna a samwn, *sausage rolls*, *pasties*, creision, cnau a *Black Forest Gâteau*. Croesawodd Gwyn ni'n deimladwy, diolchodd i gyfeillion a chydnabod y teulu am eu cydymdeimlad caredig a therfynodd gan nodi fod "Tal wedi dodi arian tu ôl i'r bar, fel bod pawb 'ma'n cael diferyn i gofio amdano fe."

Wrth i ni fwyta, yfed ac ymgomio, fe'n diddanwyd gan ddetholiad o *Côr Meibion Llwchwr's Greatest Hits*: *Calon Lân*; *Myfanwy* (eto); *Bugeilio'r Gwenith Gwyn* (eto); *Comrades in Arms*; *Crossing the Plain*; *Sloop John B*; *Summertime*; *Sosban Fach* ac yn y blaen.

Dangoswyd y fideo enwog o drip Clwb Rygbi Tre-lwchwr i weld Cymru'n chwarae'r Alban yng Nghaeredin, ddechrau'r 90au. Gwelsom Tal yn rhedeg y bar yng nghefn y bws, yn un o res yn piso yn erbyn gwrych ger Penrith, ac yn sefyll ar fwrdd tŷ tafarn yn Glasgow i ganu *Bugeilio'r Gwenith Gwyn*.

Roedd yr awyrgylch yn debycach i neithior nag i wylnos. Pawb mewn hwyliau ardderchog. Hen ffrind-iau'n cyfnewid straeon ac atgofion am Tal ac yna'n edrych o'u cwmpas gan ddweud, "De-i . . . 'Na drueni bod e 'i hunan ddim yn gallu bod 'ma. Bydde Tal wedi joio".

Eisteddai Ann a minnau wrth fwrdd rhwng dau glwstwr o fyrddau, gyda'r teulu Howells ar y naill law a'r teulu Griffiths ar y llall. Cyflwynodd Sylvia ni i Gwion a Gwion i ninnau. Ysgydwodd y pianydd a minnau ddwylo'n waraidd dros ben a dweud mor falch yr oeddem o gwrdd â'n gilydd. Roedd golwg ar goll ar ei wyneb. Diau iddo deimlo mor ddieithr ag y gwnawn i mewn cynulliadau brodorol, llwythol o'r fath pan ddes i fyw ac i weithio gyntaf yn Nhrelwchwr.

Wnes i ddim ysgwyd llaw â Derek Harcombe AC a eisteddai gyda'i wraig gorfol Glenys wrth yr un bwrdd â Havard a Mavis, na'i longyfarch. Pleser o'r mwyaf oedd ei glywed yn rhoi prawf cyhoeddus o'i anghymwyster.

"Siaradest ti'n dda iawn, Paul," meddai Mavis pan ymunodd ei mab â ni â phlataid anferth o sangwejes a *pasties* yn ei law. "Rŷn ni'n browd ohonot ti. On'd dŷn ni, Havard?"

"Odyn," cyfaddefodd Havard, wysg ei din, megis.

"Y sawl sydd â chlustiau i glywed, gwrandawed," ebe Harcombe, gan wrido pan rythodd pob llygad yn y cwmni arno. "Ma' 'na'n iawn, on'd yw e?" holodd yn nerfus.

"*Spot-on*, Derek," chwarddodd Paul.

"Rŷt ti'n rial *statesman*, Derek, 'ddar i ti fynd i'r Asembli 'co," meddai ei gyfaill Havard.

Wedi rhyw deirawr o goffáu a dathlu bywyd Tal Howells a'i gyfraniad i'w gymdeithas, dechreuodd y galarwyr llon adael y neuadd. Ymlwybrais innau at y bar lle y safai Gwyn, yn codi rownd, i ddweud fod Ann a fi am ei throi hi. Mynnodd Gwyn 'mod i'n cymryd peint arall ac wedi dosbarthu'r diodydd dychwelodd gyda gwahoddiad i Ann a fi a'r ddwy fechan ddod i aros ato ef a Bethan yn eu fflat yn Llundain, "cyn bo hir".

"'Sdim esgus 'da ti rhagor," ebe Gwyn â'i dafod yn dew. "Ma' digon o amser sbâr 'da ti, gan bod ti ddim ar y Cownsil."

"Diolch byth am hynny," addefais. "'Sgin i ddim clem sut dyla gwrth-blaid fihafio. Leciwn i ddŵad draw 'cw, Gwyn. Fedra i neud efo holide. Ma'r wsnosa dwytha 'ma . . ."

Tewais wrth sylwi ar Sylvia'n croesi'r stafell yn sigledig tuag atom o gyfeiriad y drws, lle y safai Gwion Arthur, ar bigau'r drain i ymadael, â'i lygaid wedi eu hoelio arni.

"Gwbei, Gwyn," ebe Sylvia a thinc blentynnaidd yn ei llais. Cydiodd yn ei ddwylo â'i dwy law hi. "'Na i gyd weda i nawr," meddai. "Ti'n gwbod shwt feddwl odd 'da fi o Tal. Sgrifenna i atot ti."

Cydiodd Sylvia yn fy nwylo i fel y gwnaeth â Gwyn. "Ma'n flin 'da fi, Arwel," meddai. "Yn enwedig a'r twpsyn 'na wedi mynd miwn. Tro nesa, ife?"

"Dwi 'di cymryd ymddeoliad cynnar o wleidyddiaeth," atebais yn bendant, fel petawn i'n credu'r hyn a ddywedwn, ac efallai 'mod i.

"Gewn ni weld," meddai Sylvia a'i gwên cyn anwyled ag erioed.

Difrifolodd yn ddisymwth. "Ma' dyn yn whare pob math o feddylie ar achlysur fel hyn," meddai. "Atgofion. Pob math o deimlade cymysg. Hiraeth . . ."

Llanwodd ei llygaid. Ofnais ei bod am feichio crio, ond siriolodd ac meddai: "Rwy braidd yn feddw, braidd yn wallgo, a so i'n gwbod pryd byddwn ni'n tri fel hyn 'to, wyneb yn wyneb. Felly dyma'r unig siawns gaf i, i weud wrthoch chi'ch dou, rhywbeth rwy wedi weud wrth Gwion, ac rwy am i chithe glywed, 'da'ch gilydd. Peidiwch wherthin. 'Naf i fyth fadde i chi os wherthwch chi. Rwy'n credu hyn. Ma' sawl stafell yng nghalon pob un ohonon ni. Un ar gyfer pawb rŷn ni'n garu. Ma' bob o stafell 'da chi'ch dou'n 'y nghalon i. A ma' 'da Gwion un. Ond fe sy yn y *master bedroom*."

Tarodd Sylvia gusan ar foch Gwyn ac yna ar f'un i, gan beri i Mavis a Havard waredu, a'i gwneud ei hun yn destun siarad, unwaith eto, am sbel, yn Nhrelwchwr. Yna rhodiodd yn urddasol at ei chymar a gadawsant yr wylnos lawen.

"On'd yw Sylvia a Gwion yn siwto'i gilydd?" sylwodd Mavis Griffiths wrth y cwmni o boptu iddi – roedd Ann yn un o'r rheini – fel yr âi ei merch a'i chymar trwy'r drws.

"Odyn nhw?" holodd Paul yn amheus.

"Ma' 'da nhw shwt gyment yn gyffredin," mynnodd Mavis.

"Fel beth?" gofynnodd Paul yn siniciadd.

"Ma'r ddou'n *dedicated professionals*," atebodd Mavis.

"Odyn," cyfaddefodd ei mab.

"A ma'r ddou wedi bod yn briod ddwywaith o'r blaen," ebe ei fam yn fuddugoliaethus.

"So nhw'n briod, Mam," meddai Paul yn ddilornus. "So Sylvia ariôd wedi bod yn briod."

"Falle aeth hi ddim i gapel neu *registry office* 'da Gwyn nac Arwel, ond buodd hi 'da nhw'n hirach na ma' lot o briodase'n para heddi."

Y noson honno, yn y gwely, adroddodd Ann rywbeth tebyg i'r ddeialog uchod wrthyf. Ailadroddais innau eiriau ffarwél Sylvia wrth Gwyn a fi.

"Wyt ti'n teimlo'r un fath am Sylvia?" holodd Ann.

"Dwi'n teimlo," meddwn, "'mod i wedi bod yn ffodus iawn, ddwywaith. Ond fan hyn dwi isio bod rŵan, a nunlla arall."

YN ÔL I'M CYNEFIN . . .

Dywedir mai'r dynion tristaf yn Llundain yw'r cyn-
aelodau seneddol sy'n methu cadw draw o San Steffan
ac sy'n crwydro coridorau, bwytai a bariau "Mam y
Seneddau" fel ysbrydion yr oesau a fu. Gallaf ddweud yn
onest na theimlais i'r awydd lleiaf i fynychu Neuadd a
swyddfeydd Cyngor Sir Llwchwr-Afan wedi i mi roi'r
gorau i gynrychioli Ward Glan-yr-Afon Trelwchwr yno.

Nid cyn hawsed gwrthsefyll tynfa Bae Caerdydd.
Derbyniais sawl gwahoddiad i fwrw golwg dros adeilad
a gweithgareddau'r Cynulliad Cenedlaethol. Balchder,
mae'n debyg, a'm cadwodd draw. Gan fod dyletswyddau
AC dipyn yn ysgafnach na rhai Arweinydd cyngor sir,
gresynwn na chefais gyfuno "treulio mwy o amsar efo
'nheulu" ag aelodaeth o'r Cynulliad.

Mi wnes fwynhau, am rai wythnosau, yr hyn a eilw'r
Eidalwyr yn *dolce far niente*, sef, yn f'achos i, ymwel-
iadau â Llundain a Glan-y-Nant gydag Ann a'r merched,
croesawu'r teidiau a'r neiniau i Drelwchwr, gwyliau yn
Llydaw a *Center Parc* yng Ngwlad Belg, mynd i'r afael,
o'r diwedd, â phentwr o gyfrolau o 'Goleufan' a siopau
llyfrau yn Llundain, Caerdydd ac Abertawe a fu'n hel
llwch yn fy stydi, heb eu hagor.

Gwrthodai Siân bob cynnig o'm heiddo i'w helpu efo'i
gwaith ysgol. Pan ddechreuais ymddiddori yn *DIY* a sôn
am "neud jobsus yn y tŷ", gwrthwynebodd Ann hynny'n

bendant. Cyfiawnhaodd y gwaharddiad gyda rhigwm o eiddo Hilaire Belloc:

> *While mending the electric light*
> *Lord Lucan (?) died*
> *And serve him right.*
> *It is the duty of the wealthy man*
> *To give employment to the artisan.*

"Mi wyt ti'n colli'r Cyngor, Arwel," ochneidiodd Ann tua chwarter i un ar ddeg rhyw nos Fercher, ddechrau mis Medi. Roeddwn wedi darllen digon am un noswaith a 'laru ar *Newsnight* ar ôl gwylio'r newyddion deirgwaith eisoes.

"Iesu, nac 'dw," tyngais. "*Toytown politics*, chwadal Sue."

"Paid â'i fychanu o. Oeddat ti'n gneud rwbath . . ."

"Meddwl 'mod i . . ."

"Ella nad wyt ti'n colli'r Cyngor 'i hun, ond mae o wedi gadal lle gwag yn dy fywyd di. Rwyt ti fel *alcoholic* wedi stopio yfad sy'n methu gwbod be i neud efo'i hun heb y lysh a'r criw. 'Argyfwng Gwacter Ystyr', Arwel. Ac argyfwng canol oed ar 'i ben o. Os na ffendi di rwbath creadigol i neud efo d'egni a d'amsar, troi at y botal neu Dduw fydd dy hanas di, a faswn i a'r genod ddim yn lecio hynny. Be am ddechra peintio? Gin ti lygad dda am linall, a pherthynas lliwia â'i gilydd."

"Dwi'n anobeithiol am ddroinio," atebais. "Dda gin i ddim celfyddyd heb berthynas weladwy efo bywyd go-iawn."

"Canu 'ta," awgrymodd yn goeglyd. "Be am atgyfodi'r Moch Aflan?"

"Syniad da. 'Blaw bod un wedi marw, un arall yn byw'n Ostrelia a'r llall wedi newid yn ôl yn Sais ac yn beilot efo BA."

"Pam na joini di'r Côr Meibion?"

"Weli di fi mewn *blazer* werdd yn canu 'Cwm-bayah'?"

"Smart gynddeiriog."

"Paid â chymryd dy siomi!"

Nid oeddwn wedi newid fy marn ynglŷn â'r *Rotary*, y Seiri Rhyddion a chlybiau golff, er pan awgrymodd Sylvia, y tro cyntaf i ni gyfarfod, mai fel hynny y treuliwn f'oriau hamdden ped elwn yn dwrnai. Chwaraeais sawl rownd o golff a'i chael yn gêm ddifyr ac iachus, ond nid wyf yn hidio am gwmnïaeth y *clubhouse*; ac er bod rhai o weithgareddau'r *Rotarians*, a hyd yn oed y Brodyr, o fudd dyngarol, ni fuaswn yn ystyried cymdeithasu'n gyson â llond stafell o wrywod dosbarth canol, canol oed, canolig eu gorwelion, yn fraint nac yn bleser.

Ceisiodd mudiadau elusennol fy recriwtio. Gwrthodais ar dir egwyddor, eithr heb gyfaddef hynny.

"Sgwenna," awgrymodd Ann. "Dyna rwbath wyt ti'n neud yn dda iawn. Dwi'n cofio'r straeon doniol, yn Gymraeg a Saesnag, fydda gin ti yng nghylchgrawn yr ysgol, ers talwm."

"Dim ond yn Saesnag fedra i sgwennu rŵan," atebais.

"Gna 'ta. Fyddi di ddim llai o Gymro. Medda rhei."

Buasai hynny'n ganmil haws ond fe'm rhwystrid gan wrthwynebiad greddfol, dwfn rhag meddwl, hyd yn oed, am sgrifennu'n "greadigol" yn Saesneg.

Soniais wrth fy nhad am f'awydd i roi cynnig ar fudr-lenydda yn Gymraeg, er nad oeddwn ond yn lled-lythrennog ynddi, a gofyn ei gyngor ynglŷn â chywiro'r diffyg.

"Beibil Wiliam Morgan ydi sylfaen 'yn rhyddiaith ni," meddai Nhad, "a Daniel Owen ydi tad y ffuglen Gym-raeg. (Os ydi hyn o ryw gysur i ti, roedd Saesneg 'rhen Daniel dipyn gwell na'i Gymraeg o.) Dechra'n fan'no a dos yn dy flaen i ddarllan pob llyfr Cymraeg gyhoeddwyd er pan roddist ti'r gora i ddarllan dy famiaith – rhag dy gwilydd di – heblaw am lythyra dy fam a fi. Ma'r rhan fwya ohonyn nhw yma."

Dan gyfarwyddyd fy nhad, dechreuais ar raglen o ddarllen clasuron hen a modern y Gymraeg. Nid oeddwn wedi mynd ymhellach na *Numeri*, Pennod XXII, *Rhys Lewis*, Pennod XXV, diweddariad o'r *Mabinogi* ac ambell rifyn o'r *Llenor* pan benderfynais, gyda chydsyniad fy ngwraig, newid byd.

Ysgogwyd y mudo o Drelwchwr i Glan-y-Nant gan bedair ffactor:

F'anniddigrwydd i oherwydd bod Dyffryn Llwchwr wedi newid a minnau'n methu â dygymod. Roedd yn lle dieithr iawn i mi pan es yno i fyw yn 1983, ond yn fuan iawn, fel sawl mewnfudwr arall, teimlwn fod y gymdeithas wedi fy nerbyn fel rhywun a gyfrannai at ei llwyddiant, ac y gallwn, felly, hawlio breintiau cyflawn-aelodaeth. Ddwy flynedd ar bymtheg yn ddiweddarach, teimlwn fel dieithryn yn Nhrelwchwr unwaith eto, wrth sylweddoli gymaint yr oedd y dref a'r dyffryn wedi newid er pan ymwelais â hwy gyntaf, yng nghwmni Gwyn a Sylvia, ac wrth gydnabod fod y gwerthoedd a "leibiais i'm cyfansoddiad" yn y cyfamser yn ymddangos yn amherthnasol i'r brodorion cyfoes. Grawnwin surion, o bosib. Serch hynny, cofier nad oedd canlyniadau etholiadol 1999 yn ddim namyn arwydd gwleidyddol o brosesau economaidd a chymdeithasol dyfnion, mwy sylfaenol, a fu'n mynd rhagddynt ers degawdau.

Yncl Dafydd yn cyhoeddi ei fod am ymddeol. Dewisach gan y gyfreithwraig ifanc a'i cynorthwyai fynd i Gaerdydd at gwmni anferth sy'n arbenigo mewn achosion masnachol a diwydiannol na phrynu ei ffyrm fechan ef am bris teg iawn. Byddai'r swyddfa lle bu tair cenhedlaeth o'n teulu ni'n cyfreithwrio yn cau.

Machreth ac Olwen Thomas, rhieni Ann, yn penderfynu codi bynglo ym mhentref Glan-y-Nant a rhoi 'Bryngwyn' ar y farchnad. Roedd Rhys, brawd Ann, a'i wraig Nerys, a ffermiai'r tir, yn anfodlon cyfnewid eu tŷ hwylus yn y pentref, yn meddu'r cyfleusterau diweddaraf, am blasty hynafol ac angen gwaith mawr arno.

Fy nhad yn sôn am ymddeol fel y gallai ef a Mam ddod i fyw'n nes at Ann a fi a'r genod. Gan nad oeddem ni mor fodlon ar ein byd ag y buom, ofnem na fuasai Rheinallt a Ceinwen yn ymgartrefu yn Nhrelwchwr mor rhwydd ag y tybient.

Wedi i Ann a minnau roi ystyriaeth ddwys i'r ffactorau hyn a nifer o ddadleuon o blaid ac yn erbyn mynd yn ôl i Glan-y-Nant, symud yn ôl a wnaethom. Perswadiais Davies, Greene & Daniels i brynu ffyrm f'ewythr a phrynasom ninnau 'Bryngwyn'. Gwyddem fod modd creu problemau newydd wrth ddatrys hen rai ond "mae newid yn *change*", chwedl yr hen air, a hyd yn hyn mae pawb yr effeithiwyd arnynt yn barnu i ni wneud y peth iawn – heblaw am Siân, sy'n colli ei ffrindiau ac amgylchedd drefol y Sowth.

Mae'r teidiau a'r neiniau, Machreth, Olwen, Rheinallt a Ceinwen wedi gwirioni, wrth gwrs.

"Rydw i'n teimlo bod rhyw gylch cyfrin wedi'i gwblhau heddiw," meddai Mam ar derfyn y ddefod fechan a gynhaliwyd, Ddygwyl Dewi 2000, pan ddaeth "Offis Yncl

Dafydd" yn eiddo i Davies, Greene & Daniels. "Fel 'tai rhaid i hyn fod. A bo chdi ac Ann i fod efo'ch gilydd."

"Yn 'i flaen ma' bywyd yn mynd, Mam," atebais. "Nid mewn cylchoedd. Nid yn syth yn 'i flaen. Yn igam-ogam, dan fowndio o un pegwn i'r llall. Ond yn 'i flaen mae o'n mynd."

Awgrymodd fy mam, fwy nag unwaith, y gwelir cau "cylch cyfrin" arall, cyn bo hir, wrth i mi ailymuno â Phlaid Cymru. Nid hi yw'r unig un sy'n meddwl fod hynny'n anochel.

Atebaf nad wyf am gefnu'n awr ar y blaid a sefydlodd y Cynulliad Cenedlaethol. Byddai hynny'n anniolchgar, yn annilysu fy ngwleidydda i er pan ymunais â'r Blaid Lafur, ac yn sen ar frwydrau cenedlaethau o'i haelodau dros ddatganoli a chyfiawnder cymdeithasol. Soniaf hefyd am gysylltiad unigryw ein plaid â'r undebau ac am werthoedd traddodiadol y Blaid Lafur Gymreig; ei sosialaeth a'i rhyng-genedlaetholdeb, a phwysigrwydd adfer y rhain, a'u grymuso, os yw Cymru i ffynnu mewn byd y bygythir ei barhad gan drachwant y corfforaethau amlwladol a'r banciau a'r llywodraethau sy'n eu gwasanaethu.

Un ddadl na leisiais, rhag ymddangos yn sectyddol, yw llwfrdra creiddiol, cynhenid Plaid Cymru. Deillia'r gwendid hwn o'i rôl hanesyddol fel lladmerydd politicaidd yr *intelligentsia* Cymraeg – carfan gymdeithasol fechan, egwan, ddi-hyder sy'n gwerthu blawd i'r Sefydliad Seisnig tra'n galarnadu am Llywelyn a Glyndŵr.

Er pan sefydlwyd y Blaid Genedlaethol, ei strategaeth wleidyddol – ac eithrio Penyberth – fu *gwên fêl yn gofyn fôt*, osgoi pob gwrthdaro ac ochr-gamu pob her. I brofi'r pwynt ni raid ond cyfeirio at Dryweryn, yr Arwisgo, *Tynged yr Iaith*, y mewnlifiad Seisnig i gefn gwlad, amwyster y Blaid ynglŷn ag "Annibyniaeth", Cyfrifiad 2001 ac ymgeiswyr seneddol sy'n brolio na fedrant y Gymraeg.

Gan fod llywiawdwyr y Wladwriaeth Brydeinig yn dra gelyniaethus at ddatganoli gwirioneddol a fyddai'n peryglu undod y Deyrnas Unedig, yn hwyr neu'n hwyrach, fe gwyd anghydfod difrifol ac iddo oblygiadau cyfansoddiadol mawr, rhwng San Steffan a Whitehall, a Bae Caerdydd. Os Plaid Cymru fydd ben yn y Cynulliad bryd hynny, ymateb anochel y Weinyddiaeth Gymreig i'r argyfwng fydd ymostwng, cyfaddawdu'n wasaidd ac ysigo'n balchder cenedlaethol ymhellach.

Sut byddai'r Blaid Lafur yn ymddwyn mewn sefyllfa gyffelyb? A bod yn berffaith onest, nid wyf yn ffyddiog y gwnâi hi fawr gwell. Byddai'n haws iddi gael gwared o'i Phrydeindod, efallai, nag i Blaid Cymru ymwroli, ac mae mwy o gythraul yn y Blaid Lafur.

*   *   *

Wedi i ni ddychwelyd i'r gogledd, medrais ailgydio yn fy mhrosiect llenyddol ynghynt na'r disgwyl. Ysgafn iawn oedd bagad gofalon f'ewythr erbyn iddo ymddeol ac ni fwriadwn chwilio am waith undebol a hawliau sifil i Davies, Greene, Daniels & Williams, Cyfreithwyr, cyn cael fy nhraed danaf. Yr un feddylfryd a barodd i Ann a fi benderfynu gohirio atgyweirio 'Bryngwyn' nes byddwn wedi ymgartrefu yno ac yn yr ardal.

Straeon wedi eu seilio ar fy mhrofiadau fel cyfreithiwr a chynghorydd oedd f'ymdrechion cyntaf. Daethant o'r popty'n gampweithiau ond wedi iddynt orwedd am sbel yn nrôr y ddesg, cefais eu bod wedi llwydo.

Anecdotau estynedig oedd y goreuon a'r rhelyw'n draethodau trwsgl, didactig. Roedd y *dénoument* un ai'n sinicaidd a phesimistaidd neu'n arwynebol ac optimistaidd, a'r cymeriadau'n brennaidd – er 'mod i'n ceisio portreadu dynion a menywod diddorol iawn, llawer ohonynt yn gyfeillon neu'n hen gydnabod. Gwelais mai fel cleientiaid, cynghorwyr a swyddogion llywodraeth leol yr adwaenwn y bobl hynny, nid gwŷr a gwragedd, tadau a mamau, meibion, merched a chariadon.

Mae'n siŵr fod hynny'n anorfod. Er mor hoff yw cynghorwyr o glywed eu lleisiau eu hunain, cyndyn ydynt i ddatgelu cyfrinachau personol a buasai chwilio i ddirgelion meddwl a chalon undebwr neu undebwraig wrth drafod iawndal neu ddiswyddiad annheg wedi f'arwain i drybini.

Gallaf feddwl am ambell eithriad. Un o'r achosion diwethaf i mi ddelio ag ef cyn gadael Trelwchwr oedd cais am iawndal gan weddw i löwr a fu farw o effeithiau creulon anadlu'r "dwst" am ddeng mlynedd ar hugain. Deuai'r weddw i'm gweld bob hyn a hyn gyda chyngor neu gyfarwyddyd oddi wrth ei gŵr, mewn geiriau a draddodwyd wrthi gan ysbrydegydd. Roedd y weddw a'i diweddar ŵr ill dau'n Gomiwnyddion rhonc.

"Dwi 'di'i gadal hi'n rhy hwyr," achwynais wrth Ann. "Wedi meddwl fel twrna a pholitishan yn rhy hir."

"Beryg bod y drwg wedi'i neud cyn hynny," atebodd Ann, yn onest iawn, fel arfer. "Gest ti blentyndod rhy hapus."

"Fydd o'n ein beio ni am hynny rŵan, Ann," meddai Mam yn ystod trafodaeth ôl-swperol yn 'Bryngwyn' ar f'atalnwyd llenyddol. Ychwanegodd, yn fwy cadarnhaol: "Pam na sgwenni di dy hunangofiant, Arwel? Hanas yr igian mlynadd dwytha yng ngwleidyddiaeth Cymru o safbwynt rhywun chwaraeodd ran flaenllaw?"

"Gwyn y gwêl . . ." atebais. "Dim ond mymryn o gynghorydd fues i, Mam. Petha diflas ydi atgofion cyn-aeloda o'r Cabinet, hyd yn oed, fel arfar. O ddiddordab i neb ond nhw'u hunin a'r *colleagues* ma' nhw'n deud petha sbeitlyd amdanyn nhw. Brolio'n hun faswn inna:

" 'Daeth gwrthwynebiad ffyrnig, o sawl tu, i fwriadau'r Cyngor parthed Ffordd Osgoi Trelwchwr a throi rhan o'r Parc Coffa yn faes parcio ond heddiw gallaf ymfalchïo fod yr ardal gyfan yn gwerthfawrogi fy ngweledigaeth a'm dyfalbarhad wrth hyrwyddo datblygiad a weddnewidiodd fywyd economaidd, cymdeithasol, diwylliannol ac ysbrydol y gymuned sydd mor agos at fy nghalon . . .' "

"Ella nad wyt ti, fel unigolyn, wedi dylanwadu ar hanas Cymru, Arwel," sylwodd fy nhad, "ond yr hanas hwnnw sy wedi cyfeirio cwrs dy fywyd di. Sgwenna am hynny."

Y sgwrs honno blannodd yr hedyn. Wrth i'r gwaith fynd rhaggdo, gwelais ei fod yn fodd i gloriannu a gwerthuso fy mywyd, rhywbeth buddiol iawn, a minnau hanner ffordd trwyddo, os deil fy lwc, ac newydd gyrraedd croeslon arall.

Yn y man, dechreuais fy holi fy hun: "Be 'na i efo hwn pan gyrhaedda i *rŵan*?"

Nid wyf yn dymuno i'm hatgofion gael eu cyhoeddi am oddeutu ugain mlynedd, am ddau reswm: parch at deimladau rhai sy'n annwyl i mi ac a frifais fwy nag unwaith eisoes, ac ofn y Gyfraith Droseddol a Sifil.

Rwy'n gobeithio y teimla rhywun, tua'r flwyddyn 2020, fod y llithoedd hyn yn werth eu hargraffu. Yn y cyfamser, cyfyngir eu darllenwyr i gylch bychan o gyfeillion dethol.